왕녀 저하는 화가 나셨나 봅니다

7. 별에 이끌린 자

Royal Highness Princess
seems to be angry

저자
야츠하시 코우

일러스트
나기시로 미토

속성을 부여한 바람마술이
선풍이 되어 적을 찢어발기고,
사방에 흩뿌려진 검은 입자를
상공에 붙들어 묶어놓았다.

아르마 · 리액터에서 해방된 마력의 결정이
기화하는 것과 동시에 주위에 반짝이는 빛을 흩뿌렸다.

도로셀 노아
레티시엘
리제너로제

왕녀 저는하 화가 나셨나 봅니다

7.

별에 이끌린 자

Royal Highness Princess
seems to be angry

저자
야츠하시 코우

일러스트
나기시로 미토

옮긴이
이진주

지크 비올리스

루크레치아 학원에 다니는 도로셀의 친구.
레티시엘의 반려였던 나오와 꼭 닮았다

도로셀 노아
(레티시엘 리제네로제)

천 년 전의 왕녀 레티시엘이 전생한 소녀.
공작가와 인연을 끊고, 평민이 되었다.

로시포드
벨아크
아레스타 플라티나

플라티나 왕국의 제1왕자.
혼수상태에서 깨어났으나 기
억을 잃은 상태.

크리스타 아마리리스
피리아레기스

피리아레기스 공작가의 삼
녀. 도로셀의 쌍둥이 여동생.

루빅 레인

도로셀이 여섯 살 때부터
그녀를 모신 전속 집사.

에델하르트
노우르 아레스타
플라티나

플라티나 왕국의 제3왕자.
평소부터 각지를 돌아다니며
왕도에는 거의 들르지 않는다.

세리냐 밀레느
피리아레기스

공작가에 왕도추방의 형이 내
려진 뒤, 홀연히 모습을 감춘
피리아레기스 가의 장녀.

니콜 라벤델

도로셀이 예전에 도와준 시
녀. 지금은 도로셀을 모시고
있다.

베로니카 에스텔 밸런타인
도로셀의 친구 중 한 명. 마력포화증을 앓고 있으며, 연금술에 흥미를 보이고 있다.

히르메스 리프 그웰
미란다레트의 약혼자. 검술이 특기로, 마술과 검술의 조합에 불타오른다.

미란다레트 루루 윌드
도로셀의 친구 중 한 명. 도로셀에게 마술을 배우고 있다.

사라
백의 결사를 이끄는 정체불명의 존재. 천 년 전 시대에서 전생한 레티시엘의 존재를 안다.

자쿠도
백의 결사의 일원. 사라를 『어르신』이라고 부르나, 그 역시 뭔가를 감추고 있는 듯하다.

밀그레인
백의 결사의 일원. 사라에게 심취해 있으며, 경솔하게 입을 놀리는 자쿠도를 경계한다.

라이오넬 루크 아레스타 플라티나
플라티나 왕국의 제2왕자. 끊임없이 미소를 짓고 있지만, 그 속마음은 누구도 읽지 못한다.

루카스 드 오라시오
루크레치아 학원의 학원장. 도로셀의에게 자주 휘둘리며 고생하는 인물.

티나
빛의 정령왕이며, 디트와 쌍둥이. 표정이 그다지 변하지 않는 타입.

디트
무의 정령왕이며, 티나와 쌍둥이. 호기심이 왕성하고 활발한 성격.

Royal Highness Princess
seems to be angry

7.
별에 이끌린 자

CONTENTS

서장 빛과 무의 섬

이 세계에서 정령이 사는 마을은 대륙의 동서남북에 네 곳이 있었다.

그 중 하나, 빛 속성과 무 속성의 정령들이 사는 마을이 대륙 서쪽의 바다에 외롭게 떠 있는 외딴 섬에 있었다.

"파파. 지겨워졌어. 놀아도 돼?"

"읽기 시작한 지 5분도 안 지났잖아? 적어도 30분 정도는 책을 읽으렴."

"파파! 지겨워졌으니까 놀아도 돼?!"

"내가 방금 티나에게 말한 걸 들은 거니?"

마을의 중심, 정령왕의 저택 서재에서는 쌍둥이 정령왕 티나와 디트가 독서시간을 보내고 있었으나 시작하기 무섭게 집중력이 떨어지고 있었다.

소파에서 낮잠을 자기 시작하는 티나와 방안을 날아다니는 디트의 모습에, 쌍둥이의 부친은 한숨을 내쉬었다. 자유로운 자식들을 가지면 여러모로 고생이었다.

'최근에는 결계 밖으로 거의 내보내주질 않으니⋯⋯ 무료하기도 하려나.'

정령의 마을에는 외부에서 인간이 침입하지 못하도록 공

간을 차단하는 결계가 마을 전체를 에워싸고 있었다. 평소에는 통행금지도 뭐고 없었지만, 최근에는 사정이 있어서 정령의 외부 출입을 모두 금지하고 있었다.

근래 결계의 상태가 불안정해졌기 때문이었다. 그것도 이 마을만이 아니라, 각지의 마을이 전부 같은 현상을 겪고 있었다.

결계의 통행에 어떤 불편함이 있는 것은 아니었다. 하지만 원인이 해명되지 않은 현재, 함부로 결계의 외부로 나가는 것은 안전하다고는 할 수 없었기 때문에 통행금지라는 조치가 내려진 것이었다.

'이런 일을 꾸민 인간 자체는 짐작이 가지만 말이지…….'

최근 성유물 안에 감춰진 『고대의 칠흑』들의 봉인이 풀리고 있는 것도, 아마도 예의 혼을 지닌 자의 소행일 것이다.

오전 중에 막 열렸던 장로회의에서도 만장일치로 그 자의 이름이 거론된 점을 보건대, 정령 전체가 모두 같은 추측을 하고 있는 것이리라.

허나, 지금 이 시대의 정령 측은 아직 그 자와 접촉하지 않았다. 이쪽도 대책은 여러모로 강구해왔으나, 현재로서는 아직 수면 아래에서의 대립이 계속되고 있었다.

외부에도 협력자가 있었고, 그들도 움직여주고 있긴 했다. 그러나 상대가 무슨 수작을 걸어올지 알 수 없는 동안에는 나서지 않고 경계하는 것이 가장 좋았다.

'……그러고 보니, 그 소녀는 지금 뭘 하고 있을까?'

예의 도로셀이라는 인간 소녀와는 이전에 수호영수 큐를 통해 대화를 하는 것으로 정보교환을 한 적이 있었다. 하지만 결계의 문제 때문에 연락이 끊어지고 말았다.

사실대로 말하면, 정령계는 그 소녀에게 어느 정도의 기대를 보내고 있었다. 요즘 시대에는 보기 드문, 인위적인 전생체였기 때문이었다.

윤회의 사이클로 인해 전생하는 인간은 있어도, 누군가의 의도로 반복되는 전생은 적었다. 하물며 정령의 편을 들어주는 존재는 매우 귀중했다. 인간계에서는 오래 전에 없어진 마술과 마력을 갖지 않은 특수한 체질도 흥미로웠다.

게다가, 그 소녀 안에는 그 외에 아직 잠재 능력이 숨겨져 있었다. 본인이 그것을 자각하고 있는지는 알 수 없었지만 그것은 아마도 언젠가 찾아올 그때에 크게 도움이 될 힘일 터였다.

"도로셀 언니, 어쩌고 있을까?"

"도로셀 누나, 뭐 하고 있을까?"

마치 이쪽의 마음을 읽은 것처럼, 타이밍 좋게 쌍둥이도 창밖을 바라보면서 그런 말을 중얼거리고 있었다.

"괜찮아. 분명히 또 만날 수 있을 거야."

"정말로?"

"진짜?!"

"그래. 파파의 감은 잘 맞거든."

아이들 곁으로 다가가 함께 창밖을 바라보았다. 금색의 나무들에 둘러싸여 햇빛을 받고 있는 마을은 평온했다.

저 멀리로는 넓은 호박색 호수에 솟은 거대한 나무가 보였다. 마을의 위를 덮어 가리려는 것처럼 줄기를 넓게 펼친 채, 『세계수』는 오늘도 불어오는 바람에 흔들리며 빛의 잎을 떨어뜨리고 있었다.

1장 혼돈의 전장

이리스 제국의 황제가 붕어했다. 그것도 암살로 인한 죽음이다.

플라티나 왕국군 본진은 그 정보 때문에 동요와 불안의 태풍이 일고 있었다.

"이봐. 이제부터 어떻게 되는 거지?"

"내가 알 리 없잖아. 나한테 묻지 마."

"왜 이런 타이밍에······."

사망한 황제는 이번 전쟁······ 가칭 플라티나 이리스 전쟁이라고 불리는 이 싸움의 개전 이전부터 반대의견을 피력했다고 했다.

이 전쟁은 제국 안의 불황과 왕국에 대한 불신, 과격파의 총독들이 기다리다 지쳐 움직이면서 촉발된 것이었다. 제국에서는 근래 각 지방을 통치하는 총독들이 힘을 얻고, 황제는 반쯤 장식처럼 되어버렸다는 것은 알고있었다.

그래도 황제가 전쟁에 부정적이라는 사실은, 전쟁찬성파의 총독들에게 큰 억지력이 됐음은 틀림없었으리라.

전쟁의 유일한 관문이라고도 할 수 있는 황제가 사망했다는 것은, 앞으로는 전쟁이 점점 더 격화될 가능성이 있다는 뜻이었다.

"……생각한 것보다 정보가 도는 것이 빠르군요."

레티시엘은 병사들의 모습을 시야 끄트머리로 포착하며 작게 중얼거렸다. 황제 붕어의

정보가 도착한 지 며칠이 지났으나, 아군의 동요는 여전했다.

그리고 병사들뿐이라면 몰라도 군을 이끄는 장군들, 상층부까지 그 정보에 휘둘려서 지휘명령체계가 혼란에 빠졌다고 하니, 웃음도 나오지 않았다.

아군에게 지극히 불리한 정보로 인해 이렇게까지 알기 쉽게 사기가 흐트러지는 것도 규모가 크고 비참한 전쟁이 없었던 이 시대의 병사들이기 때문일까.

"일단 보고가 들어온 뒤 전하께서 바로 함구령을 내리셨다만, 역시 계속 감추는 것은 무리였다."

루카스가 옆에서 휴대식량을 먹으면서 레티시엘의 혼잣말에 대꾸했다. 레티시엘도 그 대답에 고개를 끄덕였다.

"예. 전령이 그렇게나 긴박하게 도착했으니까 말이죠……."

마치 호외신문이라도 가져온 것처럼 요란하게 전령이 달려오면, 아무리 함구령을 내렸다 해도 그 효과를 발휘할 수 있을 리 없었다.

"그렇다고는 하나, 아무리 효과가 불충분하다 해도 이렇게까지 함구령이 힘을 발휘하지 못하는 케이스는 처음 봤습니다."

"너는 처음을 이야기할 수 있을 정도로 전쟁을 경험하지 않았잖아……."

진지한 얼굴로 그렇게 말하는 레티시엘에게, 루카스는 어처구니가 없는 것 같기도 하고 곤혹스러운 것 같기도 한, 뭐라 형용할 수 없는 쓴웃음을 띠었다.

분명히 『도로셀』로는 상당히 부자연스러운 발언이었는지도 몰랐다. 스스로 말해놓고, 레티시엘은 저도 모르게 자기 입을 막았다.

"뭐, 우리 군은 전체적으로 위험에 대한 면역이 없는 것이 겠지."

루카스는 그 이상 깊이 추궁하지 않았다. 16세의 소녀가 그 나이에 맞게 폼을 잡는 것뿐이라고 생각하는 것일까.

가능하다면 그렇게 생각해주는 편이 이쪽으로서도 매우 유리한데……

"백 년 정도 전까지 거슬러 올라가도 왕국 안이나 부근에서 일어난 전쟁은 스피리아 전쟁뿐이다. 그때의 교훈에 입각해 재편성한 국군이 이 부대이니까 말이지."

"이 전쟁이 일어날 때까지 실전경험이 거의 없는 병사가 많았죠?"

"뭐, 그렇지."

용케 이렇게까지 전황을 계속 유지할 수 있었구나……. 실전경험이 없는 것은 양국이 피차일반이었기 때문이었는지도 몰랐다.

"다만 저쪽의 우두머리…… 디오르그라고 했던가? 그 녀석은 요전에 네가 처리해줬으니까 말이다. 상황은 나빠지겠지만, 단숨에 절망적인 상태까지 안 좋아지지는 않겠지."

"……그러고 보면, 라이오넬 전하도 같은 말씀을 하셨죠."

어제의 긴급회의에서 라이오넬은 그렇게 말하며 장군들을 달래고 진정시켰다.

얼마 전에 레티시엘이 죽인 디오르그라는 남자는, 제국 안에서도 전쟁에 가장 적극적인 입장을 취했던 남자였다.

그가 죽은 일은 제국군에게 큰 타격이었던 듯, 그가 죽고 며칠 동안은 적들의 사기가 흐트러진 것을 확인할 수 있었다.

원군 덕분에 기세가 붙은 것도 처음뿐이었다. 군 전체의 지휘계통이 통일되지 않은 탓이리라. 덕분에 아직까지 그럭저럭 침공을 저지할 수 있었다.

"하지만 그렇게 오래 가지는 않을 거예요."

"그렇겠지. 때문에 지금이 기회일 거다."

그렇게 말하고 루카스는 들고 있던 총의 점검을 마치고, 다음 한 자루를 손에 들었다. 지금 레티시엘과 루카스는 병기개발부의 텐트에 와 있었다.

제국군의 공격이 언제 개시될지 알 수 없으니 이쪽도 늘 만전의 준비를 해둬야 했다. 그것을 위해 총의 점검·보수요원으로서 개발에 관련된 두 사람이 불려온 것이었다.

참고로, 지크는 텐트 안에서 지금도 병기의 양산에 힘쓰고 있었다. 제작법은 일단 확립했으나, 역시 완성도가 뛰어난 물건을 만들 수 있는 것은 아직 지크 혼자뿐이라고 했다.

"죄송합니다. 두 분 모두 바쁘실 텐데."

그런 두 사람에게 초로의 남성이 살짝 면목 없다는 듯이 눈썹 끝을 늘어뜨리고 말했다. 그는 이 병기개발부의 부장을 맡은 드라코라는 사람이었다.

이전부터 개발부에 빈번히 드나들던 레티시엘은 멀리서 그를 본 적은 있었다. 하지만 실제로 대화를 나눈 것은 이번이 처음이다.

"아니요. 이것도 우리나라의 승리에 필요한 일이니 말씀만 하신다면 언제든지 돕겠습니다."

"하하하. 젊으신데 훌륭한 말씀을 하시는군요."

레티시엘이 그렇게 대답하자 드라코는 감탄했다며 웃고는 뒷짐을 지었다. 가슴 근처까지 드리워진 백발이 섞인 희끗희끗한 수염이 바람에 흔들렸다.

"최근의 젊은이들은 참으로 재능이 넘치는군요. 저도 슬슬 은퇴를 생각해야 할지도 모르겠습니다."

"무슨 말씀을 하시는 겁니까. 선생님은 저와 그렇게 나이 차이가 안 나지 않으십니까. 아직 충분히 현역으로 활약하실 수 있습니다."

"이런. 루카스 님은 기쁜 말씀을 해주시는군요."

드라코는 수염을 매만지며 쾌활하게 웃었다. 그에 이끌리듯이 루카스도 함께 웃었다.

"당신과 같은 소속이 되다니 말입니다. 몇 년 만이지요?"

"뭐, 그때 이후로는 없었으니까요. 선생님과 함께 싸울 기회는."

"어떻습니까, 루카스 님. 루크레치아 학원의 학원장을 맡았다고는 들었습니다만, 잘 되어가고 있습니까? 남을 가르치는 것은 서툴렀다고 기억합니다만."

"뭐, 그럭저럭 해가고 있습니다."

이야기를 듣는 것밖에 할 수 없는 레티시엘을 놔두고, 두 사람은 그리운 듯이 담소를 시작했다.

레티시엘이 들어도 무슨 이야기를 하는지 이해할 수 없는 것은, 분명 이 두 사람 사이에는 그들만이 알 수 있는 공통된 시간이 있기 때문이리라.

그래도 루카스가 즐거운 것 같다는 사실은 이야기를 하는 그의 표정에서 쉽게 알 수 있었다. 늘 학원에서 교사나 학생들을 대하는 모습이나 오스왈드 폐하와 대면하는 모습만 알고 있었기 때문에, 이렇게 스스럼없는 루카스의 모습은 매우 보기 드물었다.

"어이쿠. 이야기가 길어지고 말았습니다."

한차례 서로의 근황 보고에 불타오른 뒤, 퍼뜩 제정신을 차린 드라코가 막 생각이 났다는 것처럼 그렇게 말했다. 시간을 잊을 정도로 루카스와의 잡담이 즐거웠다는 것일까.

드라코는 허둥지둥 주머니에서 회중시계를 꺼내 시각을 확인했다.

"미안합니다. 작업 중인데 방해를 해서."

"선생님이 신경 쓰실 일은 아닙니다. 혹시 뭔가 다른 볼일이라도 있으십니까?"

"예. 라이오넬 전하께 병기의 양산상황을 정기적으로 보고해야만 해서 말입니다. 신병기는 지금 우리 군 전력의 주축이니까요."

그럼 실례하겠습니다. 드라코는 그런 말을 남기고 자리를 떠났다. 레티시엘은 점검 작업을 하면서 그 뒷모습을 힐끗 쳐다보았다. 약간, 의외였다.

"……정기보고, 지크가 하는 것이 아니었군요."

"뭐, 지크는 제조부의 핵심이니 말이다. 보고를 위해 빠지는 것보다 다른 사람이 대신 보고하는 편이 좋겠지."

"그렇군요……."

"다만, 최근 들어 그 역할을 떠맡았다는 것 같더구나. 심경의 변화가 있었겠지."

두 사람은 그런 대화를 나누면서 멸마총 2호의 점검 작업을 계속했다. 주로 확인하는 부분은 총의 핵심, 실버아이언을 사용한 부품이 대부분이었다.

실제로 병기로서 가공해 전장에서 활용하게 된 뒤로 알게 된 일이지만, 실버아이언은 의외로 내구성이 약해서 빈번히 균열이 생기기 쉬운 성질이 있다.

평범하게 금속으로 사용하는 것에는 문제가 없는 것 같았으나, 마도술식을 새겨 그것을 마법탄의 포대로 사용하는 일은 아무래도 금속에 과도한 부하가 걸리는 것 같았다.

레티시엘과 루카스 앞에는 휴대형 소형용광로가 놓여 있었고, 그 안에서는 방금 전부터 끊임없이 실버아이언 덩어리가 녹고 있었다.

그렇게 녹인 금속덩어리를 금이 간 장소에 붓고, 수선하는 일이 이번 레티시엘과 루카스가 부탁받은 일이었다. 그렇다고는 해도 레티시엘의 역할은 수선이 완료된 총을 마술로 식혀서 관리·점검을 조기종료하는 일이었다.

녹인 금속덩어리를 사용하는 점에서 냉각하는 작업은 피할 수 없었다. 하지만 통상방법으로는 시간이 너무나도 많이 걸렸다.

그랬기에 술사의 의지만으로 냉각 정도를 자유롭게 제어할 수 있는 레티시엘의 마술은 귀하게 여겨진다는 것 같았다.

"그러고 보니, 루카스 님."

"응?"

"방금 그 분, 아시는 분인 것처럼 보였습니다만."

"아아. 저 사람과는 스피리아 전쟁 때부터의 전우다. 그는 그 당시 군사개발부의 주임이었지."

"꽤 오래 전부터 알고 지낸 사이로군요."

"그렇지. 어쨌든 내가 아직 애송이였을 무렵부터 알고 지낸 사이라고. 나는 저 사람에게 병기학을 배웠다."

그래서 방금 전 루카스는 드라코를 「선생님」이라고 불렀던 것인가. 레티시엘은 속으로 납득했다.

하지만 루카스에게 군인으로서의 지식을 가르친 인간이 지금 자신과 같은 전장에 있다고 생각하니, 왠지 이상한 감각이었다. 천 년 전의 대전쟁시대에는 한 사람이 이렇게 오랫동안 전장에 남는 일은 좀처럼 없었기 때문인지도 몰랐다.

"……응?"

그때, 펄럭 하고 천을 젖히는 소리가 작게 들렸다. 레티시엘은 소리가 들린 쪽을 돌아보았다. 그러자, 마침 지크가 텐트에서 나오고 있었다.

눈을 내리깔고 고개를 숙인 채 걷는 지크는 텐트 입구에서 조금 떨어진 곳에 있는 레티시엘과 루카스를 알아차리지 못한 것 같았다. 레티시엘은 의자 대신 앉아있던 통나무에서 일어나 말을 걸었다.

"아, 지크. 고생이 많아요."

"……아, 예. 도로세…… 앗 아니, 시엘 님이시야말로 고생이 많으십니다."

"?"

지금 막 알아차린 것처럼 지크가 이쪽을 돌아보았다. 반박자 반응이 늦은, 패기가 느껴지지 않는 그 어조에 평소의 그답지 않은 위화감이 느껴졌다.

게다가, 한순간 레티시엘의 본명을 말할 뻔 했다. 진지 안에서의 신원정보 특정 방지책으로 레티시엘이 가명을 쓰고 있다는 사실은 그도 잘 알고 있을 터인데…….

"오. 작업은 다 끝난 거냐?"

"학원장님…… 아뇨. 지금은 잠시 휴식 중입니다."

정비작업을 하는 손을 멈추고 고개를 든 루카스의 질문에, 지크는 작게 미소를 지으며 대답했다. 그러나 그 표정은…… 잘은 말할 수 없었지만, 역시 어딘가 그늘이 진 것 같은 느낌이 들었다. 감, 이라고 해야 할까. 루카스는 알아차리지 못한 것일까.

"그러냐. 그런데 지크, 너 눈 밑에 다크서클이 엄청나다. 잠은 제대로 자는 거냐?"

"틈틈이 자고 있습니다. ……정말로 걱정이 많으시네요."

"당연하지. 이래봬도 그럭저럭 오래 너를 봐 왔다. 네가 그럴 때마다 무모한 짓을 저지르는 걸 잘 아니까 말이지."

"하하……."

지크는 장황하게 설교의 말을 늘어놓는 루카스가 창피한 것 같기도 하고 곤란한 것 같기도 한 표정을 지었다.

"그런데 두 분은 여기서 뭘 하고 계신 겁니까?"

화제전환을 꾀하려 한 것인지, 그런 것을 물어왔다. 레티시엘은 저도 모르게 고개를 갸웃했다. 이곳에서 뭘 하고 있느냐니, 그런 건……

"멸마총의 정비다. 보면 알잖아?"

"그러네요…… 물을 것까지도 없었습니다."

지크는 그렇게 말하고 겸연쩍다는 듯이 머리를 긁적이며 웃었다.

억지로 웃는 것 같은, 그런 부자연스러운 미소였다. 이렇게 뻔한 일을 묻는 것도 평소의 그를 생각하면 위화감이 들었다.

"……아."

레티시엘과 루카스는 지크가 지켜보는 가운데 그대로 작업을 계속했다. 그러나 갑자기 루카스가 소리를 내며 손을 멈추고 자리에서 일어섰다.

"……? 왜 그러시죠?"

"아니, 재료가 다 떨어졌다. 잠깐 뒤에 가서 가져올 테니, 작업을 계속하고 있어라."

아무래도 갖고 있던 실버아이언 덩어리를 다 쓴 것 같았다. 루카스는 벅벅 머리를 긁으면서 빠른 걸음으로 텐트 뒤쪽으로 사라졌다.

그리고 레티시엘과 지크만이 남겨졌다. 무언의 공간. 레티시엘도 아무 말도 하지 않았으며, 지크도 말을 걸어오지 않았다.

레티시엘은 가만히 지크의 얼굴을 살펴보았다. 눈을 살짝 내리깔고 있는 것은 변함이 없고, 멍하니 줄곧 땅바닥을 바라보고 있었다.

며칠 전의 지크는 결코 이렇게 침울한 것 같은 표정을 짓는 일이 없었다. 역시 어딘가 상태가 이상한 것 같은 느낌이 드는데…… 대체 뭐가 원인일까?

"……있죠."

"예?"

"지크…… 무슨 일이 있었나요?"

"……!"

레티시엘이 머뭇머뭇 물어보자, 뜻밖이라는 기색으로 지크가 눈을 크게 떴다. 이쪽이 걱정을 한 일에 놀란 것일까. 아니면 그런 질문을 받은 자체에 놀란 것일까.

"아, 아뇨. 아무것도 아닙니다. 줄곧 일에 몰두하느라, 조금 지친 것뿐입니다."

"그렇, 군요……."

"그럼, 저는 그만 실례하겠습니다. 작업이 아직 꽤, 남아 있어서요."

"아……."

원인에 대해서는 아무것도 이야기해주지 않았다. 변명 비슷한 말을 남기고, 지크는 도망치듯이 텐트 안으로 틀어박히고 말았다.

레티시엘은 아무것도 잡지 못한 채 허공만 스친 오른손을 내리고, 미간에 힘을 주며 지크가 사라진 텐트의 입구를 물끄러미 바라보았다.

며칠 전까지는 안 그랬다는 점을 생각하면 디오르그나 황제의 죽음으로 전쟁이 격화되는 것을 우려하는 것일까. 그런 것치고는 어딘가 마음이 어딘지 콩밭에 가 있는 것 같은 기색이었는데…….

"……지크, 뭔가 고민하는 일이라도 있는 것일까요?"

"응? 그러냐?"

텐트 뒤쪽에서 금속덩어리가 든 나무상자를 갖고 돌아온 루카스는, 병기개발부의 입구를 노려보는 레티시엘에게 고개를 갸우뚱해보였다.

"본인은 아무 말도 하지 않았습니다만…… 뭐라고 할까, 조금 상태가 이상한 것 같은 기분이 들어서요."

"음. 듣고 보니, 평소 이상으로 멍하니 있던 것 같기도 하구나."

루카스도 레티시엘의 시선을 좇아 텐트 입구를 바라보며 방금 전의 상황을 돌이켜보듯이 턱에 손을 갖다 대었다.

"최근에 일만 하느라 피곤한 것도 있겠지. 좀 더 상태를 지켜보는 편이 좋지 않겠냐?"

"그건 뭐, 그러네요."

그렇게 말한다면 레티시엘은 더는 아무 말도 할 수 없었다.

지크는 고민이 있다고는 한 마디도 하지 않았고, 스스로도 피곤하다고 발언했다. 그 말이 거짓말이 아닐 가능성은 분명 0은 아니니까.

"어쨌든, 나는 작업으로 돌아가마. 오후가 되기 전에 끝내 버리고 싶으니까 말이다."

"아, 네."

작업을 다시 시작한 루카스를 따라, 레티시엘도 정비를 재개했다. 하지만 방금 전의 지크의 모습이 신경 쓰였다.

마치 이 자리에서 도망치듯이 자리를 뜬 그때의 지크는 대체 가슴 속에 어떤 고민을 끌어안고 있던 것일까.

'……언젠가 이야기를 해줄까?'

이제는 나오지 않을 것이라는 느낌이 들었지만, 레티시엘은 지크가 사라진 텐트의 입구를 바라보았다

지크에게 무슨 일이 있었는지 자세히 알고 싶은 자신과 그의 개인적인 사정에 발을 들여놓지 말아야 한다는 자신이, 마음속에서 갈등하고 있었다.

* * *

레티시엘이나 라이오넬이 예상했던 대로, 제국군은 나날이 조금씩이기는 하나 착실하게 기세를 더해갔다.

디오르그를 토벌하고 이리스 황제가 붕어한 지 일주일. 레

티시엘과 라이오넬은 주전장인 술타 강가의 텐트에 있었다.

"남 제2소대에게서 5시 방향에 있는 적을 격파했다는 보고가 들어왔습니다!"

"긴급보고! 동소대에게서 구원요청입니다!"

"서 6번대는 어떻게 되었나? 연락은 닿았나?"

최전선에서 차례차례 날아드는 적의 정보를 정리하면서, 작전 테이블을 둘러싸고 각 방향으로 전령을 보내고 있었다.

병기 성능 면에서는 동등하게 대항할 수 있는 수단이 생겼다고는 하나, 그 병기의 수도, 다룰 수 있는 자도 아직 부족했다. 병력차는 아직 근본적인 해결에 이르지 못한 것이다.

"역시 저도 출격하는 편이……."

"아니오. 당신은 이곳에 계셔 주십시오, 시엘님. 적어도 이 공세를 완전히 떨쳐낼 때까지는."

라이오넬은 전장의 지도에서 시선을 들지도 않고 그렇게 단호하게 딱 잘라 말했다. 그 목소리에는 저항할 수 없는 압력이 담겨 있었다.

"이 장소는 우리 군의 사령탑이며 심장부이기도 합니다. 만약 이곳이 괴멸된다면, 그것은 우리나라의 패배를 의미합니다."

"알고 있습니다. 하지만, 이대로는 결착이 나지 않습니다."

"그렇기때문에 시엘 님은 이곳을 첫 번째로 지켜주셨으면 하는 것입니다. 우리는 군의 머리, 병사들은 이른바 손발. 손발은 대체할 수 있지만, 머리는 한 번 파괴되면 끝이니까요."

"……."

라이오넬은 그렇게 말하고 지도에서 얼굴을 들었다. 그 얼굴에는 마치 말귀를 못 알아듣는 아이를 달래는 것 같은 곤란하다는 것 같은 미소가 떠올라 있었다.

"조급함은 금물입니다, 시엘 님."

"……예에. 그러네요."

총대장이 직접 그렇게 말한다면, 그 이상 레티시엘이 할 수 있는 말이 있을 리 없었다.

레티시엘은 테이블에서 떨어져서 라이오넬에게 등을 돌렸다. 전부터 느꼈던 것이지만, 레티시엘과 라이오넬은 전쟁을 대하는 자세라는 의미에서는 서로 맞지 않는 것 같았다. 전쟁에 대한 가치관이 너무 달랐다.

레티시엘은 라이오넬처럼 병사를 단순한 소모품이라고 여기는 사고를 할 수 없었다. 그런 싸움을 해본 적이 없었다.

천 년 전에는 일상화된 전쟁에 대응하기 위해 병사들도 귀중한 자원으로 여겼다. 병사를 낳기 위해서는 국민이 필요했으며, 때문에 국민을 어떻게 살리느냐 하는 것도 전쟁에서 중요한 과제였다.

국민을 함부로 죽게 한다면, 현재에는 변함이 없어도 장래 운용할 수 있는 병력은 확실하게 줄어들었다. 그렇게 되면 만성적인 병력 부족이 이어지고, 어느 나라에도 대항할 수 없게 되어 버린다.

'그렇지 않으면 그것이야말로 천 년 전의 생각인 것일까?'

지금은 전쟁 같은 것은 거의 없어서 많은 국민이 의미 없이 죽을 걱정도 없었다. 병력 부족 같은 것은 신경써봤자 소용없을지도 몰랐다.

그렇게 생각하면, 커다란 전쟁이 일어나지 않아 평화가 지속된 이 세계에서는 군에 종사하는 자들에 대한 인식 그 자체가 변화한 것이리라. 참으로 복잡한 일이었다.

"실례합니다."

마침 대화가 끊어진 타이밍에, 입구의 천을 걷고 드라코가 텐트 안으로 들어왔다. 기척이 전혀 없었기 때문에 레티시엘은 깜짝 놀랐다. 설마 밖에 사람이 있었다니.

"아, 드라코 님. 기다리고 있었습니다."

"이야, 이야기를 나누시는 것 같아 좀처럼 들어올 타이밍을 잡을 수가 없어서 말입니다……."

"그거 실례했습니다. 한 마디 말을 걸어주시면 좋았을 것을."

전장에 나와 있기 때문인지, 오늘 드라코는 갑옷차림이었다. 드라코는 라이오넬과 함께 가볍게 웃고는 그대로 본론으로 들어갔다.

"드라코 님이 전선에 계시다니, 별일이네요. 개발부장이신데……."

"본래는 지크가 오려고 했다는 것 같다만, 그것을 선생님이 설득해서 말리고 자진해서 그 대역을 떠맡으셨다."

그렇게 말하고 루카스는 곤란하다는 듯이 어깨를 움츠려 보였다.

"그랬군요……."

실로 지크다웠다. 분명히 연구에 열심인 지크였다. 수면이 부족해도, 컨디션이 좋지 않아도 개의치 않고 현장에 나오려고 하는 것은 상상하기 어렵지 않았다.

하지만 이번에는 드라코가 대신 와주어서 다행이라는 생각이 들었다. 지금의 지크는 아마도 정신적 피로 이외의 것도 끌어안고 있었다. 그렇게 주의력이 산만한 상태에서 전장에 나오는 것은 위험했다.

"그것에 대해서는 보고서를 제출해달라고 이전에도 말씀드렸을 터입니다만……."

"면목이 없습니다…… 후일 반드시 제출하겠습니다."

라이오넬 쪽에 시선을 주자, 그는 아직도 드라코를 상대로 이야기에 열중하고 있었다. 뭔가 심각한 분위기였다.

그 이야기가 끝나는 것을 기다릴 겸, 레티시엘은 일단 텐트 밖으로 나왔다. 일몰이 점차 가까워지고 있었다.

전선에 신속한 대응을 지시하기 위한 목적으로 설치된 이 임시 본진은 전장이 잘 보이는 언덕 위에 세워져 있었다. 언덕 위에 있는 편이 습격당했을 때에도 유리하게 움직일 수 있었고, 적의 움직임도 잘 볼 수 있었다.

레티시엘은 자신에게 원시마술을 걸고 드문드문 나있는 나무 사이로 전장의 모습을 살폈다.

술타 강을 사이에 끼고 왕국군과 제국군이 격돌하고 있었다. 제국군의 도하 시의 이동속도 저하를 노리고 이쪽 강변에서 왕국군이 활과 총으로 집중저격을 하는 것으로 그럭저럭 전선을 유지하고 있었으나, 밤이 될 때까지 결판이 날 것 같지 않았다.

이대로는 전황을 유지할 수는 있어도, 타파할 수는 없었다. 라이오넬은 일몰까지 이대로 계속 버틸 생각인 것 같았으나…….

'……저곳에서 왼쪽으로 진을 치면…… 아아, 거기서 어째서 정면 돌파를 하려는 걸까? 오른쪽 측면의 틈을 찌르면 좋은데……'

레티시엘이 보기에 플라티나 왕국군의 전투방식은 여기저기 비효율적인 부분이 두드러졌다. 만약 자신이 사령관이었다면 이렇게 했을 텐데…… 꼭 그렇게 생각할 때에만 일부러 번거롭게 행동했다.

'보고 있을 수밖에 없다니, 답답해……'

뭣하면 라이오넬의 명령은 어느 정도 무시하고, 지금 당장 전장으로 달려가도 되었다. 사실 이전에 한 번 그런 적이 있었다. 그 탓에 라이오넬에게 이미 경고를 받았기 때문에, 선불리 움직일 수는 없었다.

멋대로 행동한 것에 대해서는 이쪽도 일단 반성하는 마음을 갖고 있었다. 그러나 지금의

왕국군에게는 최선의 결과가 되게끔 움직이는 것이 필요한 것이 아닐까.

그것을 라이오넬에게도 말하고 싶었으나 완고한 것일까, 아니면 자신이 원하는 계획이 있는 것일까. 저 왕자님은 좀처럼 자신의 결정을 뒤엎으려 하지 않았다. 이걸 어쩐다.

"그럼, 실례하겠습니다."

문득 등 뒤에서 목소리가 들렸다. 뒤를 돌아보니 마침 드라코가 텐트에서 나오는 참이었다.

"……어라? 안녕하십니까?"

"안녕하세요. 이야기, 끝나셨나요?"

"예. 멸마총의 운용상황에 대한 정보는 일단 공유 받았습니다. 당신은…… 분명히 시엘님이라고 했던가요."

"예. 이렇게 제대로 대화를 나누는 것은 처음입니다만."

"그렇겠지요. 당신에 대해서는 제가 일방적으로 알고는 있었습니다만."

이렇게 말하는 것은 좀 그렇지만, 솔직히 드라코는 눈에 두드러지는 인물은 아니었다.

병기개발부의 부장이라는 직함을 갖고는 있으나, 실제로 개발부를 이끄는 것은 젊은 신예인 지크나 다른 연구원들이었다. 텐트 안에서 그를 본 일도 적었다.

때문에 레티시엘도 그의 얼굴은 알아도 자세한 정보는 파악하지 못하고 있었는데, 그런 그가 최근에 여기저기에 자주 차출되고 있었다. 그것이 조금 신기했다.

개발부의 실질적인 리더인 지크가 최근 지극히 바쁜 관계로, 그 업무를 보좌하기 위한 것일까.

"그럼 저는 그만 실례하겠습니다."

"어디로 가시는 건가요?"

"연구실로 돌아갑니다. 제 연구실에 볼일이 있어서 말입니다."

그렇게 말하고 드라코는 종종걸음으로 자리를 떴다. 평소 왕국군이 주둔하는 본진으로 돌아가는 것 같았다. 어지간히 급한 용건이 있는 것일까.

전황도 확인했겠다, 언제까지 밖에서 멍하니 있을 수는 없었다. 레티시엘은 다시 텐트 안으로 들어갔다.

"아, 어서 오십시오, 시엘 님."

발소리로 판단한 것일까, 라이오넬은 지도에서 얼굴도 들지 않은 채 말했다. 그 바로 옆에서는 루카스가 지도를 들여다보듯이 하며 서 있었다.

"전황, 어떠했습니까?"

"교착하고 있더군요. 이쪽도 그럭저럭 견뎌내고 있는 것 같았습니다만, 적도 기세가 떨어지지 않고 있습니다."

"밀려서 후퇴하고 있는 것이 아니라면 지금은 버틸 수 있겠지요. 일몰까지는 앞으로 한 시간 정도 남았으니, 그때까지는 다들 잘 견뎌줘야겠습니다.

밤이 되어 어둠이 밀어닥치면, 적은 어둠에 시야를 빼앗겨 진군하는 것이 힘들어진다. 말하자면 이것은 지구전이었다.

"다만, 며칠이나 이 상태를 유지할 수는 없습니다. 일치감치 뭔가 계책을 세워야 합니다."

"예. 알고 있습니다, 루카스 님. 저도 적이 아직 본격적으로 움직이지 않는 이틈에 어떻게든 제국군의 세력을 꺾어놓고 싶으니 말입니다."

지도와 눈싸움을 하는 루카스의 말에, 라이오넬은 크게 고개를 끄덕였다.

각 방면으로 지시를 전하고 임시 본진 주변의 경계를 하는 사이에, 한 시간은 눈 깜짝할 사이에 흘러갔다. 서쪽 지평선으로 태양이 빨려 들어가는 것과 동시에 주위가 단숨에 어두워졌다.

원시마술로 전장을 살펴봐도 제국군의 움직임이 둔해졌다는 것을 확인할 수 있었다. 구체적으로는 병사들이 강을 건너려하지 않았다. 당연하리라. 이런 어둠 속에 강을 건너다니, 너무 위험했다.

"전하. 적병의 철수를 확인했습니다."

"고맙습니다. 그럼 우리도 퇴각할까요."

라이오넬은 제국군이 전투속행불가라고 판단해 철수할

때까지 병사들에게 그 자리에서 엄중히 지켜볼 것을 명령, 안전과 퇴로가 확보되는 것과 동시에 군을 퇴각시켰다.

퇴각하는 군의 최후미를 지키는 역할은 레티시엘이 맡았다. 많은 부상병들을 먼저 보내고 적의 추격이 없는지 공들여 경계했다.

부상병의 상당수가 후방에 크게 뒤쳐져 있는 것은 부상 탓에 만족스럽게 이동할 수 없기 때문이리라. 그 수는 양손으로 다 셀 수 없을 정도였다.

가까스로 적군의 맹공은 떨쳐냈으나, 아군은 무조건 기뻐할 수는 있는 상황에 이르지 못하고 있었다.

"……사흘 뒤 이른 새벽에, 기습을 하고자 합니다."

어떻게든 일몰까지 버텨 제국군을 후퇴시킨 그날 밤, 긴급 작전회의에서 라이오넬이 그렇게 제안했다.

천 년 전에는 마술이 극도로 융성했기에 밤이 찾아오든 폭풍이 불어닥치든 마술로 어느 정도 환경의 불리함을 보완할 수 있었다. 밤이라면 빛 덩어리로 어둠을 밝혔고, 폭풍이 몰아치면 머리 위에 마술로 비를 피하는 막을 펼쳤다.

그런 의미에서는 마술이 쇠퇴한 지금이 전투에 대한 긴장도는 더 낮을 것이다. 밤이 되면 어둠이 전투를 가로막았고, 악천후에서는 서로 움직일 수가 없었다.

"그건 또…… 무슨 생각이신 겁니까?"

팔짱을 끼고 기둥에 기대서 라이오넬의 이야기를 듣던 루카스가 매우 흥미롭다는 듯이 라이오넬에게 질문을 던졌다.

"전하도 알고 계시리라고 생각하지만, 안이한 기습은 상대에게 발각당하기도 쉽고, 상대가 대책을 세우기 쉽습니다. 전황이 교착하면 할수록 적도 기습에 대한 경계를 강화하고 있을 터……."

루카스의 말에 몇 명의 참모들이 찬동하듯이 작게 고개를 끄덕였다.

"그런 상태에서 전하께서는 왜 돌파구로서 기습을 선택하신 겁니까? 그렇게 말씀하시는 것에는 뭔가 승기로 이어질 정당한 이유가 있으신 것이겠지요."

그것이 루카스의 주장이었다. 아무래도 지금 시대에서는, 기습은 전쟁에서 꽤 일반적이고 딱히 다른 것보다 특별할 것이 없는 작전 중 하나인 모양이었다.

"……기습이 가장 보편적인 전술이라는 사실은 잘 이해하고 있습니다. 그걸 알면서도, 저는 기습을 제안하고 싶습니다."

라이오넬은 테이블에 대고 있던 손을 내리고 루카스나 다른 간부들을 똑바로 바라보면서 막힘없이 대답했다. 아마도 입에서 나오는 대로 말한 것은 아니리라.

"보편적이기 때문에 맹점도 있다고 생각하기 때문입니다."

"그렇다 하심은?"

"요 며칠간, 저는 전투 틈틈이 첩보원에게 적진조사를 명령했습니다. 제국군은 조금 떨어진 후방에 지원기지를 두고 있는 점 때문에 배후에 대한 경계가 다소 느슨한 경향이 있었습니다. 그러니 이 경우, 이 적진의 지원기지가 기습의 열쇠가 되어 줄 것이라고 생각합니다."

"그 자체가 무모한 계획이라고는 생각지 않으십니까?"

"분명히 제국군 본진의 배후를 찌르는 것은 어렵겠지요. 하지만 제국군은 자군 진영의 뒤쪽에 아군이 있다며 적잖이 방심하고 있지는 않을까요. 그 지원기지에 잘 파고 든다면, 뒤쪽에서 제국군의 세력을 무너뜨릴 수 있습니다."

조금 복잡한 이야기였으나, 레티시엘은 라이오넬이 말하고자 하는 것을 어렴풋이 알 수 있었다.

똑같은 기습이라도 작전의 진행방식에는 몇 가지 패턴이 있었다. 하나는 좌우에서의 공격. 이것이 가장 일반적인 기습으로, 동시에 적이 경계하기도 쉬운 방식이었다.

그리고 또 하나는 배후에서의 기습. 전투 시 본진을 둘 때에는 기본적으로는 자국의 영토를 배후에 두고 진을 쳤다. 배후를 잡히는 것을 방지하고 중점적인 방어가 필요한 방향을 한 곳이라도 줄이기 위한 것이었다.

천 년 전이라면 어느 쪽도 철저하게 연구가 된 계책이었으나, 전술을 구사해야만 하는 전투가 빈번하지 않은 이 세계에서는 충분히 빈틈이 될 수 있을지도 몰랐다.

"물론 예측에 반해 제국군이 배후도 엄중하게 경계하고 있을 가능성도 없는 것은 아닙니다. 불확실한 가능성에 여러분을 끌어들이게 되는 셈입니다만, 그래도 우리 군의 승리를 위해 이 작전을 하고 싶습니다."

그렇게 말하면서도 라이오넬은 전혀 기죽지 않은 기색이었다. 고개를 저은 루카스가 라이오넬에게 시선을 돌리며 고개를 한 번 끄덕였다.

"적의 의표를 어떻게 찌를지 계획은 있으십니까?"

"예, 물론입니다."

"……알았습니다. 그럼 계획을 들려주시겠습니까?"

"고맙습니다, 루카스 님."

고개를 위아래로 끄덕인 루카스에게, 라이오넬은 만족한 것 같기도 하고 안심한 것 같기도 한 그런 표정을 지으며 웃었다.

라이오넬이 이야기한 기습작전은 만장일치로 채택되어, 곧바로 군 전체에 밀명이 내려졌다.

그러나, 기습이라고 해도 방금 전의 전투에서 적지 않은 타격을 받은 왕국군에게는 사소한 실수가 돌이킬 수 없는 치명상이 될지도 몰랐다.

때문에 준비에는 매우 많은 공을 들였다. 각종 무기와 방어구의 정비를 완벽하게 마치고, 군량의 재고를 충분히 확보하였으며, 기습의 절차나 계획을 가다듬고 또 가다듬어 손질했다. 그렇게 각 방면에서의 준비가 순조롭게 갖춰지고 드디어 작전 전날 밤을 맞이했다. 그러나…….

"저, 전하! 큰일 났습니다!"

아직도 동도 트지 않은 한밤중에 기습대의 일각을 지휘하고 있을 터인 장군이 한 명, 얼굴빛이 사색이 된 채 라이오넬의 처소로 달려 들어왔다.

"그렇게 당황해서 무슨 일입니까?"

"그, 그것이…… 제국군이…… 바로 가까이까지……!"

"예?"

눈을 부릅뜬 것은 라이오넬만이 아니었다. 출진을 위해 그의 곁에 있었던 레티시엘도 마찬가지였다.

레티시엘은 장군 옆을 순식간에 빠져나가 텐트 밖으로 뛰어나갔다. 그 순간, 전신에 밀려온 것은 불타오르는 불꽃의 색과 금속끼리 부딪치는 소리, 타는 냄새와 비명이었다.

"……어째서, 제국군이 이곳에?"

레티시엘의 등줄기에 불쾌한 땀이 흘렀다. 눈앞에서 맹렬하게 타오르는 불꽃에, 전생의 전장에서 봐 온 수많은 전황이 겹쳐 보여 한순간 몸이 굳어버려 움직일 수가 없었다.

레티시엘은 그것을 떨쳐내듯이 양손으로 자신의 뺨을 있는 힘껏 두드렸다. 좋아, 정신이 들었다.

냉정해지니, 위화감을 느낄 수 있게 되었다. 적의 습격 타이밍이 너무 좋았다. 이래서는 이쪽의 기습을 저지하기 위해 보내온 것이라고밖에 생각할 수 없었다.

하지만, 그렇게 되면 이상한 일이 일어난다. 애초에 이 작전은 라이오넬의 엄중한 함구령 아래 남모르게 조용히 전달되었다.

그것이 그렇게 쉽게 밀정의 귀에 들어가리라고는 생각되지 않았다. 그럼에도 제국군은 이쪽의 작전을 파악하고, 마치 누군가가 적에게 이쪽의 정보를 흘린 것 같은 절묘한 타이밍에 이렇게 공격을 감행했다.

"시엘 님!"

그렇게 외치며 달려온 것은 라이오넬이었다. 이미 한 손에 검을 들고, 전투태세에 들어가 있었다.

"상황은 어떻습니까?"

"보시다시피 좋지 않습니다."

"그렇군요. 일단은 기습작전은 중지하고 지금은 방어에 전념하죠."

본진은 마치 화재에 삼켜진 것 같은 상황이었다. 어느 틈에 불을 지른 것인가, 텐트를 모조리 집어삼킨 화염은 바람을 타고 차례차례 가까이에 있는 가연물에 옮겨 붙었다.

타서 눌어붙은 냄새와 작열하는 공기를 태운 바람이 뺨을 따끔따끔하게 두드리며 지나갔다. 오늘 밤, 그럭저럭 바람이 부는 것도 화를 키웠다.

"……적의 목표는 아마도 저와 병기개발부이겠지요."

여기저기에서 불길이 치솟은 모습에, 라이오넬은 작게, 그렇지만 확신을 갖고 그렇게 중얼거렸다.

병기개발부는 현재 제국군에게 대항할 수 있는 수단을 생산하는 유일한 장소였다. 이곳을 괴멸시킨다면 왕국은 제국에 반항할 수단을 잃어버릴 것이라고, 습격자들은 생각하고 있으리라.

실제로 본진에 돌입해 온 적병의 일부가 다른 텐트는 모조리 무시하고 곧바로 본진의 안쪽으로 향하는 것이 저 멀리 보였다. 그 앞에는 병기개발부의 텐트가 놓여 있었다. 처음부터 노리고 있다고밖에 생각되지 않았다.

상황을 살피러 가고 싶은 마음은 굴뚝같았으나, 지금은 라이오넬을 지켜야만 했다. 애초에 갈 길을 가로막는 적도 많아서 목적한 장소까지 이동하는 것도 시간이 걸릴 것 같았다.

"전하. 지금부터 이동하겠습니다. 따라올 수 있으시겠습니까?"

"예. 물론입니다."

라이오넬은 고개를 끄덕이고 허리에 찬 검집에서 검을 뽑았다. 레티시엘도 가까이에 놓여있던 검을 들었다. 두 사람은 레티시엘이 선행하는 형태로 불타오르는 본진 안을 달리기 시작했다.

"……이봐! 라이오넬이 저기 있다!"

"그 목, 받아가겠다!"

교차로에 나오자 곧바로 적들이 이쪽을 알아보았다. 예상했던 대로, 라이오넬 전하가 목적인 모양이었다.

물론 목을 내어줄 수는 없었기 때문에, 레티시엘은 들고 있던 검에 바람마술을 두르고 호를 그리듯이 똑바로 옆으로 휘둘렀다.

"크아악!"

낮은 위치에서 검을 휘둘렀기 때문에, 검은 적병 두 명의 다리를 도려냈다. 그들은 극심한 통증을 견디지 못하고 맥없이 얼굴부터 지면에 쓰러졌다.

"시엘님. 어디로 가실 생각입니까?"

"병기개발부입니다. 그러고 보면 작전을 위해 준비한 병기들은 어디에 있죠?"

"어젯밤에 숲에 옮겨놓았습니다. 설마, 이런 식으로 도움이 될 줄은 몰랐습니다……."

빠르게 이동할 수 있도록, 기습에서 사용할 무기의 일부는 어젯밤에 진지에서 반출해두었다.

기습작전의 한 과정에 불과했으나, 그 한 과정 덕분에 왕국군이 보유한 귀중한 전력을 두 눈을 빤히 뜬 채 파괴당하지 않고 끝날 수 있었다.

"이, 이 비겁한 놈들아!"

"흥! 좋을 대로 떠들어라!"

"그럼 거기서 비켜주시죠. 비겁한 놈씨."

"뭐…… 크억!"

덤벼드는 제국군과 칼날을 맞댄 채 힘겨루기를 하고 있는 왕국병을 그 곁을 지나가는 김에 구해주면서, 레티시엘은 라이오넬과 함께 병기개발부의 텐트로 향했다.

"이봐. 있다! ……컥!"

"마도사 시엘이다! 조심…… 으헉!"

도중에 마주친 적병은 적의 전력을 약화시키기 위해 모두 마술 혹은 검으로 움직임을 봉하고 갔다. 목숨을 빼앗지 않은 것은 나중에 포로로 삼았을 때 적군에 대해 뭔가 정보를 알아낼 수 있을지도 모른다고 생각했기 때문이었다.

"이봐! 정신 똑바로 차려라, 지크! 여기서 쓰러질 때가 아니야."

"저, 저도 압니다!"

몇 개인가의 모퉁이를 왼쪽, 오른쪽으로 꺾어 가니 병기개발부의 텐트가 있는 구획까지 나왔다.

가장 먼저 귀에 날아든 것은, 이런 상황에서도 무겁게 울려 퍼지는 루카스의 굵은 목소리였다.

개발부 앞에서 루카스가 검과 주먹을 구사해 적과 싸우고 있었다. 그 등 뒤에서는 지크의 모습도 보였는데, 이쪽은 마법과 마술을 나눠 쓰며 루카스를 원호하고 있는 것 같았다.

"죽어라!"

"방해하지 마라!"

십수 명의 적병이 단숨에 일제히 루카스에게 달려들었다.

 그 정도 인원수로도 루카스 자신은 꿈쩍도 하지 않았지만, 여러 명를 상대하느라 한순간 옆을 빠져나갈 수 있는 틈이 생기고 말았다.

 "이런?!"

 그 작은 틈을 찌른 적병 한 명이 지크를 검으로 찌르고자 똑바로 거리를 좁혀갔다.

 그것을 확인한 다음 순간, 레티시엘은 이미 상공으로 뛰어올라 있었다. 신체강화마술을 사용해 도약한 것이었다.

 달려서 20보 정도의 거리도, 날아가면 한순간이었다. 지크를 베려던 적병은 수직낙하해온 레티시엘의 검에 가슴이 꿰뚫려 즉사했다.

 "지크! 루카스 님! 두 분 모두 무사하신가요?"

 "……웃! 시엘 님!"

 상공에서 갑자기 떨어져 내린 레티시엘의 등장에, 지크는 진심으로 놀란 것 같았다. 눈을 한계까지 크게 떴다가 나타난 것이 지인이라고 이해한 순간 안도했다.

 "예. 그럭저럭. 다만, 적도 계속해서 모여들고 있는 것 같으니, 언제까지 이곳을 지켜낼 수 있을지는……."

 주변을 빙글 돌아보면서 지크가 말했다.

 방금 전의 병사들은 레티시엘이 격퇴했으나, 이미 새로운 병사가 이곳을 둘러싸려고 움직이고 있었다.

분명히 이대로 이곳에 있어서는 결판이 나지 않을 테고, 불리해지기만 할 뿐이리라. 상대방의 포위망이 완성되기 전에 어떻게 해서든 이곳에서 이탈하고 싶었다.

"전하. 제게 제안이 하나 있습니다."

"뭔가요?"

"적을 양분시키는 것은 어떨까요?"

레티시엘은 루카스와 자신을 가리키며 말했다.

"전하는 방금 전 스스로 말씀하셨지요. 적들이 자신을 노리고 있다고."

"예. 말했지요. ……아아. 과연. 양동작전인가요."

"이해가 빠르셔서 매우 다행입니다."

레티시엘이 제안한 작전은 이러했다.

우선은 라이오넬과 병기개발부…… 정확히는 그 핵심인 지크를 함께 진지의 바깥으로 도망치게 한다.

그렇게 하면 적은 목표말살을 위해 그쪽으로 병력을 쪼갤 것이다. 여기에 와 있는 적병의 총수는 정해져 있으니, 필연적으로 적은 병력을 이분하는 것이 된다.

이분하게 되면 당연히 양쪽 모두 전력이 얼마나 저하한다. 그 상태라면, 우리 군도 방어성공의 희망을 이끌어낼 수 있을 터였다.

"하지만, 애초에 그 『밖으로 도망치게 한다』는 일 자체가 어렵잖아."

"그럴지도 모릅니다. 다만, 제게는 전이마술이 있습니다. 그것을 쓰면 이곳을 몸 하나, 무기 하나로 돌파할 필요는 없어집니다."

전이마술은 레티시엘이 한 번이라도 간 적이 있는 장소라면 어디든 이동할 수 있었다. 다른 사람들도 레티시엘과 접촉하고 있으면 같이 데려갈 수 있었다.

천 년 전에는 하도 자주 써서 때가 묻은 탈출법으로, 기본적으로는 그에 대한 대책도 세워진 마술이었다. 하지만 마술에 관한 지식도, 방어술도 얕은 이 시대의 전쟁에서는 활용할 수 있을 터였다.

"진지 밖으로 전이한 뒤, 일단 적에게 이쪽의 모습을 보여서 진지 밖으로 끌어내겠습니다. 물론 잘 되리라는 보장은 없지만, 조금이라도 가능성이 있다면 움직여야 할 겁니다."

"분명히 그건 그렇다만……."

"걱정하지 마세요. 겨우 두 사람을 지키며 전이하는 것뿐이라면, 저 혼자서도 어떻게든 할 수 있으니까요."

"그건…… 하지만, 너무 위험합니다!"

그렇게 외친 것은 지크였다. 그때까지 줄곧 잠자코 있던 그는 튕기듯이 얼굴을 들고 고개를 좌우로 세차게 흔들었다.

레티시엘은 그 모습을 물끄러미 바라보았다. 지크가 말하고자 하는 바는 이해할 수 있었다. 이 작전이 위험하다는 것은 이미 충분히 인지하고 있었다. 하지만 이렇게라도 하지 않는다면, 이 절망적인 상황을 타개할 수는 없었다.

"지크. 괜찮아요."

"시엘 님……."

레티시엘은 자신의 왼팔을 붙잡고 있는 지크의 오른손에 가만히 손을 겹쳤다. 자신의 손 너머로 지크의 손이 떨리는 것이 전해져왔다. 불안한 것이리라. 당연했다. 불안하지 않을 리가 없었다.

"걱정하지 말아요……라는 근거 없는 위로를 건넬 생각은 없어요. 하지만 부디 나를 믿어줘요. 당신을 반드시 지켜 보이겠어요."

이런 말을 한다고 해도 이 작전이 모 아니면 도의 도박으로, 어떻게 될지 알 수 없다는 점은 변함이 없었다.

그래도 레티시엘은 이 마음이 지크에게 전해졌으면 했다. 조금이라도 그 마음을 진정시켜줄 수 있다면, 지금은 그것으로 충분했다.

"그러니까, 지크. 당신도 내게 등을 맡겨줘요. 나도 당신을 믿으니까요."

"……제게 맡기세요, 라거나 그런 말을 안 하는군요."

"예. 그게, 그런 말을 해도 결국 일시적인 위안이 될 뿐이잖아요? 실제로 끝까지 살아남지 않으면 의미가 없는걸요."

"정말, 당신이라는 사람은……."

지크는 그렇게 말하고는 작게 쓴웃음을 지었다. 레티시엘의 손을 마주잡아온 그 손은 더는 떨리지 않았다.

딱히 비아냥거리는 것이 아니라는 사실은 물론 알았지만, 왜 쓴웃음을 지은 것인가. 레티시엘로서는 자신의 생각을 말한 것뿐이건만.

"이봐. 그렇다면 나도 같이―."

"아뇨. 루카스 님은 이곳에 남아 병사들을 지휘해 주세요. 호위는 저 혼자인 편이 여러모로 편리할 겁니다."

"하지만…… 괜찮은 거냐?"

"이쪽의 전력이 적으면 적을수록, 상대의 방심을 이끌어내기 쉬울 겁니다."

호위를 줄줄이 데리고 있다면 나는 여기에 있고, 지금부터 도망갈 거라고 선언하는 것과 다르지 않다. 어디까지나 병사들을 두고 도망치는 것처럼 보이는 일이 중요했다.

게다가, 지금까지의 싸움으로 제국 측도 레티시엘이 얼마나 성가신지 잘 알게 되었을 것이다. 레티시엘이 있다는 것만으로 어쩌면 필요 이상으로 많은 병력을 쪼개줄지도 모를 일이었다.

"누군가에게 맡길 수 있는 간단한 임무가 아니라는 점은 자각하고 있습니다. 그러니까 제가 가는 겁니다."

"……알았다. 그럼 네게 맡기마. 죽지 마라."

"그럴 예정은 없답니다."

어떻게 해도 걱정을 지우지 못하는 기색의 루카스를 안심시키기 위해서라도 레티시엘은 상쾌한 미소를 지어보였다.

"그럼 진지 쪽은 잘 부탁드립니다."

"그래. 전하와 지크를 잘 부탁하마."

"예."

루카스에게 본진의 방어를 맡기고, 레티시엘은 라이오넬과 지크의 손을 잡고는 전이로 진지의 입구까지 날아갔다.

적 병력의 많은 수는 진지 안쪽까지 깊숙하게 돌입한 것 같았지만, 바깥쪽에도 등 뒤를 지키기 위해 얼마의 병사가 대기하고 있었다.

"……응? 이, 이봐. 저거……!"

그 중 한 명이 레티시엘 일행의 모습을 알아보았다. 그것을 확인하고 레티시엘은 두 사람을 데리고 산 쪽으로 도망쳤다.

물론 이것은 도망치는 것처럼 보이기 위한 연출이었다. 레티시엘은 그대로 본진에서 가까운 산으로 헤치고 들어갔다. 울창한 나무들이 주위를 감싸 안았다.

'……후방에 다수의 발소리를 확인.'

본진을 빠져나와 산에 들어온 지 15분 정도 지났다. 아무래도 레티시엘의 예측은 틀리지 않은 것 같았다.

탐색마술을 발동한 상태의 레티시엘은 나무들 사이에 숨듯이 이쪽의 뒤를 쫓아오는 복수의 기척을 감지할 수 있었다.

모습은 아직 확인할 수 없었으나, 발소리를 죽이고 접근하는 점을 보건대 아군은 아니었다. 제국군임이 틀림없었다.

수는 대략 200. 다 세지 못했을 뿐, 더 있을지도 몰랐다. 습격군 전체의 인원 수를 알 수 없었기 때문에 뭐라고 말할 수는 없었으나, 절반 정도는 유인했다고 해도 좋았다.

'공격해올 기색은 없다, 라……'

현재 시점에서, 추적자들은 상황을 관망하기로 결정한 것 같다. 바로바로 공격해올 것이라고 생각했는데 의외였다.

적의 생각은 레티시엘도 알 수는 없었으나, 아마도 좀 더 도망치기 어려운 숲 안쪽으로 몰아넣고 배후를 완전히 차단한 뒤, 안전하게 처리할 생각인 것이리라.

여하튼 이쪽은 왕국군의 총대장과 무기개발의 요인, 자신들의 대장을 쓰러뜨린 마도사 3인조였다. 레티시엘의 능력은 적도 사전에 충분할 정도로 이해하고 있을 터이니, 그만큼 신중해졌어도 이상하지는 않았다.

레티시엘은 조금씩 방향을 바꾸면서 숲을 나아갔다. 부자연스럽게 생각되지 않을 정도로 산림의 안쪽까지 나아가자, 이윽고 크게 뚫린 공간으로 나왔다.

그 공간의 중앙에 거목이 쓰러져 있는 점을 보건대, 아마도 원래 이곳에 있던 나무가 쓰러져서 빈 공간이 생긴 것이리라.

"……이곳까지 오면, 괜찮을까요."

레티시엘은 주위에 들리도록 일부러 목소리를 크게 냈다.

힐끗 라이오넬과 지크에게 눈짓을 하자, 두 사람도 곧바로 레티시엘의 의도를 알아차려주었다.

"그렇군요. 진지에서 꽤 멀리 떨어졌으니, 이제는 안전하겠지요."

"아무도 뒤를 쫓아오지 않을 것 같습니다. 잘 빠져나왔네요."

레티시엘의 말에 라이오넬이 고개를 끄덕이고, 지크는 주위를 돌아보면서 안도한 것 같은 어조로 중얼거렸다.

"전하. 이 뒤에는 어떻게 할까요?"

"잠시 이곳에서 대기합시다. 나중에 부대가 합류할 터이니, 함부로 이동하는 것도 좋지 않으니까요."

물론 그런 부대 따위는 존재하지 않았다. 어디까지나 적의 방심을 이끌어내기 위한 거짓말이었다.

"알았습니다. 그럼 이곳에서 기다릴까요."

레티시엘 일행은 뒤를 따라온 기척에 주의를 기울이면서, 이 광장에서 때가 오는 것을 기다리기로 했다.

지크와 라이오넬도 각자 쓰러진 나무 옆에 자리를 잡고, 아무 말도 하지 않은 채 숨을 죽였다. 일부러 쓰러진 나무 근처를 고른 것은 나무에게 공격을 막아줄 역할을 기대했기 때문이리라.

'……점점 기척이 흩어지고 있네.'

레티시엘 일행이 이 공간에 들어오고 잠시 뒤, 숲 안에 숨어있는 적병의 기척에 움직임이 일었다.

한 자리에 모여 있던 기척이 마치 이 공간을 감싸듯이 확산했다. 아무래도 이쪽이 도망칠 길을 막기 위해 이곳을 포위할 생각인 듯 했다.

"……사방이 둘러싸였습니다."

레티시엘은 적에게 들리지 않도록 최대한 목소리 톤을 낮추고 라이오넬에게 속삭였다.

"역시 그렇게 나왔군요…… 승기는 얼마나 됩니까?"

"확실히 말씀드릴 수는 없습니다. 그저 전력을 다할 뿐입니다."

"냉정하시네요."

"확증이 없는 일을 보장할 수는 없으니까요."

레티시엘은 목소리를 낮추며 계속해서 적의 상황을 살폈다. 아직 움직일 기척은 없었다. 이쪽이 완전히 안심한 순간을 노리고 있는지도 몰랐다.

5분…… 10분…… 한층 더 몇 분이 지나고, 드디어 그때가 왔다.

숲 안에서 경갑을 걸친 제국병들이 일제히 모습을 드러냈다. 전원이 이미 검이나 총을 들고 있었다. 조용한 살기가 이쪽을 향했다.

"……일국의 총대장이, 설마 혼자서 뻔뻔하게 도망칠 줄이야."

부대를 이끄는 리더로 보이는 남자가 레티시엘 일행을 힐끗 쳐다보고는 경멸하듯이 코웃음을 쳤다.

"하지만 도망쳐도 소용없다. 너희의 목숨은 오늘 여기서 끊어주마. 포기해라!"

"……."

"덤벼라!"

그 호령 하나에 적병은 무기를 쥐고 일제히 이쪽을 덮쳤다. 동시에 레티시엘은 자신들의 발밑에 마법진을 전개했다.

레티시엘 일행을 중심으로 직경 6미터 정도의 보호막이 구축되었다. 옅은 노란색을 띤 반투명한 결계 너머로 검이 튕겨나가 놀라는 적병의 표정이 보였다.

"두 분 모두 이곳에서 나가지 말아 주세요. 결계가 두 분을 지켜줄 겁니다."

"시엘 님, 당신은 어쩌실 겁니까?"

"치고 나갈 겁니다."

안전한 장소에 틀어박혀 공격하는 것도 가능했으나, 그러면 시간이 너무 오래 걸렸다. 평범하게 밖에서 싸우는 편이 빨리 결판을 낼 수 있으리라.

레티시엘은 결계를 유지한 채 그 영역 밖으로 나아갔다. 방금 전까지 놀라고 있던 제국병들은, 결계 밖으로 나온 레티시엘을 밉살스럽다는 듯이 노려보았다.

"마도사 시엘. 네놈, 우리를 속였군."

"속이다니, 듣기 안 좋네요. 멋대로 쫓아온 것은 그쪽이잖아요?"

미끼작전임을 알아차리지도 못하고 따라온 것은 상대방이었다. 지금도 알아차린 기색은 없었으나, 이쪽에게 화를 내는 것은 번지수가 틀려도 단단히 틀렸다.

"두 분의 목을 원하시죠? 그렇다면 우선 저를 쓰러뜨리는 걸 추천하겠어요. 제가 죽으면 저 결계도 자동으로 사라지니까요."

"……호오. 어지간히 죽고 싶은 모양이로군."

전투에서 상대에게 틈을 만들고 싶을 때, 말로 도발해서 감정적으로 만드는 것도 하나의 방법이었다.

실제로 적은 레티시엘의 도발에 넘어갔다. 군이 도발에 응한 것인가, 그렇지 않으면 자신들이 유리하다고 판단한 것인가.

"그렇다면 우선 너부터 죽여주마!"

적병의 한 사람이 그렇게 말하고 검을 쥔 채 돌진해 왔다.

검을 들지 않은 쪽의 손에 장비한 방패를 이용해 공격할 생각인 모양이었다. 그것은 당연히 옆으로 뛰어서 회피했다. 그와 동시에 전격마술을 남자의 양팔에 박아 넣었다.

"으윽!"

양팔에 내달린 마비와 통증에 남자가 검과 방패를 떨어뜨렸다. 레티시엘은 그것을 주워들고 아공간마술을 발동했다. 마도병기처럼 사용자의 인증을 필요로 하는 것도 아니고, 아직 무기와 방어구 전반의 기술이 아직 제국에 미치지 못하는 왕국군이 재이용할 수 있게 하자.

"이······!"

한창 그 작업을 하는 와중에도, 곧바로 다른 병사가 공격을 해왔다.

민첩한 몸놀림으로 내지른 찌르기를, 레티시엘은 신체강화마술을 구사하면서 하나하나 확실하게 피했다.

공격이 좀처럼 맞지 않는다는 사실에 조급해진 것일까, 적은 초조하다는 듯이 딱 한 번 크게 검을 옆으로 휘둘렀다. 그것에 빈틈이 생기고, 그것을 놓칠 레티시엘이 아니었다.

"크억!"

레티시엘은 검을 휘두른 순간 무방비해진 남자의 배에 혼신의 일격을 박아 넣었다. 마술로 강화된 주먹은 몸을 크게 파고들고, 남자는 입에서 거품을 내뿜으며 맥없이 쓰러졌다.

레티시엘은 기세를 몰아 지면을 깊게 박차고 나가 적의 사이를 종횡무진 내달렸다.

그리고 어떤 병사에게는 목 뒤에서 일격을 가하고, 어떤 병사에게는 등 뒤에서 발을 걸어 넘어뜨린 뒤 등을 강타해 기절시켰다.

이렇게 별로 넓지도 않은 공간에서 섬멸력이 강한 마술의 행사는 어려웠다. 그랬기에 레티시엘은 마술과 체술을 섞어가면서 싸우는 방식을 택한 것이었다.

"겁먹지 마라! 적은 혼자다! 전력으로 밀어붙여라!"

제국병의 사기는 아직 그럭저럭 높은 것 같았다. 아무래도 적은 머릿수를 믿고 싸울 생각인 듯 했다.

"……그렇다면 이쪽도 수로 대항할까요."

상단에서 내리친 검격을 피하고, 레티시엘은 마도술식을 발동시켰다.

청색의 빛을 내뿜는 작은 마법진이 마치 레티시엘을 지키듯이 주위에 백 개 이상 전개되었다.

그곳에서 모습을 나타낸 것은 얼음으로 만들어진 무수한 화살이었다.

제국병들이 공격을 경계하고 자세를 잡았다. 그러나 레티시엘은 그 화살들을 그들 주변으로 날렸다.

얼음화살은 레티시엘의 의지대로 하늘에서 춤을 추며 그것을 쳐서 떨어뜨리려고 검을 휘두르는 제국병들을 농락했다.

레티시엘도 화살을 조종하면서 공격에 나섰다. 얼음화살에 주의를 빼앗긴 제국병들은 품안까지 단숨에 파고들어온 레티시엘에게 제대로 대응할 수 있을 리 없었다.

체술에 밀려서 자세가 흐트러지고, 그 틈을 타 허공을 떠돌던 얼음화살이 일제히 그들에게 이를 드러냈다.

"커억!"

"크아악!"

화살은 전부 제국병들의 어깨, 검을 쥔 쪽을 꿰뚫었다. 이것으로 그들이 다시 무기를 들고 만족스럽게 싸울 수 있는 가능성은 없어졌다고 할 수 있으리라.

그렇다고는 해도 전원 죽이지는 않았다. 급소는 피했고, 위력도 조정했다.

적은 다수에 이쪽은 소수일 경우, 적을 죽이는 것은 반드시 최선의 수라고는 할 수 없었다. 천 년 전의 경험담이었으나, 동료를 살해당한 적은 분노에 단결을 더욱 공고히 하는 패턴이 많았다.

그래도 적은 줄이면 줄일수록 좋긴 했으나, 아직은 공격에 총력을 다할 때는 아니리라.

"건방 떨지, 마라……!"

부대의 리더로 보이는 남자가 이쪽을 향해 총을 겨누었다.

한순간, 레티시엘은 어떻게 할까 고민했다. 그러나 주위에 아직 적병이 있는지라 이곳은 결계마술로 참고 견디기로 했다.

총신에서 발사된 총알이 착탄하기 직전 레티시엘의 전신을 옅은 빛이 뒤덮었다. 보이지 않는 벽에 부딪친 총알은 메마른 금속소리와 파열음을 남기고 찌그러졌다.

"……칫."

리더인 남자는 부아가 치민다는 듯이 혀를 찼으나, 곧바로 다음 총알을 장전했다.

'……역시 수가 많네.'

레티시엘 자신은 아직 한계에 다다르려면 한참 멀었으나, 혼자서 200명의 적을 상대한다고 한다면 역시 다소 힘이 들었다.

결계마술 두 개를 동시에 전개하고, 거기에 아공간마술도 사용하면서 싸우는 이 상황에서 마술을 발동할 때 걸리는 정신적인 부담이 상당히 무거웠다.

적어도 앞으로 조금만 더, 적을 절반 이하로 무력화시킬 때까지는 지금 이대로 잘 굴리고 싶지만…….

"……?"

그때, 따뜻한 뭔가가 레티시엘의 체내에 흘러들어왔다. 뭔가 해서 레티시엘은 시선을 밑으로 내렸다. 그러자, 레티시엘의 몸이 한순간 옅게 빛났다가 다시 원래대로 돌아갔다.

'이건……'

몸이 가벼워진 것 같은 느낌이 들었다. 마술을 사용하기 위해 마소를 흡수하는 공정에도 부담이 꽤 가벼워져 있었다.

이 힘은 기억에 있었다. 무속성마술인 지원마술이었다. 이름대로 병사의 마술행사를 지원하기 위한 것으로, 천 년 전에는 치료마술과 더불어 후방지원에 필수 요소였다.

레티시엘 이외에 그것을 사용할 수 있는 사람은 이 자리에 한 사람뿐이었다. 레티시엘은 결계 쪽을 돌아보았다. 그러자 예상대로 지크의 오른손에 마도술식의 마법진이 전개되어 있었다.

그 옆에서는 라이오넬도 또 결계 안에서 결계에 접근하려고 하는 제국병에게 마법을 사용해 견제하고 있었다.

'……고마워요, 지크.'

나중에 얼굴을 보고 직접 감사를 해야지. 그렇게 생각하면서 레티시엘은 또다시 검을 들고 적병군단 속으로 쳐들어갔다.

원호를 해주는 동료들을 위해서라도 시급히 결판을 내고 싶었다.

"오, 오지 마!"

"이 괴물……!"

"……칭찬해주셔서 영광이네요."

비명을 지르는 제국병에게 레티시엘은 그렇게 비아냥을 되돌려주었다. 이제 괴물로 불리는 것에도 익숙해졌다.

일부의 적병이 겁에 질려 그 자리에서 도망치려는 나머지 이쪽에 등을 보이고 도주하려고 했다. 허나, 레티시엘이 그것을 그냥 넘길 리 없었다.

"보, 본진에 전령을—."

"가게 놔둘 리가 없잖아요?"

"크악!"

돌처럼 단단하게 굳혀진 흙덩어리가, 제국병들의 무방비한 등에 날아가 박혔다. 누구 하나 본진으로 돌려보낼 수는 없었다.

제국병들은 등에서 피를 흘리며 절명했다. 돌덩이가 그 몸을 관통한 것이다. 방어구를 껴입고 있어도 고속으로 날아오는 돌멩이의 위력을 막을 수는 없으리라.

아군이 단숨에 대량으로 죽은 상황을 목격한 제국병의 동요는 어마어마했다.

그렇지 않아도 흐트러졌던 대형은 원형을 잃어버렸고, 개중에는 공포에 질린 나머지 무기를 내던진 자들도 있었다.

레티시엘은 그 모습을 냉정하게 확인하고 다음 술식을 전개했다. 대지가 흔들리며 무수한 균열이 생기고, 그곳에서 수많은 돌창이 튀어나왔다.

"우와악!"

"하, 하지 마!"

그 창들은 도망치는 제국병의 다리를 정확하게 포착해 한 사람, 또 한 사람 찔러갔다.

적은 이제 다리를 관통당하고, 몸을 관통당해 도망치는 것도 불가능했다. 그들은 차례로 지면에 쓰러졌고, 돌창이 맹위를 떨칠 때마다 서 있는 적이 줄어갔다.

이윽고 주위에서 움직이는 적의 기척이 사라지고, 그 자리에 있던 적병은 전원 지면에 쓰러졌다. 그들 중에는 고통에 신음하는 자들이 있는가 하면, 정신을 잃은 자도 있었다.

"전하, 지크. 끝났습니다."

"고생하셨습니다, 시엘 님."

레티시엘이 돔 형태의 결계를 해제하자, 안에 있던 라이오넬이 그렇게 말하며 레티시엘의 노고를 위로했다.

적당한 끈을 갖고 있지 않았기 때문에, 레티시엘은 대지에 마술로 간섭해 무수한 덩굴을 만들어 그것들로 남자들을 묶었다. 포로로서 데리고 가자.

어디에서인가 버석버석 하고 거친 발소리가 기세 좋게 이쪽으로 다가왔다. 발소리의 주인은 루카스였다.

"적은?!"

"전멸을 확인했습니다. 일단은 괜찮을 것 같습니다."

"그러냐……."

진영 쪽에서 달려온 루카스가 도착하기 무섭게 그렇게 물어봤기 때문에, 레티시엘은 간결하게 대답했다.

그 대답에 루카스는 성대하게 한숨을 내쉬었다. 본진의 방어를 맡긴 그가 이곳에 와 있다는 것은, 그쪽도 습격을 잘 견뎌낸 것이리라.

"……응? 저 녀석들은……."

루카스가 레티시엘 일행이 덩굴로 포박한 적병들을 발견하고 작게 눈썹을 지켜 세웠다.

"아아, 이 사람들 말인가요? 적군의 내부정보에 대해 뭔가 아는 게 없나 해서 습격해온 병사들을 몇 명인가 포로로 삼았습니다."

"호오. 과연. 그거 좋은 생각이로군. 잘 했다."

"진지 안에도 포로로 삼는 것을 목적으로 죽이지는 않고 움직임만을 봉해놓은 병사가 있으니, 그 자들도 나중에 붙잡을 생각입니다.

그렇긴 해도 하급병들뿐이기 때문에 아는 정보는 대수롭지 않을지도 모릅니다만. 그렇게 덧붙이고 레티시엘은 쓴웃음을 지었다. 티끌모아 모시기라는 것이었다.

"루카스 님. 와 계셨습니까."

"전하. 무사하셔서 다행입니다. 다치신 곳은 없으십니까?"

"없습니다. 우수한 호위 덕분에."

그렇게 말하고 라이오넬은 이쪽으로 시선을 향하며 생긋 미소를 지었다. 레티시엘은 일단 가볍게 고개를 숙여 인사를 했다.

문득 사람으로 붐비는 곳에서 떨어진 장소에 지크가 혼자 멍하니 서 있는 것을 알아차렸다. 신경이 쓰여서 레티시엘은 가까이까지 가 보기로 했다.

"아…… 시엘 님."

발소리에 반응해 고개를 든 지크는 레티시엘을 보자 미소를 지었다.

"혼자 그런 곳에 있다니, 무슨 일인가요?"

"하하…… 아뇨, 괜찮습니다. 죄송합니다."

레티시엘이 질문을 하자 왜인지 메마른 웃음소리와 함께 사죄의 말이 되돌아왔다. 그가 사과해야만 하는 사태는 아무 것도 없었을 터인데.

"……? 어째서 지크가 사과하는 거죠?"

"아뇨…… 시엘 님의 보호만 받았을 뿐 결국 아무 도움도

되지 못했으니까요."

"어머. 그런 걸 신경 쓰고 있었나요?"

아마도 지크는, 방금 전의 싸움에서 레티시엘에게 전투를 오롯이 맡겨놓았던 것을 신경 쓰는 것이리라. 그 일을 지크가 신경 쓰고 있다는 사실에 레티시엘은 놀랐다.

"도움이 되지 못했다니, 그렇지 않아요. 그게, 지크는 잘 싸워줬는걸요. 도움을 받은 것은 오히려 저예요."

레티시엘은 고개를 가로저으며 그렇게 말했다. 지크가 자신을 과소평가할 필요는 어디에도 없었다.

방금 전의 전투에서, 레티시엘은 분명히 주전력으로서 싸웠다. 하지만 후방에서 지원마법·마술을 써 준 지크의 지원이 있었기 때문에 얻을 수 있었던 승리였다.

"지크의 지원이 있었기 때문에 저는 그 중과부적의 상황에서 안정되게 싸울 수 있었어요. 그래서 감사하고 있어요. 당신이 있어줘서 다행이었어요."

"······!"

레티시엘이 그렇게 말하자, 왜인지 지크는 눈을 크게 뜨고는 침묵했다. 고개를 갸우뚱한 것은 레티시엘 쪽이었다. 본심을 이야기한 것뿐인데······.

"······? 왜 그러죠? 갑자기 입을 다물고."

"······문득 든 생각입니다만, 시엘 님은 가끔 꽤 치사한 말씀을 하시는군요."

"그래요?"

"그렇습니다. 하지만…… 고맙습니다. 기쁩니다."

그렇게 말하고 지크는 웃었다. 그에 이끌려서 레티시엘도 표정을 풀었다.

"일단 돌아가죠. 이곳에 있으면 또 언제 적이 노릴지 알 수 없어요."

"그렇군요. 한시라도 빨리 태세를 재정비를 해야하기도 하니까요."

진지로 돌아가자, 라이오넬은 바로 장군과 병사들에게 둘러싸였다. 총대장의 무사함을 알게 된 것이 무엇보다도 안심이 된 것이리라.

붙잡은 포로들은 라이오넬의 지시에 따라 신속하게 감옥으로 옮겨져, 이제부터 심문을 기다린다고 했다.

또, 레티시엘은 아군병사들에게 둘러싸이기 전에 눈에 띄지 않도록 재빨리 도망쳤다. 전장에 온 뒤로 그럭저럭 날짜가 지났으나, 인파가 거북한 것은 여전했다.

적 습격 직후인 탓에 본진에는 제대로 된 텐트가 거의 남아있지 않았다. 지금도 잔불이 미약하게 주위에 불씨를 뿌리고 있었으나, 이 이상 불이 번질 가능성은 없을 것 같았다.

"우선은 텐트를 수복해야겠네……."

그러지 않으면 부상병들을 쉬게 할 장소도 없었다. 레티시엘은 진지 내를 이동하면서, 부서진 텐트에 닥치는 대로 수

복마술을 걸었다.

수복마술은 대상이 되는 물체를 수복하는데 필요한 재료를 소비해, 순식간에 대상을 흠집 하나 없는 상태로 고치는 술식이었다. 텐트들은 어느 것이나 여기저기 불타서 없어져서, 하나하나의 텐트를 완전히 수복할 수는 없었다. 하지만 세 개의 불탄 텐트로 두 개의 완전한 텐트를 만들어낼 수 있었다.

불탄 텐트들이 빛에 휘감기고, 그것들이 서로 녹아들 듯이 옆에 있는 텐트와 융합했다. 그리고 그 빛이 사라졌을 때에는 새로운 텐트로 다시 태어났다.

"……여전히 봐도 믿을 수 없는 광경이네요."

묵묵히 무심하게 텐트를 수복하는 레티시엘의 옆에서, 지크가 그 기적에 감탄한 듯 조금 멍한 얼굴로 중얼거렸다. 방금 전 인파에서 도망쳤을 때, 그도 함께 따라왔던 것이다.

"딱히 기적도 뭣도 아니에요. 재료가 있으니까, 술식으로 그것을 조합한 것뿐이에요."

"이론은 압니다만, 실제로 보고 느끼는 건 또 다른 이야기입니다."

"……그런가요."

레티시엘은 손을 멈추는 일 없이 어깨를 작게 움츠리며 말했다. 그의 말을 이해하지 못할 것은 없었다.

레티시엘에게 마술을 배우는 지크조차도 그렇게 생각할

정도이니, 마술을 모르는 인간이 본다면 신의 기적으로만 보이리라. 그 사실은 이전 구 공작령에서의 반란 때 영민들의 반응으로 본 바 있었다.

'……어떨까? 이 부근의 텐트는 일단 수복을 끝냈는데.'

텐트를 한 차례 다 고친 뒤, 레티시엘은 자신이 걸어온 길을 돌아보았다.

효율 좋게 진지 안을 돌아다닐 수 있도록 이곳까지 걸어오는데 여기저기 뒷길로 지나왔기 때문에, 눈에 띄는 텐트는 모두 수복되었을 터. 큰길의 좌우에는 또다시 수많은 텐트가 늘어져서 있는 경치가 되돌아왔다.

문득 지크가 물끄러미 이쪽을 바라보는 것을 알아차렸다. 무슨 말을 하는 것도 아니고, 그저 물끄러미, 말없이.

"……? 왜 그러죠?"

"예? 아, 아뇨. 아무것도 아닙니다."

그렇게 말하고 지크는 애매한 미소를 지었다. 또. 얼마 전에, 이것과 비슷한 표정을 보았다.

그 정비작업 때였다. 그때 지크가 띠었던, 뭔가를 내포하고 있는 것 같던 미소와 눈앞의 표정이 겹쳐졌다.

"……있죠, 지크. 요전번 일 말인데요……."

"어이—! 지크!"

무슨 일인지 확인하고 싶은 마음에 그때 일을 말하려는 타이밍에, 멀리서 지크를 부르는 목소리가 들려왔다. 정말이지, 타이밍이 안 좋았다.

"……응? 오오, 시엘이 아니냐. 어느샌가 모습이 안 보인다고 생각했더니 여기 있던 거냐."

목소리의 주인은 루카스였다. 지크를 향해 손을 흔들다가 뒤늦게 그 뒤에 있는 레티시엘을 알아차렸다.

"사람들에게 둘러싸이기 전에 도망쳤습니다."

"너, 그런 거에 약한 것 같으니까 말이지…… 오? 오오?! 어느 틈에?!"

무심하게 주위를 둘러보던 루카스가 다시 고개를 휙 돌리며 눈을 부릅떴다. 그 시선은 복구된 텐트들에 못 박혀 있었다. 그 얼굴에는 『믿을 수 없다』라고 쓰여 있는 것 같은 느낌조차 들었다.

"이, 이봐. 도로셀. 이거 네가 한 거냐?"

"진정하세요, 루카스 님. 호칭이 원래대로 되돌아갔습니다."

"아, 미안하다. 너무 놀라서……."

"……지크랑 같은 말을 하시네요."

루카스는 어흠 하고 헛기침을 해서 그 자리를 얼버무렸다. 이름을 잘못 부를 정도로 동요하다니…… 텐트를 수복하는 일이 그렇게 놀라운 것인가.

"그런데, 지크에게 뭔가 볼일이 있어서 오신 것 아닌가요?"

"……아아, 그렇지. 그랬다. 개발부 복구상황을 봐주지 않겠냐? 나만으로는 세세한 부분은 잘 알 수가 없다."

"아아, 그러셨나요. 알았습니다. 바로 가겠습니다. 시엘 님, 그럼 내일 뵙지요."

"예, 예에. 또 봐요……."

루카스는 바람처럼 왔다가 지크를 데리고 또다시 바람처럼 떠나갔다. 남겨진 레티시엘은 곤란하다는 듯이 머리를 긁적였다. 또 물어보지 못했다.

자, 혼자가 되었지만 딱히 뭔가 지시받은 것도 아니니 지금은 복구 작업에 매진하자. 그렇게 생각해 레티시엘은 여기저기 복구마술을 행사하면서 진지 안을 돌아다녔다.

"……아니, 시엘 님. 벌써 복구를 도와주고 계신 겁니까?"

그 도중에 라이오넬과 마주쳤다. 그는 마침 부상병들의 병문안을 마치고 이제부터 포로를 심문하러 가는 도중이라고 했다.

"시엘 님도 오시겠습니까?"

"아뇨. 저는 사양하겠습니다. 본진의 복구가 아직이니까요."

"그러신가요. 알았습니다. 그럼 끝나는 대로 부를 테니, 그때에는 텐트로 와 주십시오."

또다시 라이오넬과 헤어져, 레티시엘은 계속해서 복구 작업으로 돌아가면서 호출이 오는 것을 기다리기로 했다.

몇 시간 뒤, 부상병이 누워있는 텐트에서 치료를 돕고 있던 레티시엘에게 라이오넬이 보낸 연락병이 도착했다.

"시엘입니다. 실례하겠습니다."

레티시엘은 연락병에게서 전령을 받고 라이오넬의 텐트로 왔다. 원래 있던 총대장용의 텐트는 불탔기 때문에, 지금 있는 것은 방금 전 막 복구한 임시텐트였다.

"어쨌든, 이 건에 대해서는 이론은 인정하지 않겠습니다. 알겠습니까?"

"알았습니다. 전하의 말씀대로 하지요……."

안에서는 드라코가 라이오넬과 대화를 하고 있었다. 요즘, 이 두 사람이 대화를 나누는 장면을 자주 보는 것 같은 느낌이 들었다.

"그럼, 명심해 주십시오."

"예. 물론입니다."

"알아주셨다면 다행입니다."

그런 말을 끝으로 두 사람의 대화는 끝나고, 드라코는 라이오넬에게 인사를 하고 입구 쪽으로 돌아왔다.

스쳐지나갈 때 드라코가 온화한 표정으로 레티시엘에게 작게 고개를 끄덕여 인사를 했다. 레티시엘도 가볍게 인사를 하고 그 뒷모습을 배웅했다.

"실례했습니다."

"아뇨. 신경 쓰지 마십시오. 마침 딱 알맞게 끝난 참입니다."

"무슨 이야기를 하신 겁니까? 멸마총과 대해서인가요?"

"대충 그렇습니다."

이번 적습에서는 군 그자체가 큰 타격을 입은 것은 물론,

병기의 제조면에서도 적지 않은 손실을 입었다.

무엇보다도 텐트가 기자재 및 여러 가지와 함께 통째로 불타버렸고, 연구원들도 거의 대부분 살아남았다고는 하나 다친 사람도 많았다. 개발 현장에 사람이 복귀하는 것에는 아직 시간이 걸릴 것 같았다.

드라코와는 그 일에 대해 이야기를 하고 있던 것일까. 그런 것치고는 꽤나 내포하고 있는 것이 있는 대화였는데…….

"그러고 보니, 이쪽의 정보가 새고 있던 건에 대해서는 어떻게 되었습니까……?"

퍼뜩 생각이 나서 레티시엘은 라이오넬에게 질문을 던져보았다. 그러나 그에 대한 라이오넬의 대답은 그다지 좋지 못했다.

"그것에 대해서는 유감스럽게도 아직 진전이 없어서……."

"그런가요…….."

"다만, 우리 군에 배신자가 있는 것은 분명하고 조급해하지 않아도 곧 꼬리를 붙잡을 수 있을 겁니다."

"……?"

작게 그렇게 말하고 엷게 웃는 라이오넬에게 라티시엘은 약간 위화감을 느꼈다.

배신자가 있다고 판단한 것치고 그의 표정에는 초조함 같은 것이 보이지 않았다. 지금의 그 미소도 무리해서 웃는 것으로는 보이지 않았다.

'보통은 좀 더 당황할 텐데······.'

하지만 라이오넬의 태도는 너무 침착했다. 그것이 부자연스러웠다.

일국의 왕자씩이나 되는 사람이 배신자의 존재가 얼마나 위험한지를 이해하지 못할 리 없었다. 전부 알면서도 라이오넬은 초조해할 필요가 없다고 판단한 것일까.

그렇게 생각한 참에 문득 이런 생각이 레티시엘의 머리를 스쳤다. 혹시 라이오넬은 배신자가 누구인지 이미 점찍어놓은 것은 아닐까.

"······그것보다도 전하, 저를 부르셨다는 것은 예의 포로의 심문은 끝이 난 것입니까?"

그러나 그것을 그에게 대놓고 묻는 것은 꺼려져서, 그 대신 레티시엘은 다른 화제를 꺼냈다.

"아, 그랬지요. 그 일로 시엘 님과 할 이야기가 있었습니다."

방금 전까지 띠고 있던 미소를 거두고 진지한 표정으로 돌아온 라이오넬이 레티시엘을 똑바로 바라보았다.

"시엘 님. 제국에 친지가 있으십니까?"

"친지요? 없습니다만."

"정말로 없습니까? 스스로 파악하지 못하고 있을 뿐, 상대가 당신을 알 가능성은요?"

"글쎄요······."

부정했음에도 끈질기게 물고 늘어지는 라이오넬을 의아하

게 여겨 레티시엘은 고개를 갸우뚱했다

"없을 거라고 생각합니다. 저희 집안에 제국 출신자는 없었고, 가족도 모두 순수한 왕국인이었습니다."

레티시엘은 꽤나 오랜만에 피리아레기스 가의 면면들을 떠올려 보았다.

얽히는 것이 성가셔서 거의 타인처럼 지내왔던 집안이었으나, 가계도를 조사해본 적이 있었기 때문에 이 점은 단언할 수 있었다.

선조대대로 왕국민으로만 구성되어있었기 때문에 국외에 친지가 있는 것 자체가 불가능했고, 저택의 고용인들도 외국 출신자가 있다고는 들은 적이 없었다.

"그런가요……."

"저, 전하? 갑자기 무슨 일이신가요?"

그 말을 듣고 라이오넬은 또 생각에 잠겼다. 레티시엘은 두 눈 딱 감고 사정을 물어보기로 했다.

"……실은 그 포로가 신경 쓰이는 말을 해서 말입니다."

"신경 쓰이는 말?"

"예. 그 포로들은, 당신의 이름을 알고 있었습니다."

그렇게 말하고 라이오넬은 미간에 주름을 모았다. 적병이, 레티시엘의 이름을, 알고 있었다……?

"시엘이라는 가명은 딱히 감추고 있던 것은 아닙니다만……."

"그것이 아니라, 『도로셀』이라는 당신의 본명 쪽을 언급했습다."

"······!"

레티시엘의 전신에 충격이 내달렸다. 『마도사 시엘』이 도로셀이라는 사실은 왕국군에서도 톱레벨의 비밀로 쳐지고 있었다.

왕국군 중에서도 그 사실을 아는 자는 거의 없었다. 오히려 정체를 숨기기 위해 굳이 가명까지 쓰고 있는데, 그 감추고 있을 터일 본명이 유출된 것인가.

"······왜죠?"

"모르겠습니다. 어쨌든, 아무래도 제국 측의 일부는 『마도사 시엘』과 『도로셀』이 동일인물이라는 사실을 이미 알고 있는 것 같습니다."

게다가 라이오넬이 말하는 투로는 적군 안에서는 그럭저럭 퍼져있는 정보로 생각되었다. 점점 영문을 알 수가 없었다. 어디에서 정보가 샌 것인가.

이곳에 온 뒤에도 몇 번인가 이전부터 일던 지인들이 이름을 잘못 부른 일은 있었다. 그러나 그것은 한 손으로 꼽을 정도였다. 그 근소한 회수가 화가 된 것일까.

"내부정보가 제국에 새고 있는 것일까요."

"그렇게 생각하는 것이 자연스럽겠지요. 스파이를 심어놓은 것인가, 그렇지 않으면 우리 군 안의 배신자가 알려준 것인가······."

병력 자체는 제국군에게 미치지 못했지만, 왕국군은 본진의 경호만큼은 정성을 들였다. 스파이가 들어올 가능성은 낮을 터였다.

그렇다면, 역시 정보를 흘린 자가 있는 것이리라. 내통자가 있다는 것은 레티시엘과 마찬가지로 이미 라이오넬에게도 확정된 사실인 것 같았다.

"제 이름이 어디에서 퍼졌는지, 그 적병은 뭔가 말했나요?"

"아뇨. 역시나 정보의 출처는 모르는 것 같은 기색이었습니다. 때문에 원인을 특정할 수 없어서 곤란해하고 있습니다만."

라이오넬은 어깨를 움츠리며 쓴웃음을 지었다. 그러나 뭔가가 떠오른 것일까, 그 직후에 눈을 깜박거렸다.

"다만 관계가 있는지는 알 수 없습니다만."

"?"

"예의 포로가 이 정보를 들은 것이, 제국군의 예전의 제1행군지원자의 경호를 하던 병사였다는 것 같습니다."

"……제1, 행군지원자?"

"당신이 얼마 전에 처치한 디오르그라는 남자를 말하는 겁니다."

들자하니, 그 디오르그라는 남자는 자진해서 전쟁에 참가하기 전에는 제국군에 물자나 병사를 적극적으로 제공하는 등 이 전쟁을 위해 꽤나 많은 지원을 아끼지 않았다고 한다.

"……어째서 디오르그의 호위가 그런 정보를 아는 것일까요."

"그건 아직 모르겠습니다. 다만, 호위병이 알고 있었다는 것은 디오르그나 그 주위의 관계자에게서 흘러나왔을 가능성도 있겠지요."

"……."

"현재 그 선에서 밀정에게 조사를 시키고 있습니다만, 디오르그 본인은 어쨌든 주변 관계자까지 포함하면 이름 없는 일반인도 포함되니까 말입니다."

"꽤나 힘든 작업이 될 것 같네요."

맞장구를 치면서 레티시엘은 이전 디오르그와 대치했을 때의 일을 다시 떠올려 보았다.

그때, 디오르그에게는 레티시엘의 정체를 알아차린 기색은 없었다. 그가 그 정체불명의 큐브를 사용해 최후의 특공을 가하려 했을 때에도, 그 남자는 레티시엘을 『마도사 시엘』이라고 불렀다.

물론 그 반응이 연극이었다는 가능성도 완전히 버릴 수는 없었다. 그렇긴 하지만, 그래도 이 정보를 흘린 것은 아마도 디오르그는 아니었다.

그렇다면 디오르그 주변에 있는 인간 중에 레티시엘의 정체를 아는 자가 있다는 말이 되는…… 안 돼. 짐작이 가지 않아.

'……그 하얀 큐브도, 뭐였던 것일까.'

디오르그와의 결전 때, 최종수단으로서 그가 꺼내든 그 하얀 입방체. 모습을 보인 것은 불과 한순간으로, 곧바로 불타버렸기 때문에 그것이 어떤 물체인지는 알지 못한 채 끝이 났다.

주술의 원천이 되는 주석과는 다르게 그 하얀 큐브를 보는 것은 그 전투가 처음이었다. 그것도 제국의 병기인 것일까. 그런 것치고는 다른 병사들이 휴대한 기색은 없었는데, 상급병이나 간부들에게만 지급된 것일까.

그렇지 않으면 여기에도 사라의 영향이 미쳤을 가능성은…… 최근 불가사의한 일이 일어나면 뭐든지 백의 결사를 연상해버렸다.

"하지만 그 포로는 그밖에도 묘한 소리를 해서 말입니다."

레티시엘이 속으로 이런저런 생각을 하는 가운데, 라이오넬의 이야기는 꽤나 앞으로 나아간 것 같았다.

"듣자하니, 현재 제국군 안에서는 『비장의 작전』이라는 것이 준비되고 있다고 합니다."

"비장의 작전?"

"자세한 작전의 내용은 아무리 해도 캐낼 수 없었습니다만, 두고 보자며 무슨 말을 했으니 어지간히 자신이 있는 작전인 것이겠지요. 뭐, 그 포로는 하급병이었기 때문에 단순히 알지 못했던 것뿐인지도 모르겠습니다만."

그것은 꽤 신경이 쓰이는 정보였다.

황제의 붕어에 따라 움직임은 상당히 둔해졌다고 생각했는데, 움직임이 둔해진 것치고는 물밑에서 이런 저런 작전이 세워지고 있었다니

아군이 성장하는 것과 마찬가지로, 적도 그저 그 모습을 팔짱 끼고 보고 있는 것만은 아닌 것 같았다.

"그 작전, 저지하지 않으면 틀림없이 위험할 것 같네요."

레티시엘은 툭 중얼거렸다. 하급병에게까지 작전 자체의 정보가 나돌고 있다는 것은, 그 작전은 제국군 내에서는 이미 어느 정도 진행되고 있을 가능성이 컸다.

"예. 어떤 작전인지는 모르겠지만, 우리 군이 이 이상 불리해질 가능성이 조금이라도 있는 이상 그것을 간과할 수는 없습니다."

라이오넬은 한 번 고개를 끄덕이고는, 이쪽과 눈이 마주치자 무척이나 화사하게 미소를 지었다. 왜일까. 살짝 불길한 예감이 드는 것 같기도 하고……

"그래서, 시엘 님."

"예."

"시엘 님은 제국군 진지에 잠입해 그 작전에 대해 조사해 주셨으면 합니다."

"예?"

예상대로, 라이오넬이 고한 말에 레티시엘은 저도 모르게 멍한 대답을 하고 말았다.

"제가…… 잠입수사를요?"

"그렇습니다. 뭔가 난처한 점이라도 있으십니까?"

"난처하다고 할까요, 저는 첩보는 전문이 아닙니다만."

"물론 알고 있습니다. 다만 이번에는 조건이 조건인 만큼, 여성인 시엘 님이 가장 적임이라고 생각합니다."

"조건?"

"뭐, 가보시면 바로 알 수 있을 겁니다."

"예에……."

생글생글 웃는 라이오넬의 얼굴에서는 거부권이 없다는 분위기가 배어나오고 있었다. 레티시엘은 그저 선대답을 하는 수밖에 없었다.

그리하여, 거절하지도 못하고 레티시엘의 적지 잠입 미션을 선뜻 받아들이고 말았다.

2장 제국본진 잠입수사

제국군은 술타 강을 사이에 끼고 왕국군과 마주보는 형태로 크게 진지를 구축하고 있었다.

왕국보다도 현격하게 많은 병력과 자원을 보유한 제국군의 본진은, 그에 비례해 넓고, 또 많은 인간이 분주하게 드나들었다.

그러나 이 날은 조금 상황이 달랐다. 본진 북문, 술타 강의 반대쪽으로 열린 진지의 정문에 허름한 옷을 입은 무수한 사람들이 줄줄이 열을 만들고 있었다.

"이봐! 한 줄로 서—!"

"거기 두 사람, 열에서 떨어지지 마라!"

정렬담당 병사들의 목소리가 군중의 웅성거림에 삼켜졌다. 틀림없이 최후미에 줄 선 사람에게는 들리지 않으리라.

그 긴 열에 섞여 레티시엘은 고개를 숙인 채 조용히 서 있었다. 평소 전장에서 입는 로브가 아니라, 주위 사람들과 같은 색조합의 소박한 차림을 하고 있었다.

"이렇게 좋은 일이 굴러 들어오다니."

"그러게 말이야. 마침 우리 바깥양반, 얼마 전에 잘려서 먹고 살기 막막했던 참이야."

"어머. 우리 집이랑 똑같네."

레티시엘은 앞쪽에 줄을 선, 자신과 똑같이 두건에 평상복을 걸친 두 여인네의 세상 이야기에 귀를 바짝 세워봤다.

왜 레티시엘이 서민들에 섞여 이런 장소에 줄을 서 있느냐면, 제국의 본진에 잠입수사를 하기 위해서였다.

라이오넬의 명령을 받았다고는 하나, 이번에는 적이 획책하고 있다는 작전의 상세정보 입수와 그 방지가 목적. 전번처럼 정면으로 당당하게 싸우러 들어갈 수도 없었다.

그래서 이번에는 변장을 하고 적의 본진에 숨어드는 작전이 된 것이었다.

물론, 이 역할이 첩보원들이 아닌 레티시엘에게 돌아온 것에는 이유가 있었다. 현재, 제국군에서는 왜인지 허드렛일을 할 사람을 대량으로 모집하고 있었다.

일의 내용으로는 빨래와 짐 옮기기, 청소 등의 항목이 거론되어 있었고, 남녀별로 다른 일을 분배할 예정이라는 것같았다.

똑같은 잡일꾼이라면 남자보다 여자가 잠입하는 편이 경계당할 확률은 낮으리라, 라는 것이 라이오넬의 예상이었다. 실제로, 응모하러 온 사람의 성비는 반반 정도로, 레티시엘 정도의 젊은 여성의 모습도 결코 드물지 않았다.

제국에서는 남자가 바깥일을 하고 여성이 가정을 지킨다는 가치관이 일반적이었으나, 그것도 최근 점차 변하고 있는 것 같았다. 각지를 통치하는 총독들의 권력증대에 따라 국내의 치안도 생활수준도 불안정해지고 있기 때문에, 그것이 영향을 주고 있는지도 몰랐다.

게다가, 이번 제국군 진지 안에서의 잡일담당은 설정된 급여가 그럭저럭 높았다. 그 급여에 이끌려 이만한 수의 사람들이 모인 것이리라.

"이봐. 뒤가 밀리고 있다고. 빨리 해!"

정렬을 요구하는 목소리가 커진 것으로, 점점 접수소에 가까워지고 있는 것을 알 수 있었다. 레티시엘은 후드를 잡아당겨 깊숙이 눌러썼다.

이제 눈으로 확인할 수 있는 거리에 접수소가 보이기 시작했다. 그렇다고는 해도, 나무로 된 조잡한 긴 책상을 놓았을 뿐인 아무것도 없는 장소였지만. 앞에 선 사람들이 하나 둘 접수소를 통과하고, 이윽고 레티시엘의 순서가 돌아왔다.

"다음 사람."

접수소에서 이름을 적던 병사가 얼굴을 들었다.

"이름은?"

"루이입니다."

"나이는?"

"열일곱이요."

"연락할 수 있는 가족은?"

"없습니다……."

그런 『설정』이었다. 너무 간결해서 의심할지도 모른다고 생각해, 마지막에는 눈을 내리깔며 슬픈 것 같은 모습을 보였다.

실재하는 인간답게 연출하기 위해서는, 역시나 최소한 이 정도의 가짜정보는 준비해둬야 할 것 같아서 이곳에 오는 동안 생각해 두었다.

나이 외에는 모두 대충 설정한 것이었지만, 앞뒤만은 제대로 맞춰놓았다. 이런 종류의 가짜정보는 너무 공을 들여도, 오히려 자신이 만든 그 설정에 사로잡혀 탄로나기 쉽다는 것이 레티시엘의 경험담이었다.

"알았다. 등록을 마칠 때까지 잠깐 기다려라."

필요한 것을 다 물은 것일까. 접수소의 병사는 이쪽에는 시선도 주지 않고 뒤에 있는 병사와 수속 준비에 들어갔다. 현재로서는 수상쩍어하는 기색은 없었다.

이번 잠입수사를 맡고 레티시엘은 머리카락을 검게 물들였다. 그 은발은 역시나 너무 눈에 띌 것이라며 라이오넬이 염색제를 준비해 주었다.

단번에 정체가 특정될 것 같은 특징적인 오드아이도, 두 눈에 미채마술을 걸어 색을 속였다. 눈에 닿는 외부의 빛의 각도와 반사를 조정해, 옆에서 보면 어느 쪽도 같은 색으로 보이게 하는 마술이었다.

참고로 색은 보라색으로 통일했다. 붉은 눈과 푸른 눈을 섞으면 보라색이 된다는, 의외로 시시한 이유에서였다.

"등록이 끝났다. 고용기간 중에는 이 팔찌를 착용하고 있을 것. 그 외의 주의사항은 특별히 없다."

잠시 시간이 지나자, 방금 전의 병사가 돌아왔다. 그 손에는 어두운 회색으로 빛나는 두꺼운 팔찌가 쥐어져 있었다.

그다지 공들여 연마하지는 않은 듯, 팔찌의 표면은 울퉁불퉁했다. 그리고 피부와 접촉하는 안쪽에는 칙칙한 오렌지색의 둥근 돌이 박혀 있었다. 이 형태와 색은 기억에 있었다.

"그것만으로, 괜찮은가요? 그…… 해야 할 작업의 내용이라든가."

"네가 신경 쓸 일은 없다. 지시가 내려올 때까지 배정받은 텐트에서 얌전히 있어. 117번 텐트다."

질문은 허가되지 않은 모양이었다. 이 팔찌를 건네받은 것을 보건대, 마도병기가 일에 관련되는 것일까. 레티시엘은 팔찌를 받아들고 접수소 앞을 지나 이리스 제국군 본진 안에 발을 들여놓았다.

안은 역시라고 해야 할까, 왕국군 본진의 두세 배 정도로 넓은 진지에는 바둑판 형태로 텐트가 질서정연하게 늘어서 있었고, 그 사이를 누비는 형태로 통로가 자연적으로 만들어져 있었다.

진지가 넓은 탓일까. 마차가 다니는 것도 보였다. 아마도 이 본진의 끝에서 끝으로 이동하게 된다면, 도보보다 말을 이용하는 편이 더 빠르리라.

'⋯⋯우선은 117번 텐트를 찾아야지.'

다만, 이만큼이나 텐트가 많으면 목적한 텐트를 찾는 것만도 한 고생이었다.

방금 전 그 병사의 건성건성한 어조로 추측하건대, 아마도 입구에서 그렇게 멀리 떨어진 장소는 아니지 않을까. 지도도 없었기 때문에 레티시엘은 주변을 샅샅이 뒤지며 돌아다녔다.

20분 정도 걸었을까. 진지의 구석 중에도 한구석에서 겨우 목적한 텐트를 발견할 수 있었다.

그곳은 작은 텐트가 벌집처럼 밀집한 장소였다. 이번에 잡일꾼을 고용하면서 서둘러 만든 장소인 것이리라. 텐트 하나의 크기는 사람 한명이 누울 수 있을 정도밖에 되지 않았다.

누렇게 바래고 살짝 구겨진 텐트 천에는 검은 페인트인지 뭔지로 큼직하게 『117』이라고 휘갈겨 쓰여 있었다. 레티시엘은 입구의 천을 걷고 안으로 들어갔다.

작은 텐트답게 천장도 낮았다. 몸을 굽힌 상태에서 아슬아슬하게 머리가 부딪치지 않을 정도. 정말로 자는 것 이외에는 아무것도 할 수 없는 모양이었다.

'하지만⋯⋯ 섣부르게 움직일 수 없을지도 모르겠네.'

작업의 내용이 아직 수수께끼였기 때문에 언제 부름을 받아도 이상하지 않았다. 그렇게 되면 함부로 텐트 밖을 돌아다니는 것은 위험하리라.

레티시엘은 지면에 구색을 갖추는 정도로 깔려있는 모포 위에 앉아 멍하니 텐트의 천장을 올려다보았다.

제국측이 게시하고 있는 정보는 현재 대규모의 잡일꾼을 모집한다는 것뿐. 허나 접수소 병사의 반응을 보는 한, 그 작업이라는 것도 전혀 짐작이 가질 않았다.

애초에 이만큼의 대규모로 사람을 고용해야 할『허드렛일』 이라는 것이 존재할까. 이 구획에 있는 텐트는 상당한 수인 데, 대체 제국군은 이렇게 고용한 사람들에게 무엇을 시킬 생각인 것일까.

'게다가 이 팔찌……'

접수소에서 건네받은 눈에 익어도 너무 익은 회색의 팔 찌. 지금은 오른손에 차고 있었기 때문에, 오른손을 들면 잘그락하고 작게 소리를 냈다.

팔찌 안쪽에 오렌지색의 보석이 박힌 이것은, 분명히 제국 이 사용하던 마도병기와 똑같은 모습을 하고 있었다. 그 무 기도 본체와 사용자가 착용한 팔찌가 링크해서 기동, 위력 을 발휘했다.

이것을 나눠줬다는 것은, 마도병기가 얽힌 실험이라도 할 생각인 것일까. 그런 것치고는 아무 간섭도 해오는 기색은 없는데……

'……오늘은 이미 늦었으니까, 정보 수집은 내일할까.'

불빛이 없는 텐트 안에서는 천 너머로도 바깥의 빛이 잘 보였다. 천은 어렴풋하게 어두운 오렌지색으로 물들어 있었다. 일몰이 가까웠다.

해가 완전히 진 뒤, 배급담당의 병사가 한 번 텐트에 들렀으나 그 이외에 이 구획을 드나드는 병사는 없는 것 같았다.

덧붙여, 저녁은 오래돼서 퍽퍽하고 말라비틀어진 빵 세 개에 물처럼 묽은 캔 스프가 하나. 참으로 미묘한 라인업이었다.

방금 전, 조사는 내일부터라고 정했으나 레티시엘은 벌써부터 그 결정을 뒤집고 싶어졌다.

시계가 없었기 때문에 자세한 시간은 알 수 없었으나, 아마도 시각은 이미 한밤중에 돌입했을 터. 새카만 어둠 속에서 레티시엘은 정신이 말똥말똥해서 잠을 자지 못하고 있었다.

천 하나를 사이에 둔 밖에서는 코고는 소리니 뭐니 하는 다양한 소리가 들려왔다. 뭐, 이렇게 좁은 구역에 이만큼 잡다하게 사람들을 밀어 넣었으니 시끄러운 것도 어쩔 수 없었다.

'……암시와 원시마술의 조합으로 정찰 정도는 할 수 있으려나?'

일단 미채마술을 응용해 자신의 모습을 감출 수는 있었다. 하지만 잠입 첫날인데다. 아직 적진의 상황도 알 수 없는데 벌써부터 남용하는 것은 피해야 할 것이다.

레티시엘은 입구에 늘어뜨려진 천을 살짝 걷어 올리고 주위에 인기척이 없는 것을 확인했다. 그리고 조용히 텐트를 빠져나가서는 텐트 뒤에 있는 나무 위로 올라갔다.

레티시엘을 비롯한 잡일꾼들의 텐트는 이 나무를 중심으로 밀집해 설치되어 있었다. 레티시엘은 꼭대기 부근의 가지까지 올라가, 그곳에서 저 멀리 펼쳐진 제국군 본진을 들여다보았다.

심야가 되었어도 본진에는 도처에 불이 켜져 있었다. 왕국군의 화톳불과는 달리 좀 더 밝은 등불인 것 같았다. 가로등에 가까운 조형인 것일까. 마치 한낮 같았다.

걸어 다니는 사람은 야간경비담당인 병사들뿐이었으나, 한낮처럼 밝은 것과 맞물려서 모두 잠들어 고요하다는 기척이 느껴지지 않았다.

'저 등불도 제국의 기술 중 하나인 것일까?'

그런 생각을 하면서 레티시엘은 계속해서 제국군의 상황을 살폈다.

이곳에서는 사각이 되는 장소도 많았으나, 제국군 본진은 전체적으로 꽤 깔끔하게 구획정리가 되어있는 것 같은 모습이었다.

눈으로 확인할 수 있는 한, 텐트의 형태는 여러 개가 있는 듯 했으며 같은 형태의 텐트는 기본적으로 주위에 모여 있었다. 아마도 형태별로 목적도 나누어져 있는 것은 아닐까. 내일 그 점도 조사해보자.

"……?"

진영의 상황을 가볍게 한 차례 관찰한 레티시엘은 문득 본진의 한층 더 깊숙한 곳에 어렴풋이 빛나는 장소가 있다는 것을 알아차렸다.

어쩌면 본진의 밝은 빛이 부예져서 그렇게 보이는 것뿐일지도 몰랐다. 그렇지만, 그래도 묘하게 그 한 점에 자꾸 눈이 갔다.

뭐라고 표현해야 할까. 단순히 무기질적인 빛이 아니라, 저 장소를 바라보고 있으면 마치 뭔가에 삼켜지는 것 같은, 그런 발밑이 없어지는 것 같은 감각이…… 아니, 내가 무슨 소리를 하고 있는 건지.

오늘은 이 정도로 해두자. 너무 오래 텐트를 비워둘 수도 없었기 때문에, 레티시엘은 소리를 내지 않도록 나무에서 내려와 텐트 가까이까지 돌아왔다.

"안녕, 아가씨."

"……?!"

바로 옆에서 목소리가 들려와서 레티시엘은 흠칫 놀라 뒤를 돌아보았다.

빛으로 가득 찬 본진과는 대조적으로 어슴푸레한 텐트 무리 속에서, 한 명의 노인이 어둠에 떠오르듯이 이쪽에 시선을 보내고 있었다. 아무래도 방금 전의 목소리는 그였던 모양이었다.

레티시엘은 재빨리 거리를 두며 말을 걸어온 자를 바라보았다. 얼굴의 주름이나 백발뿐인 머리카락을 보건대, 나이가 상당한 분인 것처럼 생각되었다. 허리와 다리가 안 좋은 것일까, 바퀴달린 의자에 타고 있었다. 그렇다고 해도, 말을 걸어올 때까지 기척이 전혀 없었다.

주위가 어두운 탓일까, 노인을 두르고 있는 윤곽선은 꽤나 희미하고 모호하게 보였다. 당장에라도 사라질 것만 같았다. 이렇다면 분명히 기척을 못 알아차릴지도 몰랐다.

그러나 마법 같은 것을 사용하는 기색도 없는데, 이렇게까지 기척을 지울 수 있는 것일까. 목소리를 내지 않는다면, 살았는지도 죽었는지도 판별이 되지 않았다.

"이런 시간에 산책이라도 하는 겐가?"

"예. 잠이 안 와서 잠시 산책을 다녀왔습니다."

"그래…… 아가씨, 오늘 채용된 사람인가?"

"예. 비교적 좋은 일이 있다고 들어서요……."

텐트를 빠져나가 제국군 진지를 정찰하고 있었다고 들통났을까. 우선 여기에서는 수상히 여기지 않게 무난한 변명을 해두자.

"그래…… 아가씨도, 인가……."

그것을 들은 노인은 작게 중얼거리며 눈을 가늘게 떴다. 노려보는 것……이 아니라, 어딘가 가엾이 여기는 것 같은 시선이었다.

"그건 그렇고, 밤인데도 저렇게 밝네요. 저 등불은 뭔가요?"

"특수한 연료를 쓰고 있지. 구조도 알지만……."

"……그럼 당신께서는 저 희미하게 빛나는 장소도, 무엇인지 아시는지요?"

그 함축적인 대답에 마음에 걸리는 것은 있었다. 그렇지만, 여기서 갑자기 그 의문을 추궁한다면 경계할 것이다.

"알지."

"……."

레티시엘은 방금 전 정찰 중에 발견한, 예의 희미하게 빛나는 장소로 눈을 돌리며 물어보았다.

대답을 기대한 것은 아니었으나, 놀랍게도 즉답이 되돌아왔다. 살짝 예상외라서 레티시엘 쪽이 저도 모르게 할 말을 잃고 말았다.

"그렇지만, 그걸 물어서, 어쩌려는 겐가?"

"어쩌다니…… 어떻게도 하지 않을 겁니다. 그저 주변은 이렇게나 밝은데, 왜 저 장소는 빛이 희미하게 보이는 것일까, 조금 신경이 쓰인 것뿐이니까요."

"하하하…… 그래. 호기심이 강한 것은 좋은 일이지."

"아, 예…… 고맙습니다."

노인은 작게 그렇게 말하고는 약하디 약하게 웃었다. 왜 칭찬을 받았는지는 알 수 없었으나, 레티시엘은 일단 인사를 했다.

"……."

"……."

그 뒤로 한동안 노인은 입을 다물고 있었다. 레티시엘도 아무것도 묻지 않았다. 이것이 이야기하고 싶지 않다는 의사의 표면이라면, 여기서 무리해서 들을 필요는 없다고 생각했다.

"……신경이 쓰이는 것 아니었나?"

"말씀하기 어려운 것 같아서요. 나중에라도 상관없습니다."

"……그래."

왠지 노인은 웃으며 그렇게 말했다. 방금 전부터 이 노인이 무슨 생각으로 이런 언동을 하는지 잘 파악이 되지 않았다. 애초에 이 노인은 누구인 것일까.

"괜찮으이."

"?"

"머지않아, 아가씨도 알 수 있을 것이야."

"……? 그런가요?"

"그럼 실례함세."

뜻을 알 수 없는 수수께끼 같은 말만 남기고, 노인은 나타났을 때처럼 조용히 어둠 속으로 사라졌다.

'……뭐였을까, 저 사람…….'

그 뒤에는 귀신에 홀린 것 같은 감각으로 서있는 레티시엘만이 쥐 죽은 듯이 조용한 밤의 어둠 속에 남겨졌다.

……어쨌든, 오늘은 그만 돌아가서 자자.

＊＊＊

잠입 이틀째. 일출과 동시에 레티시엘은 벌떡 일어났다.

텐트 밖을 살피자, 제국군의 아침이 이미 시작된 것 같았다. 갑옷을 입은 병사들이 대열을 지어 이동했고, 다른 텐트에서는 취사의 연기가 무수하게 피어오르고 있었다.

"자……."

오늘은 어쩔까. 어제는 진지에 들어오는 것이 늦었기 때문에 이곳의 지리도 아직 파악하지 못했다. 그러니 오늘은 우선 그쪽의 정보를 모으는 편이 좋을지도 몰랐다.

그렇다고는 해도, 어느 타이밍에 군에서 배정한 이 텐트를 떠날지 고민이 되었다. 아직 어떤 짜임새로 작업을 배당해 올지도 알 수 없었다.

"아침 식사다! 빨리 나와라!"

마침 그때 밖에서 제국병의 목소리가 들렸다. 그 직후, 주위의 텐트에서 무수한 발소리가 지면을 흔들면서 이동하기 시작했다.

다들 하나가 되어 식사 배급에 줄을 서기 위해 간 모양이었다. 레티시엘이 힐끗 열의 상황을 살펴보자, 이 좁은 텐트 광장에서 세 번이나 열을 꺾었을 정도의 대성황. 좀 더 사람이 비면 가자. 레티시엘은 그 자리에 바로 결정했다.

10분 정도 기다려 열의 반수 이상이 소화된 틈을 노려서, 레티시엘은 짧아진 행렬의 최후미에 미끄러져 들어갔다. 레티시엘의 뒤로 더는 아무도 올 기색이 없었기 때문에, 그녀 자신이 마지막인지도 몰랐다.

"이걸로 끝인가? 그럼 지금부터 연락사항을 전달하겠다!"

레티시엘이 빵을 받은 뒤, 텅 빈 바구니를 치우면서 배급 담당의 제국병이 말했다. 배급병이긴 했으나, 실질적으로는 그가 여기 모인 이들을 통솔하는 존재이리라. 주변에서 식사를 하던 서민들이 일제히 병사를 주목했다.

"너희는 오늘부터 바로 잡무에 투입된다. 매일 20명씩 돌아가면서 맡는다."

"……저, 저기, 저희는 결국, 뭘 하면 되나요?"

누군가가 머뭇머뭇 손을 들며 질문을 했다. 배급병은 한순간 귀찮다는 듯이 눈썹을 찌푸렸으나 그래도 질문에는 대답해 주었다.

"작업내용은 모집할 때 쓰여 있던 대로다. 앞으로는 이쪽의 지시에 잠자코 따르면 된다. 지시 외의 행동은 삼가도록."

"아, 예……."

"더 이상 질문은 없겠지? 그럼 1부터 20까지의 접수번호를—"

거기서부터 제국병은 번호를 불려서 모인 20명의 남녀를 그대로 어딘가로 데려갔다.

아무래도 작업에 불려가는 번호는 접수할 때 전달받은 숫자대로인 것 같았다. 그렇다면 117번인 레티시엘은 며칠이 지나야만 작업순서가 돌아올 것 같았다.

'그렇다는 건, 오늘은 이곳을 빠져나가도 문제없을 것 같네.'

정했으면 바로 행동을 개시하자.

레티시엘은 배급받은 빵을 입안에 던져 넣고, 일단 텐트로 돌아가 자신에게 미채마술을 걸었다. 자신의 모습을 주위의 경치에 녹아들게 해서 보이지 않게 하는 그 마술이었다.

그리고 다시 한 번 밖으로 나와 다른 사람과 부딪히지 않게 주의하면서 광장을 떠났다. 미채마술이 없애주는 것은 겉으로 보이는 모습뿐으로 육체 그 자체가 사라지는 것은 아니므로, 사람과는 평범하게 부딪힐 수 있었다.

"서둘러! 뒤처지지 마라!"

"예, 대장님."

광장을 막 나온 참에, 정렬해서 진지의 바깥으로 달려가는 제국병들을 볼 수 있었다. 지금부터 출진하는 모양이었다.

진지 안의 병사가 줄어든다면, 정탐에는 안성맞춤이리라. 레티시엘은 그 모습을 지켜보고 가장 바깥쪽의 통로를 따라 본진을 걷기 시작했다.

도중에 있는 텐트도 들여다보았는데, 아무래도 가장 외곽은 창고로 사용되는 것 같았다. 안에는 침대가 늘어서 있는 것도 있었기 때문에, 고용인들이 숙식하는 장소로도 사용되는 것일까.

'……군량고의 장소 같은 건 기억해두는 편이 좋겠네.'

왕국군에게 도움이 될 법한 정보는 적극적으로 가져가자. 그런 생각을 하면서 레티시엘은 점점 진지의 안쪽으로 들어갔다.

가장 외곽은 경계병이 있는 정도로 사람은 그다지 많지 않았으나, 안으로 들어가면 들어갈수록 사람들의 출입이 잦아졌다. 왕국군의 본진은 텐트의 위치에 규칙성은 없었으나, 제국군은 그렇지도 않은 같았다.

중앙에 대장군 및 지휘관들의 거주용 텐트나 회의용 텐트가 모여 있고, 그 주위를 일반병의 텐트가 둘러싸고 있었다.

'요인을 방어하기에는 무척 효율이 좋은 배치네.'

군대는 이미 출진해 버렸기 때문에, 그 요인들은 이미 다 나가고 없으리라. 대단한 정보는 얻을 수 없을지도 모르지만, 그래도 뭔가를 들을 수 있을지도 모른다. 그런 희망을 가지면서 레티시엘은 요인들의 텐트 주변을 돌아보았다.

"……너, 그 소문 들었어?"

문득 그렇게 작게 속삭이는 소리가 들려왔다. 레티시엘은 순간적으로 텐트와 텐트 사이로 미끄러져 들어갔다. 지금의 레티시엘은 모습을 감추고 있었지만, 실체는 사라지지 않은 채였다. 별안간 모퉁이를 돌아온 적병과 부딪친다는 사태는 가능한 회피해야만 했다.

"뭐어? 너 임무 중에 갑자기 뭔 소리야?"

"아니, 그게, 신경 쓰이잖아. 그 할아버지 소문."

목소리의 주인은 바로 뒤쪽 텐트의 문지기인 모양이었다. 주변 시선을 신경 쓰는 점이, 남이 들으면 곤란한 이야기라도 하고 있는 것일까.

"큰 소리 내지 마. 높으신 분들이 들으면 어쩌려고 그래?"

"지금은 아무도 없잖아? 그것보다, 뒷산의 할아버지 이야기말인데, 역시 그 날보다 나중에 나온 소문인 것 같아."

"하아……빨리 끝내라. 그 이야기, 일단은 함구령이 내려져 있으니까 말이야."

이야기를 나누는 목소리는 계속되었다. 이건…… 혹시 예의 『작전』에 관한 이야기를 하고 있는 것은 아닐까?

"그 날인가…… 그 영문 모를 작전이 발표된 날이지? 그거 진짜였구나……."

"글쎄, 그건 나도 잘…… 장군님은 비장의 작전이라고 말했지만, 정작 중요한 내용을 전혀 알 수 없어서는 의미가 없지."

역시 그런 것 같았다. 설마, 갑자기 단서를 손에 넣을 수 있게 되다니, 정말이지 운이 좋았다.

"그렇지. 게다가 요즘 그렇잖아? 묘한 할아버지가 진지 뒤를 어슬렁거리고 있잖아?"

"진지 뒤라면 그 산을 말하는 거지? 진짜 왜 이런 타이밍에 그런 이상한 소문이 나는 건지."

"하지만 그 점에 대해서는 장군님들이 대책을 세우지 않겠어? 스파이라면 곤란하니까."

진지 뒤에 있는 산을 배회하는 수수께끼의 노인. ……레티시엘은 순간적으로 어젯밤에 만난, 바퀴달린 의자에 앉아 있던 할아버지를 떠올렸다.

그 할아버지는 아무것도 몸에 걸치지 않고 있었다. 제국의 병사일 리는 없었다. 그렇다고 해서, 군의 관계자로도 보이지 않았다. 그는 어떻게 해서 이 진지에 출입하고, 무엇을 위해 그곳에 있는 것일까.

레티시엘은 그 뒤로도 잠시 두 사람의 이야기에 귀를 기울였다. 하지만, 그 이상 새로운 정보는 나오지 않았다. 엄중하게 함구령이 내려져 있는 것 같았다. 이것은 실태를 파악할 때까지 장기전이 될지도 몰랐다.

'……문지기 같은 하급병에게는 계획의 상세는 알려지지 않았다는 거네.'

적군이 귀환할 때까지 기다릴까. 그렇게도 생각했으나, 정오가 지나도 아직 돌아올 기색이 없었기 때문에 레티시엘은 포기하고 지도 작성을 끝마치기로 했다.

미채마술은 발동되는 동안에는 레티시엘이 들고 있는 물건에도 적용되었다. 때문에 휴대한 종이와 목탄을 펜 삼아 기록을 시작했다. 제국본진은 시설이 규칙적으로 배치되어 있었기 때문에, 기록하기가 매우 편했다.

그렇다고는 해도, 병력에 비례해 진지도 넓었기 때문에 모든 기록을 다 마쳤을 때에는 해도 서쪽 하늘로 저물고 있었다.

그 무렵에는 출진했던 병사들도 귀환해 진지가 단숨에 떠들썩해졌다. 그래서 레티시엘은 한 발 앞서 자신의 텐트로 돌아왔다.

그리고 모두가 잠든 심야를 노려 오늘 막 작성한 지도를 깨끗하게 정리하고, 누구에게도 빼앗기지 않도록 아공간마술을 사용해 수납했다.

***

해가 저물고, 텐트 구획이 쥐 죽은 것처럼 고요해진지 얼마 뒤. 레티시엘은 아무도 없는 공장에 혼자 우두커니 서있었다.

"……아니, 아직 깨어 있었나?"

별을 바라보면서 반쯤 기대를 품고 기다리자, 나흘 전과 마찬가지로 어둠 속에서 스며 나오는 것처럼 예의 노인이 스륵 나타났다.

"예, 또 뵐 수 있지 않을까 해서요."

"이거이거……. 이런 늙은이를 만나려 하다니, 별난 아가씨군 그래."

"그럴지도 모르죠. 사흘 전부터 매일 밤 이러고 있었으니까요."

"호호……"

그랬다. 제국의 진지 안 탐색을 시작한 날부터 나흘이나 경과했다. 20명씩 불려가던 예의 『작업』도 80번대까지 와 있었다. 내일 모레에는 레티시엘도 불려 가리라.

그 사이, 레티시엘은 미채마술을 구사해 적의 정보를 훔쳐듣는 것 외에 아무것도 하지 않았다. 『비장의 작전』에 대해 알고 있을 상층부를 정탐하러 갈 기회는 좀처럼 잡지 못하고, 제국군의 현상에 관한 정보만 모으게 되었다.

물론 그것도 지금의 왕국군에게는 기습 등을 결행하는데 중요한 정보였으므로 전혀 무의미한 시간은 아니었으나, 레티시엘은 조금 애가 탔다.

하지만 생각한 것 이상으로 적의 경계가 엄중했다. 하급 병사에게는 작전의 상세정보는 일체 전해지지 않았고, 상층부의 인간들도 작전에 대해서는 언급하지 않도록 통달 받은 것인지 제스처나 눈빛 교환 등의 방법으로만 연락을 주고받았다.

물론 서류 등에도 흔적이 남을 리가 없어서, 마음을 읽는 마술이라도 쓰지 않는 한 온건하게 정보를 수집하는 것은 어려운 상황이었다. 애초에 그런 마술은 존재하지 않았지만.

"그래서? 이런 곳에서 늙은이를 계속 기다린 이유는 뭔가?"

"……"

노인이 미소를 지었다. 이름도 모르는 인물이었으나, 현재 아군다운 아군이 없는 이 상황에서는 가장 도움이 될 것 같은 인물이었다.

"할아버지는……."

"영감이라고 불러주겠나. 다들, 그리 부르니까."

"그럼, 영감님. 이 제국군 진지 안에서는 지금 무슨 일이 벌어지고 있는 건가요?"

솔직히 대답해 주지 않을 것이라고는 알고 있었으나, 레티시엘은 노인에게 그 질문을 던졌다.

요 며칠 제국군 진지 내에서 정탐이라는 이름의 도청을 계속하는 사이 몇 개인가 부자연스러운 일이 있었다.

우선, 고용인들이나 하급병이 매일같이 징병되었다. 전원의 외모는 다 파악하고 있지 못했지만, 새로 징병된 만큼 하급병들의 면면은 바뀌었다는 것 같았다. 이것은 그들이 잡담을 하는 것을 듣고 안 일이었다.

더 나아가, 이곳에 도착한 첫날 발견한 뒤로 줄곧 신경이 쓰였던 그 어렴풋이 빛나던 정체불명의 구획을 어디에서도 볼 수가 없었다. 그만큼 찾았는데도 가는 방법조차 알 수 없다면, 이해가 되지 않았다.

그리고, 레티시엘이 가장 의문을 품고 있는 점. 그것은 『작업』에 불려간 주민들이 누구 하나 텐트 구역으로 돌아오지 않았다는 점이었다.

그것뿐만이라면 작업현장에 체류하고 있는 것뿐이라고도 생각할 수 있었지만, 아무래도 제국의 병사들도 잡일꾼들의 행방을 알지 못하는 것 같았다.

『그러고 보면, 저기 구석에 잡일꾼들이 있잖아? 저 녀석들, 탈주라도 하는 건가?』

『뭐? 그런 얘기는 못 들었는데?』

『아니, 왠지 점점 사람이 줄어든다는 것 같아. 뭔가 고참들이 매일 어디론가 데리고 간다는 것 같기는 하지만.』

『진짜? ……듣고 보니까, 잡일꾼을 고용했는데 그 녀석들이 진지 안에서 일하는 걸 본 적이 없네.』

바로 어제, 창고 문지기 두 사람이 이야기하던 소문을 들었다. 잠자리로 삼은 구획에서 모습을 감춘 것만이 아니라, 제국군 진지 안에서도 모습이 보이지 않는 잡일꾼들. 뭔가 불길한 예감이 들었다.

영감님에게 물어본들 대단한 의미는 없겠지만, 그래도 군의 관계자는 아닐 터인 노인이라면 대답해 주지 않을까 하는 기대는 있었다. 여하튼 그는 그 기묘한 소문의 당사자였다. 뭔가 알고 있을 가능성도 있었다.

"……아가씨. 배정받은 번호는, 몇 번이지?"

"……? 117입니다만."

"그래……."

말이 없던 노인이 갑자기 묘한 것을 물어보았다. 레티시엘은 고개를 갸웃거리면서도 숫자를 가르쳐주었고, 그러자 노인은 이번에는 달관한 것처럼 멍한 눈으로 허공을 바라보았다.

"미안허이, 아가씨. 그 건에 대해 지금은 아직 아무것도 가르쳐줄 수가 없어."

"지금은……?"

"그러니까『작업』은 반드시 하러 오도록 해. 그곳까지 오면 아가씨도 모든 것을 알게 될 게야. 이 진지에서 일어나는 일도, 군이 목적하고 있는 일도. 전부 말이지."

그 이상 아무것도 대답하지 않고, 노인은 또다시 바퀴달린 의자 째로 밤의 어둠 속으로 녹아들어갔다.

"……."

레티시엘은 그저 그것을 잠자코 지켜보는 수밖에 없었다. 결국, 여전히 중요한 점은 알지 못한 채였다.

그리고 하루하루 흘러, 드디어 레티시엘이『작업』에 불려가는 날의 아침이 찾아왔다.

"어이, 117번. 일어나라."

전날 밤부터 제대로 잠을 이루지 못했던 레티시엘은 아침 일찍 텐트 밖에서 들려온 남자의 목소리에 감고 있던 눈을 떴다.

"예."

"작업이다. 나와라."

얼굴만 텐트 안으로 들이밀었던 병사는 그 말만 하고 사라졌다. 소집에 응하지 않았기 때문에 일부러 부르러 온 것일까. 레티시엘은 작게 한숨을 쉬고, 병사의 말에 따라 텐트를 나섰다.

광장으로 향하니, 그밖에도 몇 명의 사람들이 모여 대기하고 있었다. 아마도 레티시엘을 포함하면 합계 20명이 모여 있는 것이리라.

"출발한다. 빨리 따라와라."

그렇게 말했을 때, 병사는 이미 빠른 걸음으로 걷기 시작했다. 다른 사람들이 허둥지둥 그 뒤를 쫓아갔다.

레티시엘은 그들의 뒤를 따라가면서 텐트구역을 돌아보았다. 닷새 정도 전, 이곳에는 이백 명이 넘는 수의 사람들이 모여 있었다. 그것이 지금은 이제 백 명도 되지 않았다.

'……그것도, 오늘 이유가 판명될까.'

순서가 왔다면 머지않아 모든 것을 알 수 있을 것이라고, 그 노인은 말했다.

결국 『작업』을 하러 향한 그곳에 레티시엘이 바라는 답이 있다는 것일까. 이번에야말로 『비장의 작전』의 개요를 파악할 수 있을까.

"여기다. 전원 안에 들어가라."

끌려온 곳은 진지의 한쪽 구석에 있는 하나의 텐트. 그 텐트 구역과는 아마도 대각선 위치에 있는 모퉁이였다.

안에 들어가니, 그곳은 테이블과 의자가 놓여 있을 뿐인

간결한 공간이었다. 바닥은 판자로 되어 있었고, 내부에는 불빛도 없이 덜렁 놓인 테이블 위에 왜인지 인원수만큼의 컵이 있었다.

"너희에게는 이제부터 일을 맡길 것이다만, 이쪽도 그를 위한 준비가 필요하다. 거기 테이블 위에 놓인 차라도 마시면서 기다려라."

그 말만 남기고, 인솔역의 제국병은 재빨리 밖으로 나가 버렸다.

"······잘은 모르겠지만, 어쨌든 앉을까."

"그러지. 뭐, 차라도 마시라고 있으라고 했으니······."

다른 사람들도 의아하게 생각하는 것 같은 기색이었으나, 그래도 다들 각각 테이블에 놓인 잔을 집어 들고 내용물을 비웠다. 아무것도 의심하지 않는 것이리라.

레티시엘도 일단 컵을 집긴 했으나, 의심하는 마음이 강해 입에는 대지는 않았다. 뭔가가 들어있을 가능성도 있었다.

"······응? 왠지 졸린데······."

이변이 일어난 것은 그로부터 얼마 지나지 않은 무렵이었다.

그 한 마디를 꺼낸 것이 누구인지는 알 수 없었으나, 그 말을 계기로 텐트 안에 있던 사람들은 전원 연달아 정신을 잃고 바닥에 쓰러졌다.

"?!"

모두 방금 전의 그 차를 마신 사람들이었다. 레티시엘은 당황해서 곁으로 달려가 보았으나, 아무래도 잠든 것뿐인 것 같았다. 차에 수면제가 들어있던 것 같았다.

"……그 녀석들, 차를 마시고 제대로 잠이 들었으려나."

"글쎄? 약효는 꽤 좋은 것을 탔으니까 시간은 그렇게 오래 안 걸릴 거라고 생각하지만……."

"조금만 더 기다려 까?"

더 나아가, 타이밍도 안 좋게 밖에서 제국병사의 목소리가 들렸다. 레티시엘은 자신이 들고 있는 컵을 바라보았다.

지금의 대화로 생각해보건대, 아마도 제국병사들은 레티시엘 일행 전원을 잠들게 할 생각으로 차를 마시게 한 것 같았다. 그런데 레티시엘만 깨어있는 것도 부자연스러웠다.

그렇다고 해서 차를 버리는 것도 무리가 있었다. 이 텐트의 바닥은 판자가 깔려 있어서, 그냥 버려서는 바닥에 물웅덩이가 생겨 바로 탄로가 날 것이다.

고민 끝에, 레티시엘은 차를 마시기로 결정했다. 다만, 그대로는 아니었다. 수면제가 통하지 않도록 가볍게 수고를 들였다.

레티시엘은 단숨에 컵을 비우고는, 소리가 나지 않도록 컵을 바닥에 굴린 뒤 바닥에 누워 자는 척을 했다.

"오. 다들 제대로 잠이 든 것 같아."

제국병이 들어온 것은 그 직후였다. 눈을 감고 있었기 때문에 정확한 인원수는 알 수 없었으나, 발소리의 수로 추측건대 네다섯 명 정도일까.

"그럼 얼른 옮기자. 스무 명이나 된다고. 빨리 해."

"그래그래, 알았어."

가까이 다가오는 발소리가 들리고, 누군가가 레티시엘의 팔을 붙잡았다. 그리고 레티시엘의 몸이 둥실 떠올랐다.

***

축축한 냄새가 코끝을 스쳤다. 병사에게 떠메인 몸이 그가 걸을 때마다 흔들렸다.

지금, 레티시엘은 어둑어둑한 동굴 안을 제국병의 어깨에 걸쳐진 채 나아가고 있었다. 레티시엘은 차를 마시지 않았기 때문에, 정신을 잃은 척을 하고 있었다.

가늘게 눈을 뜨고 주위를 관찰해보니, 아무래도 내리막길로 된 동굴인 것 같았다. 폭은 상당히 좁아서 성인 남성 둘이 아슬아슬하게 지나갈 수 있을 정도로, 횃불 등의 불빛도 없었기 때문에 밤도 아닌데도 길 안쪽이 보이지 않았다.

"참나, 왜 우리가 이런 귀찮은 일을 해야 하는 거냐."

앞서가는 남자의 불평이 좁은 공간에서 메아리쳐 묘하게 크게 들렸다. 그에 대한 대답은 등 뒤에서 울렸다.

"어쩔 수 없잖아. 당번제니까 매일 담당하는 녀석이 다르다고."

"그건 알지만, 지금까지 당번을 했던 녀석들도 결국 원래 자리로 돌아오지 않았잖아."

"분명히 이동했겠지? 높으신 분들 있는 곳으로."

"크아! 부럽네."

그런 잡담을 하는 사이에도 그들의 발걸음은 멈추지 않았다. 좁은 공간에 발소리가 울리는가 싶더니, 갑자기 그 반향이 약해졌다. 이것은…… 아무래도 넓은 장소로 나온 모양이었다.

"굉장하네. 여기, 천연 동굴인가?"

그렇게 말하는 남자의 목소리가 메아리처럼 크게 울렸다. 천장이 상당히 높은 것 같았다.

"이봐. 구경은 나중에 하고 그 녀석들 빨리 채워 넣어. 후딱 끝내고 돌아가자고."

"예예."

레티시엘을 들쳐 업은 남자가 또다시 걷기 시작해 잠시 전진하다가 다시 멈추었다. 그건 그렇고, 채워 넣다니, 그건 대체…….

"이걸…… 이렇게 하는 거였지?"

그 질문에 대한 대답은 바로 알 수 있었다. 남자의 작은 혼잣말이 이어지더니, 금속으로 된 뭔가가 움직이는 소리가 나고, 남자의 어깨에 들쳐 업힌 몸이 내려졌다.

레티시엘의 등에 차가운 감촉이 전해져왔다. 어딘가에 눕

혀진 것 같았다. 그것도 양팔에 벽이 느껴지니, 꽤나 좁은 공간인 것 같았다. 이건…… 가늘고 긴 상자?

얼굴 위에서 또다시 금속 소리가 들리고 발소리가 멀어졌다. 지금이라면 괜찮겠지 해서 레티시엘은 살짝 눈을 떠보았다. 그러자, 예상대로 레티시엘이 있는 곳은 사각형의 상자 속이었다. 위에는 금속 테두리에 끼워진 유리가 있었다. 그 소리는 이것을 여닫는 소리인 것 같았다.

이 상태에서는 바깥의 상황이 보이지 않았으나, 발소리가 계속해서 오가는 소리는 났다.

약으로 잠재운 사람들은 그밖에도 아직 더 남아 있었으니까, 그 사람들을 옮기는 것일까.

'하지만 이거, 뭘까?'

잘 보니 벽 한가운데 부근에는 검은 뭔가가 옆으로 일직선으로 박혀 있었는데, 그것은 무엇을 위한 것일까. 좀 더 관찰하고 싶었지만 발소리가 돌아왔기 때문에, 레티시엘은 또다시 눈을 감았다.

작게 달칵 하는 소리가 났다. 뭔가의 스위치를 누른 것 같은 소리였다. 그 직후, 좌우에서 가느다란 파이프 소리가 울리기 시작하고, 분명치 않은 비명이 들리기 시작했다.

무슨 일이 일어나고 있는 것인지 레티시엘은 이만저만 걱정이 되는 것이 아니었다. 하지만 지금 레티시엘은 잠들어 있는 것으로 되어 있었기 때문에 움직일 수 없었다. 초조함만 계속 쌓여가는 한편, 비명 쪽은 점점 작아져서 이윽고 들리지 않게 되었다.

"좋아. 제대로 작동하는 것 같다…… 응?"

불분명한 목소리가 머리 위에서 쏟아져 내렸다. 아무래도 레티시엘이 들어있는 관을 제국병 중 누군가가 들여다보고 있는 것 같았다.

"이 녀석, 비명을 지르지 않네."

수상히 여기고 있는 것일까. 그렇다고는 하나, 지금 일부러 비명을 질러도 거짓말이 탄로 날 확률이 커질 뿐이지만…….

"약효가 잘 듣는 거겠지. 내버려 둬."

"뭐, 그것도 그런가."

어떻게 할까 레티시엘이 궁리를 하는 사이, 제국병은 선뜻 관 앞에서 물러갔다. 비명을 지르지 않는 자는 드물긴 하지만 딱히 별난 것은 아닌 모양이었다.

"이걸로 일은 끝났군. 보고하러 가야 했던가?"

"그렇다는 것 같아. 게다가 비밀리에 돌아오라니, 참 성가셔."

그런 대화를 나누면서 남자들의 목소리가 멀어졌다. 그것을 레티시엘은 관 속에서 가만히 듣고 있었다.

말소리가 들리지 않게 된 뒤로도 한동안 레티시엘은 움직이지 않았다. 이야기를 하지 않게 된 것뿐, 아직 가까이에 있을지도 모를 일이었다. 신중에 신중을 기차는 편이 좋으리라.

'······슬슬 괜찮을까.'

그 뒤로 어느 정도 시간이 지났을까. 귀를 기울여도 이미 제국병사들의 목소리도 발소리도, 비명도 끊어져 있었다.

레티시엘은 상자의 벽에 손을 대고 화염마술을 발동했다. 그렇다고는 해도 실제로 상자를 태워버리는 것은 아니었다. 열로 벽을 녹여 여기서 탈출하기 위한 것이다.

한동안 열을 대고 있자, 이윽고 벽에 사람이 한 사람 기어서 통과할 수 있을 정도의 둥근 구멍이 뚫렸다. 열기를 머금은 벽을 일단 물마술로 식히고, 레티시엘은 그 구멍으로 밖으로 나왔다.

그건 그렇다 쳐도, 잡일꾼으로 고용한 사람을 약을 먹여서까지 데리고 가고 싶은 장소란 대체 어디일까.

마술로 차에 간섭해 약이 녹은 부분을 거품으로 가두었기 때문에 아무 일 없을 수 있었지만, 그렇지 않다면 위험했다.

'······그래. 방금 전의 사람들은?'

함께 잡혀 온 사람들이 걱정이었다. 방금 전의 비명도 마음에 걸려서, 레티시엘은 일단 주위를 둘러보기로 했다.

레티시엘이 있는 곳은 넓은 동굴 안이었다. 그 좁은 통로로는 상상도 할 수 없을 정도의 면적을 자랑했는데, 그곳에는 사각형의 상자가 대량으로 밀집해 놓여져 있었다. 레티시엘이 나온 그 상자였다.

'저건……?'

깊이가 있는 동굴의 안쪽에는 묘한 물건이 놓여있었다. 천장이 상당히 높은 동굴이긴 했으나, 그 거대한 금속덩어리는 그 천장 아슬아슬한 곳에까지 바짝 다가가 있었다.

하얀 금속으로 된 기계와도 같은 장치였다. 현재 한창 가동 중인 듯, 낮은 진동음과 함께 장치 그 자체가 희미하게 푸른색으로 빛나고 있었다. 장치의 아래쪽에서는 엄청난 수의 파이프가 뻗어 나와서 그것들 모두가 상자 하나하나에 접속되어 있었다.

"……!"

가장 가까이에 있는 상자의 유리를 들여다보고 레티시엘은 숨을 삼켰다.

안에는 남성이 한 명 들어있었다. 입고 있는 옷이 낯익었으니, 함께 끌려온 사람이리라. 하지만 그 상태는 아주 기이했다.

오늘 작업을 위해 모인 사람들 중에는 노인은 한 명도 없을 터였다. 그런데 그는 전신이 미이라처럼 야위어서 홀쪽했고, 벌리고 있는 입에서 침이 흐르고 있었다. 꽉 주먹 쥔 손이 어중간한 위치에 정지해 있는 것은, 밖으로 나가려고 안쪽에서 유리를 두드렸기 때문일까.

레티시엘은 곧바로 유리를 깨부수고 정체불명의 장치와 접속해 있는 파이프를 절단했다. 그리고 서둘러 치료마술을 사용했으나, 남성의 용태는 회복할 기색이 전혀 없었다.

"소용없으이."

등 뒤에서 쉰 목소리가 들려왔다. 이 목소리는 알고 있었다. 레티시엘은 뒤를 돌아보았다.

"영감님……."

"슬슬 이곳에 올 것이라고 생각했네……."

바퀴달린 의자에 앉은 노인이 그곳에 있었다. 변함없이 당장에라도 사라질 것 같을 정도로 기척이 느껴지지 않았다. 그러고 보니 이 남성의 상태는 노인의 용모와 비슷하다고 레티시엘은 퍼뜩 깨달았다.

"……소용없다니, 무슨 의미인가요?"

"그 말 그대로네. 일단 한 번 저렇게 되어버린 자는, 다시는 인간으로서 살아가는 것이 불가능해."

아주 살짝 눈을 내리깔았을 뿐, 영감님은 거의 움직이지 않았다. 그러나 그 약하디 약한 음색에는 슬픔과 달관의 감정이 담겨 있는 것처럼 느껴졌다.

"……이곳은 대체 무엇인가요? 당신은 누구죠?"

"……."

노인의 표정은 바뀌지 않았다. 레티시엘도 그 이상 아무 말도 하지 않았다. 잠시 무언의 시간이 이어지고, 먼저 입을 연 것은 노인이었다.

"……이곳은 말이지. 산 자의 묘지이네."

"묘지?"

"나는…… 말하자면 묘지기라고 할까."

손을 움직이는 기색도 없었는데 그는 바퀴달린 의자 채로 상자의 곁에까지 다가왔다. 생각해 보면 그는 줄곧 바퀴달린 의자의 조종에 손을 사용하지 않았던 것 같은 기분이 들었다. 대체 어떻게…….

"이 상자는 말이지, 안쪽에서는 절대로 열 수 없게 되어 있다네. 만에 하나라도 안에 집어넣은 인간이, 탈주하거나 하지 않도록."

"……."

"그렇게 관에 넣어진 자는 관의 가동과 동시에 오로지 마력을 착취당하기만 하지."

그 말에 레티시엘은 알아차렸다. 제국군은 이것을 위해 잡일꾼을 모집했던 것이다. 채용자에게 마력을 흡수하는 예의 팔찌를 나눠준 것도, 모두 이 장치를 움직이는 연료를 모으기 위함이었다.

마력은 인간이 가진 정신력의 하나였다. 기본적으로 사람의 생사에는 영향을 끼치지 않지만, 단숨에 대량으로 소비하면 의식을 잃거나 기억을 잃거나 하는 일도 있었다.

그리고 단기간에 급속히 모든 마력을 다 흡수당한 인간은 이렇게나 변모하는 건가. 방금 전, 관은 기동했는데 레티시엘이 아무렇지도 않았던 것은 마력이 없는 자였기 때문이리라.

"다들 이 융합로에 연결되어, 겨우 숨만 쉬고 있는 것에 지나지 않아."

"이 융합로는, 대체 무엇을 위한 것이죠?"

"전쟁이지. 적군을 궤멸시키기 위한, 포대의 연료야."

그것이 『비장의 작전』의 정체인 것 같았다. 듣고 보니, 예의 장치의 상부에는 동굴 천장을 관통하고 있는 둥근 기둥가 있었다. 저것이 포대인지도 몰랐다.

'내가 본 그 희미한 빛도······.'

포대에 마력을 충전하는 광경이었던 것일까. 분명히 그 빛은 눈앞의 장치가 두른 푸른빛과 비슷했다.

"제국은, 이런 것을 개발했던 건가요······."

"이런 것, 인가······ 나도 이곳에 올 때까지, 아르마·리액터가 이런 것이라고는 알지 못했지······."

"이것이 아르마·리액터?!"

레티시엘은 저도 모르게 눈을 크게 떴다.

아르마·리액터는 제국 내의 각지에 에너지를 공유하는 거대한 융합로였다. 그곳에서 보내진 에너지로 사람들은 등불을 켜고, 불을 붙이고, 마도병기를 만들어냈다.

줄곧 이름을 들어왔던 아르마·리액터가, 설마 이런 무시무시한 구조의 장치였을 줄이야.

그러고 보면, 이리스 제국에서는 노예제도를 용인하고 있다고 이전에 들은 적이 있었다. 아르마·리액터의 구조는 제국민도 알지 못하는 것 같았는데, 그 이유도 설마……

"저기, 아가씨. 이 노인네의 최후의 부탁을 들어줄 수 없겠는가?"

"……최후?"

"나를, 죽여주었으면 허이."

얼굴이 창백해진 레티시엘에게 노인은 그런 부탁을 했다.

"어째서, 인가요?"

"……이미, 한참 전에 끝났어야 할 목숨이기 때문이지."

그렇게 말하고 노인은 조용히 눈을 감았다. 처음 만났을 때부터 레티시엘이 줄곧 노인에게 품고 있던 위화감. 그 정체. 노인의 몸은 움직이는 일이 없었다.

바퀴달린 의자의 조종 레버를 움직일 때에도 손이 움직이지 않았고, 희미하게 미소를 띨 때도 있었으나 그 이외의 부위는 움직이는 것을 본 적이 없었다.

마치 딱딱하게 굳어버린, 혹은 이미 움직일 기력도 남아있지 않은 것 같은 바퀴달린 의자에 앉은 인형과도 같은 인상. 그것이 위화감의 정체였다.

레티시엘은 노인의 몸에 손을 뻗었다. 그러나 그 손이 무언가에 가닿는 일은 없었다. 레티시엘의 손은 노인이 있는 장소를 빠져나가 허공을 갈랐다.

"영감님, 그 몸……."

"……."

노인은 아무 말도 하지 않았으나, 눈앞의 그가 환영이라는 것은 바로 지금 확인했다. 신출귀몰하게 레티시엘의 앞에 모습을 나타낼 수 있던 것도, 그 몸이 실체가 아니었기 때문에.

동시에 레티시엘은 노인의 말의 의미를 이해했다. 분명히 여기에 잠들어 있을 그의 진짜 몸은 이미 한참 전에 활동을 중지했을 터였으리라.

그것이 아르마·리액터의 파수꾼으로서 융합로에 연결되어, 이곳에 누워있는 수많은 관과 마찬가지로 연료인 마력을 공급, 관리하는 단순한 단말로서 연명되고 있었다. 살지도 죽지도 못한 채, 줄곧.

"이런 일을, 만난지 얼마 되지 않은 아가씨에게 부탁하는 것도 마음이 아프지만 말이야…… 아가씨. 부탁할 수 있을까?"

"……."

"아가씨라면, 이 늙은이를 아르마·리액터째로 소멸시킬 수 있을 만큼의 힘이 있잖아?"

"……눈치채셨던 건가요? 제가 제국의 적이라고."

레티시엘은 살짝 놀랐다. 다른 자들은 눈치채지 못했으니까 괜찮다고 생각하고 있었는데.

"응. 눈치챘지."

"언제부터죠……?"

"언제부터일까…… 그 말을 듣고 보니, 처음 아가씨를 봤을 때부터 예감 같은 것이 있었지. 아가씨는 유일하게 나의 이 모습을 볼 수 있었으니까 말이야."

아주 살짝, 노인의 표정이 움직인 것 같은 느낌이 들었다. 웃은 것……일까.

"정말 예쁜 아이라고 생각했네. 서민의 거리에서 살아온 아이라고는 보이지 않았지. 처음부터, 정말로 늠름한 아이구나, 라고……"

"……"

"서민답지 않구나, 라고 생각했지…… 검소한 옷을 입어도, 허름한 곳에 있어도, 아가씨의 분위기는 여전히 고귀했어……"

노인의 목소리는 점점 약해졌다. 기분 탓인지 모습도 흐릿해진 것 같았다. 노인에게 남겨진 시간은, 아마도 이제 길지 않은 것이리라.

"오라……라고 하던가? 이런 역할을 떠맡고 있어서 말이야. 왠지 모르게 그런 것을 볼 수 있다네."

"……알면서, 아무에게도 말하지 않으셨나요?"

"음. 말하지 않았네…… 이 아이라면, 전부 끝내줄 수 있지 않을까 기대했기 때문일지도 모르지……"

그래서 몇 번이고 레티시엘의 앞에 나타나서는 의미심장한 말을 남겼던 것일까.

어딘가 즐거운 듯이 말하는 노인의 모습에, 레티시엘은 아무 말도 하지 못하고 그저 그 모습을 지켜보는 것밖에 할 수 없었다.

"……영감님."

"응?"

"영감님의 이름은, 뭔가요?"

"으음. 뭐였더라……? 이제는 기억이 나지 안으이……."

노인은 조금 생각에 잠겼다가 그렇게 말하며 너스레를 떨어보였다. 너스레를 떨 생각은 없으리라. 단숨에 대량의 마력을 빼앗기면서 육체는 쇠약해지고, 기억도 잃은 것이다.

노인은 눈 깜짝할 사이에 동굴의 가장 깊숙한 곳으로까지 이동했다. 그 바로 옆에 한층 큰 관이 놓여 있었다. 레티시엘도 관 가까이로 다가가, 그 뚜껑을 열었다.

안에는 한 명의 노인이 누워 있었다. 옆에 있는 노인과 똑닮은 모습을 하고 있었다. 이것이 그의 육체인 것이리라.

망설임은 없었다. 레티시엘은 말없이, 잠자는 노인의 목에 두 손을 갖다 댔다. 마술은 만능이 아니었다. 독에 중독되게끔 하는 술법도 없을뿐더러, 병이 생기게 하는 술식도 없었다. 마술은, 사람을 평온하게 죽이는 데에는 맞지 않는 힘이었다.

"안녕히 주무세요, 영감님. 당신과 이야기를 할 수 있어서 즐거웠습니다."

"이쪽이야말로, 하늘로 가기 전에, 좋은 추억이 생겼어……."

마지막까지, 노인의 환영은 웃고 있었다. 그 말에 대답하지 않고, 레티시엘은 두 손에 힘을 주었다.

"……고마우이, 아가씨……."

눈앞에는 마치 잠이 드는 것처럼 눈을 감은 노인의 모습이 있었다. 그의 환영도 이미 사라지고 없었다.

노인의 생명이 꺼진 것을 확인하고, 레티시엘은 불덩이를 만들어내 그의 유체를 화장했다. 푸른 불꽃이 불타오르며 시체를 감싸 안아 순식간에 재로 만들었다.

"……."

그것을 끝까지 확인한 뒤, 레티시엘은 동굴의 안쪽으로 시선을 주었다. 시선의 끝에는 아르마·리액터의 융합로가 있었다. 레티시엘은 천천히 오른손을 앞으로 내밀었다.

하얀 아르마·리액터의 주위를 무수한 은색의 마법진이 둘러쌌다. 레티시엘이 발동한 압축마술의 마법진이었다. 얼마 지나지 않아 장치의 표면에 금이 가면서 날카로운 소리가 울려 퍼졌다.

레티시엘은 술식의 위력을 조금씩 올렸다. 융합로에 걸리는 부하가 한층 늘어나고, 하나의 균열에서 시작된 붕괴는 순식간에 전체로 나아갔다.

기계의 표면이 갈라지는 소리가 연쇄적으로 이어지고, 그것이 상공의 포탑에까지 도달하자 유리가 깨지는 것처럼 아름다운 소리와 함께 아르마·리액터의 융합로가 산산조각이 났다.

아르마·리액터에서 해방된 마력의 결정이 기화하는 것과 동시에 주위에 반짝이는 빛을 흩뿌렸다.

레티시엘은 별의 바다와도 같은 그 광경 속을 걸어, 가장 가까이에 연결돼 있던 관의 유리뚜껑을 열었다.

하얀 천이 깔린 관 안에는 가슴을 쥐어뜯는 것 같은 자세로 굳어버려 움직이지 않는 노인…… 아니, 방금 전까지 청년이었던 남성이 누워 있었다.

얼굴을 가까이 가져가보니, 아주 희미하지만 분명히 숨을 쉬는 소리가 들렸다. 할 수 있다면 구하고 싶었다. 이 사람만이 아니라, 이 동굴의 기계에 연결된 모든 사람을.

"……미안해요."

하지만 그것은 레티시엘의 힘으로도 이룰 수 없는 일이었다.

레티시엘은 관의 가장자리에 손을 댄 채 잠시 서 있다가 자신의 주변에 술식을 전개했다.

바람마술의 술식이었다. 칼날의 형태를 취한 바람은 허공에서 춤추며 관과 장치를 연결한 파이프를 절단했다.

"……오랫동안, 고생 많으셨습니다."

그렇게 중얼거린 레티시엘의 목소리가 넘실거리는 바람에 삼켜져 사라졌다.

"잘 자요. 부디, 좋은 꿈을 꾸길…….'

이윽고 모든 파이프가 바람의 칼날에 잘려나가고, 모든 소리가 사라졌다. 기계 소리도 숨소리도. 귀가 아플 정도의 침묵.

'······이런 것이, 제국 전체를 지탱하고 있었다니.'

레티시엘은 안타까움에 사로잡혔다. 지금 가슴에 품고 있는 이 분노를 어디에도 향할 수 없다는 것을 알아차리자 더 화가 났다.

아르마·리액터는 존재해서는 안 되는 물체였다. 하지만 제도에는 이것보다도 큰 것이 있었다. 그것으로 생활을 유지하는 무고한 백성이, 이리스 제국에는 산처럼 많았다.

'······돌아가자.'

이 이상 이곳에 있어도 레티시엘이 할 수 있는 일은 이제 아무것도 없었다.

임무만을 생각한다면, 이 정보를 갖고 돌아가 대책을 세우는 편이 더 좋았을 것이다. 그러나 사태는 일각을 다투었다. 제국군은 이쪽이 대책을 짜는 것을 기다려주지는 않으리라.

때문에 이것은, 레티시엘의 독단이었다. 이것으로 제국군의 최종수단인 임시 아르마·리액터는 파괴되었다.

***

레티시엘은 임시 아르마·리액터를 파괴하고 어둑어둑한 동굴을 지나 밖으로 나왔다.

밖에는 울창한 숲에 덮인 산맥이 펼쳐져 있었다. 나무들의 가지 사이로 산기슭에 있는 제국군의 본진이 보일 듯 말 듯 미묘하게 모습을 내보이고 있었다.

역시 레티시엘이 줄곧 신경 쓰고 있던, 그 정체불명의 빛을 내뿜던 장소는 이 리액터가 설치된 동굴이었던 모양이었다.

시각은 이미 해질녘이 되어가려고 하고 있었다. 텐트 구획을 출발했을 때에는 아직 밝았는데, 임무의 수행에 생각보다 시간이 걸린 모양이었다.

레티시엘은 적군의 증원이 오기 전에 그 자리를 떠났다. 서둘러 아군에게 임무 완료의 보고를 해야만 했다.

"……?"

복귀를 위해 산을 내려가고 있을 무렵, 남쪽 방면에서 검은 연기가 피어오르는 것이 보였다. 마침 국경에 도착한 타이밍이었다.

화재나 그런 것이 일어난 것일까. 하지만 저 방향, 분명히 플라티나 왕국군의 본진이 있는 곳과 같은 방향이 아닌가……?

"설마……!"

레티시엘의 뇌리에 순간적으로 최악의 광경이 스쳤다. 저것은 적병에게 습격당한 것은 아닐까.

하지만 제국군의 『비장의 작전』은 방금 전 레티시엘이 임시 아르마·리액터를 파괴해서 저지했을 터인데, 왜 지금 또 왕국군이 습격당하고 있는 것인가.

"돌아가야 해……."

레티시엘은 진정이 되지 않았다. 그녀는 곧바로 전속력으로 산을 뛰어내려가기 시작했다.

빨리. 좀 더 빨리. 그렇게 마음속으로 빌면서 계속 달렸다.

레티시엘은 태양이 완전히 지평선 아래로 사라지기 전에 본진을 한눈에 내려다볼 수 있는 하천의 언덕에 도착했다. 이곳에서라면 『마도사 시엘』인 편이 더 나으리라. 레티시엘은 변장을 풀고 본진으로 향했다.

"겁먹지 마라! 계속 발사해라!"

왕국군 본진에 도착한 순간, 가장 먼저 들려온 것은 그런 호통이었다.

이것은 아군의 목소리일까, 그렇지 않으면 적병의 목소리일까. 순간적으로는 판단이 되지 않았다. 레티시엘은 곧바로 주위를 확인했다.

제국군의 갑옷이 보였다. 검과 방패로 무장한 병사들이 진영의 안쪽으로 침입하고자 전진하고 있었다. 그러나…… 아무래도 고전하고 있는 기색이었다.

"총부대는 앞으로! 궁병은 후방으로 물러나라!"

두 번째 호령. 그것과 동시에 무수한 화살과 총알이 제국군을 향해 일제히 쏟아져 내렸다. 화살이 다 떨어졌다고 생각하면 총알이 뒤를 잇고, 그것이 멈추면 또 화살이 쏟아졌다.

그 끊임없이 이어지는 공격이 제국군의 발을 붙잡고 있는 것 같았다.

최전열에서 총을 쏘고 있는 것은 당연히 왕국군의 병사들이었다. 예상했던 것 같은 최악의 사태에 빠지지 않은 것에 레티시엘은 일단 안도했다.

하지만 현재 전황의 상황은 완전히 파악하지 못하고 있었다. 그것을 묻기 위해 레티시엘은 총대장인 라이오넬의 모습을 찾기 시작했다.

"큭. 이대로는 전선을 유지하지 못하는 거 아냐?!"

"어차피 방어에 전념해도 지는 건 마찬가지야. 상관하지 마! 이대로 밀어내라!"

도중에 군량고 앞에서 고전하는 아군과 마주쳤다. 못 본 체 할 수는 없었기 때문에, 레티시엘은 양손에 물의 탄환을 만들어 가세했다.

"우왓! 뭐, 뭐냐?!"

갑자기 엉뚱한 방향에서 공격이 날아왔기 때문인가. 그렇지 않으면 갑자기 레티시엘이 튀어나온 것에 동요한 것인가, 적이 눈을 부릅떴다.

레티시엘은 그대로 틈을 주지 않고 탄환을 계속 발사했다. 좀 더 규모가 큰 마술로 일망타진하고 싶었으나, 아군도 뒤섞인 이 자리에서는 그들을 말려들게 할 수 있었다.

"실례합니다. 라이오넬 전하가 계신 곳을 아시나요?"

"저, 전하 말씀입니까? 부, 분명히 중앙부 방어의 지휘를 하고 계시다고 들은 것 같기도 하고……."

"중앙인가요…… 알았습니다. 고맙습니다."

레티시엘은 부대장에게 인사를 하고 진지의 중앙으로 향했다. 정말로 라이오넬은 그곳에 있었다.

"……어. 시엘 님?"

라이오넬은 레티시엘이 이곳에 있다는 사실에 놀란 것 같았다.

"독단으로 귀환을 결정해 면목이 없습니다."

"아뇨, 그것은 상관없습니다만…… 임무 쪽은 어떻게 하셨습니까?"

"수행하고 왔습니다. 자세한 보고는 나중에 하도록 하겠습니다."

"이 상황에서는 느긋하게 이야기도 들을 수 없으니까 말이죠. 돌아오시자마자 죄송합니다만, 도와주실 수 있겠습니까?"

"예."

레티시엘은 그 뒤 곧바로 전투에 차출되었다. 전선에서 총병과 궁병이 적을 견제하는 그 후방에서 마술을 사용해 그들을 엄호하는 역할이었다.

이번 작전에서 왕국군은 잘 대처하고 있는 것 같았다. 적이 코앞까지 파고드는 것을 모두 저지하고, 적의 근접공격을 차단하고 있었다.

덕분에 레티시엘도 원거리에서 마술을 발사하는 것만으로 충분했고, 제국군의 불리함은 명백했다.

그리고 밤의 어둠이 완전히 주위를 뒤덮었을 무렵, 적군은 겨우 뿔뿔이 흩어져 철수했다.

적이 완전히 없어진 것을 확인하고 레티시엘은 진 전체에 결계를 쳤다. 연속해서 기습을 해오지 말라는 보장이 없다. 그 사이, 라이오넬은 각지에 명령을 내려 상황을 재정비했다.

"이걸로 일단 사태는 잘 정리될 것 같군요."

다방면으로 지시를 내린 라이오넬이 총대장 텐트로 돌아왔다. 한발 앞서 와 있던 레티시엘의 앞을 지나, 라이오넬은 의자에 앉았다.

"그럼 시엘님의 보고를 들어보지요. 그렇다고는 해도, 당신이 이곳에 돌아왔다는 것은 임무는 무사히 완료했다는 뜻이겠지만 말입니다."

"예. 말씀하신 대로입니다."

그 뒤로 레티시엘은 제국군 본진에서 일어난 일을 간결하게 라이오넬에게 보고했다. 제국 측이 준비했던 작전, 군량과 무기와 방어구의 재고, 소모 상황, 진지 내에서 작성했던 제국 본진의 지도도 함께 제출했다.

"과연. 임시 아르마 · 리액터의 설치와 포대인가요……. 그 것이 『비장의 작전』의 정체였나요."

이야기를 다 들은 라이오넬은 턱에 손을 댄 채 작게 신음했다. 그에게도 적잖이 예상외의 보고였던 것 같았다.

"제국도 어지간히 절박한 것처럼 보이는군요."

"그럴까요."

"적어도 저는 그렇게 생각합니다."

고개를 갸웃거리는 레티시엘에게 라이오넬은 자신만만하게 고개를 끄덕여보였다.

"아시는지 모르겠으나, 아르마·리액터라는 물건은 제국에게는 자국의 에너지 산업을 지탱하는 중요한 도구입니다. 그 모든 정보는 국가기밀에 상당할 정도로 엄중하게 관리되고 있지요."

그것은 레티시엘도 알고 있었다. 이전에 동맹국간의 교환유학으로 라이오넬이 제국에 갔을 때에도 아르마·리액터의 정보는 전혀 얻을 수 없었다고 들었다.

"그런 국가기밀을 임시라고는 하나 이러한 전선에 설치하다니, 상당히 위험한 다리를 건넌 것 같습니다. 이쪽이 첩보를 수집하면 어쩌면 기밀째 유출될지도 모르는데."

"……그 때문에 『비장의 작전』이었던 것이겠지요."

실제로 레티시엘에 의해 이렇게 정보가 유출되었다. 옆에서 본다면 분명히 상당히 무모한 행위였다.

그런 위험을 감수하면서까지 그것을 결행했다는 것은, 이 작전만큼은 무슨 수를 써서라도 성공시킬 생각이었던 것이리라. 좀처럼 뜻대로 결판이 나지 않는 이 전쟁에 종지부를 찍기 위한 최종병기였을 터.

"뭐, 어쨌든 잘 해주셨습니다. 이걸로 제국 쪽은 한동안 강경하게 공격해올 수는 없을 겁니다."

"방심은 금물이긴 합니다만, 그러네요. 그런데 전하, 이번 습격은 대체……."

"실례합니다, 전하. ……응? 오오. 시엘이 아니냐."

레티시엘은 방금 전의 습격에 대해 물으려고 했으나, 타이밍 안 좋게 때마침 루카스가 텐트로 들어섰다. 그는 레티시엘을 발견하고는 가볍게 손을 흔들었다.

"안녕하세요, 루카스 님. 전하께 볼일이신가요?"

"그래. 이번 전투의 피해 규모에 대해서 말이지. 혹시 내가 방해한 거냐?"

"아뇨. 시엘 님의 보고는 이미 다 들었으니 괜찮습니다."

그렇게 말하며 라이오넬은 루카스의 말에 대답했다. 지금은 일단 물러나는 편이 좋을 것 같았다.

"그럼, 저는 한발 먼저 실례하겠습니다."

"감사합니다, 시엘 님."

레티시엘은 라이오넬에게 인사를 하고 텐트를 나섰다. 이번 습격에 대해 물어보지 못했지만, 이것만큼은 어쩔 수 없었다.

'오늘은 그만 텐트로 돌아갈까…….'

그렇지 않으면 야간경비를 도우러 가야 할까. 적에게 습격당한 직후라 병사의 수가 부족할 가능성도 있고…….

"……어라? 시엘 님?"

레티시엘이 이런 생각 저런 생각을 하면서 걷고 있으려니, 마침 맞은편에서 걸어오던 지크가 레티시엘의 모습을 발견하고 눈을 크게 떴다. 오른손에 불빛이 되는 횃불을 들고 있었는데, 그 왼손에는 하얀 붕대가 감겨 있었고, 움직이지 않도록 목에서 늘어뜨린 천에 매달려 있었다.

"지크?! 당신, 그 팔, 어떻게 된 건가요?!"

"아, 이거 말씀입니까? 방금 전 습격에서 화살이 스쳐서 말입니다. 하지만 치료를 받았으니 아무 문제없습니다."

"그래요…… 그럼 다행이지만요."

그때 퍼뜩 레티시엘의 머리에 이런 생각이 떠올랐다. 방금 전 습격 때 그 자리에 있던 지크라면, 그때 진지에서 일어난 일부시종을 알고 있지 않을까, 하고.

"있죠, 지크. 이번 습격에 대해 좀 물어봐도 될까요?"

"……?"

"내가 없는 동안 무슨 일이 있었나요?"

"……."

레티시엘이 질문을 던지자, 지크는 시선을 지면으로 떨어뜨리고 침묵했다.

"……오늘 오전이었습니다. 동이 트는 것과 동시에 적의 군세가 밀려들었습니다."

잠시 시간이 지나고, 지크는 천천히 그렇게 말을 꺼냈다.

"많은 병사들은 갑작스러운 사태에 동요했습니다만, 전하의 냉정한 지휘 하에 선전해, 비록 하루가 걸리긴 했습니다만 간신히 적들을 물리치는데 성공했습니다."

"그러네요. 내가 달려온 무렵에는 이미 우리 군이 우세했어요."

"……."

"그 이외에도, 뭔가 마음에 걸리는 그런 일이 있었나요?"

"……적이, 당신의 부재를 알고 있었습니다."

"예?"

"이번 습격에서, 적은『마도사 시엘』이라는 위협이 없다는 걸 알고 있었습니다."

실제로, 그 여자가 없으니 겁낼 필요는 없다, 라고 적이 말한 것을 지크가 들었다고 했다.

"나는 극비임무로 진지를 떠나 있었지만, 그것을 아는 사람은 몇 명 없지 않나요?"

"예. 저와 루카스 님과 전하. 그리고 일부 상층부 이외에는 그 건을 아는 자는 없었을 겁니다."

왠지 냄새가 났다. 일부 관계자만이 알 수 있을 터인 정보를 제국군이 갖고 있었다. 그 사실이 시사하는 것은 즉…….

"그럼……."

"예. 적을 안내한 자가 있다고 생각됩니다. 시엘 님의 부재를 알린, 누군가가."

쓰디 쓴 표정으로 지크는 말했다. 배신자는, 바로 가까이에 있다고.

막간　각자의 생각

　그 편지의 내용이 머릿속에 달라붙어 줄곧 떨어지질 않았다.

　병기개발부의 텐트 안에서 작업을 하면서, 몇 번이고 멍하니 손을 멈추고 말았다. 지크는 누구에게도 들리지 않을 정도로 작게 한숨을 쉬었다.

　며칠 전, 자신이 모르는 사이에 어디에서랄 것 없이 도착한 행방불명이 된 아버지 롤랜드의 편지. 그것에는 지크도 몰랐던 자신의 출생이 폭로되어 있었다.

　'……지크프리트 레나토스 에델 프라우 폰 라피스, 인가.'

　라피스 국 제14왕자의 이름. 마음속으로 되뇌어 봐도 그것이 자신의 이름이라는 실감은 전혀 없었다. 아버지는 어디에서 이 정보를 얻은 것일까.

　"……."

　하지만 그 편지를 읽은 뒤, 묘한 꿈을 꾸게 되었다. 깊은 계곡과 같은 황야에 다 무너진 고성과도 같은 건축물이 솟아있고, 돌로 된 아치가 늘어서 있었다.

　두 명의 소년소녀가 그곳으로 들어가지만, 두 사람이 누구인지는 알 수 없었다. 지금의 지크에게는 전혀 기억이 없는 광경으로, 마치 타인의 기억을 엿보는 것 같은 감각이었다.

하지만 신기하게도 그리운 느낌이 들기도 했다. 잃어버린 유소년기의 기억 속에 있던 풍경일까. 지크는 그때의 기억을 떠올려 보려고 시도해 보았으나, 잘 된 적은 한 번도 없었다.

유소년기의 일 중 기억하고 있는 것은 얼굴도 잊어버린 아버지의 넓은 등과 누군가에게 쫓기고 있다는 초조감, 딱 한 번 아버지가 말을 나누는 것을 멀리서 본, 로브를 걸친 정체불명의 그림자, 검은 안개를 두른 주술병의 모습.

그것들이 의미하는 것이 무엇인지는 지금도 알지 못했지만, 꿈에서 본 건축물과 이어질 것 같은 기색도 찾을 수 없었다. 대체 자신은 어디에서 그런 것을 본 것인가.

자신 안에 본인은 알지 못하는 기억이 있는 사실이, 이렇게나 무서운 일이었는지 지크는 처음 알았다.

'……도로셀 님에게는, 역시 이야기해야 했던 것일까.'

지크의 머릿속에 그녀의 얼굴이 떠올랐다. 도로셀은 아마도 지크의 상태가 이상하다는 것을 눈치채고 있었다. 그래서 자신에게 신경을 써서 몇 번이나 말을 걸려고 했다.

그때마다 지크는 편지에 대해 고백할까 고민하다가, 결국 아무것도 터놓지 못한 채 몇 번이고 그녀에게서 도망쳤다.

그 고백에 돌아올 반응을 알 수가 없어서, 두려웠다.

라피스라는 곳이 어떤 나라인지는 도로셀과 줄곧 정보를 쫓는 사이에 알게 되었다.

엄중하게 쇄국을 계속하는 보수적인 나라이자, 백의 결사가 활동의 본거지를 두고 있는 수수께끼가 많은 나라. 주술병을 만들어내는 등 여기저기에 어둠을 흩뿌리고 있는 나라. 자신이 그 나라의 왕자라고 지크가 고백을 해봤자 무엇이 되겠는가.

"⋯⋯."

게다가, 이것은 지크 자신의 문제였다.

지금까지도 도로셀은 몇 번이고 지크의 가족과 관련된 고민이나 상담에 응해 주었다.

그녀에게는 아무 잘못도 없었다. 도로셀에게는 더할 나위 없이 도움을 받았다. 하지만, 그 호의와 친절에 기대기만 하는 자신이 한심하다고 느끼고 있었다.

안 그래도 그녀에게는 늘 보호받고만 있었다. 게다가 지금은 전쟁이라는, 좀 더 커다란 사건에 직면해 있었다. 군의 핵심 전력으로 전선에 서는 도로셀에게 쓸데없는 부담은 주고 싶지 않았다.

"⋯⋯집중!"

소리를 내어 말하지 않으면 마음이 조금도 작업으로 돌아오지 않을 것 같은 느낌이 들어, 지크는 작은 목소리였지만 확실하게 자신에게 기합을 넣었다.

그러고 보면, 그녀는 어떻게 하고 있을까. 들은 이야기로는 잠입수사에서 귀환한 뒤, 특별임무를 위해 이번에는 국내로 돌아간다느니 어쩌니 했는데.

'또 한동안 만날 수 없는 걸까……'

생각보다 그 사실을 유감스럽게 여기는 자신을 알아차리고 지크는 조금 놀랐다. 사정을 털어놓을 용기도 없으면서 만나고 싶다고 생각하다니, 스스로 생각해도 모순되었다.

이 세상에 둘도 없는 소중한 친구라고는 생각했지만, 자신에게 도로셀의 존재는 컸던 모양이었다.

'도로셀 님이 돌아올 때까지, 전투태세를 강화해둬야겠어. 그 사람에게 기대지 않아도 괜찮도록.'

그러기 위해서라도, 우선은 멸마총을 비롯한 신병기 양산을 서둘러야 했다. 좋아, 하고 지크는 작업으로 돌아갔다.

일시적이긴 했으나, 지금만큼은 편지의 일도 자신의 정체도 잊을 수 있을 정도로 평소보다도 더 작업에 몰두했다.

***

매일, 북쪽 국경에서 펼쳐지고 있는 제국과의 전쟁보고가 끊임없이 집무실에 들어왔다.

"……하아."

그 하나하나를 훑어보면서 에델하르트는 저도 모르게 한숨을 내쉬고 말았다.

이렇게 매일같이 음울한 전황만 마주해야 하는 몸으로서는 한숨을 쉬고 싶어지는 것도 어쩔 수 없다고, 마음속으로 무심하게 변명을 했다.

에델하르트는 이번 제국과 왕국의 전쟁에 동행하는 것을 허락받지 못했다. 당연하리라. 위험한 전장에 왕위계승권을 가진 왕자 두 사람을 동시에 내보내는 일은 불가능했다.

"아바마마의 용태도 여전히 안 좋으시고 말이지……."

개전한 뒤로…… 아니, 개전하기 전부터 부왕 오스왈드의 용태는 악화되어 좀처럼 회복할 기미를 보이지 않았다.

쓰러진 지 이미 몇 개월이 경과했다. 건강을 해친 원인도 알지 못한 채, 당연히 정무를 보는 일도 가능할 것 같지 않았다.

왕이 언제 붕어해도 이상하지 않을 상황에서는, 형이나 자신 중 누군가는 왕의 대리로서 텅 빈 왕도 및 국내를 돌봐야 했다.

불평을 늘어놓아봤자 아무것도 해결되지 않는다는 것은 알았으나, 그래도 푸념 한 마디라도 하지 않으면 우울해질 것 같았다.

그만큼 왕국을 둘러싼 상황은 머리를 싸안고 싶을 정도로 성가신 일들만 모여 있었다.

마음속으로 줄줄이 불평을 늘어놓으면서도 서류를 처리하는 손은 한순간도 멈추지 않았다. 효율적으로 일을 하는 한편으로 스트레스 발산은 필요하다고, 에델하르트는 생각했다. 이 정도로는 분명히 벌을 받지 않으리라.

일을 하는 틈틈이 관료들이 차례차례 집무실을 찾아와서는 보고서이니 예산안이니 하는 것들을 두고 갔다.

이 바쁜 상황에서는 일일이 노크에 대응하는 시간도 아까웠기 때문에, 이 방에 입실할 때에는 노크는 필요 없다고 사전에 전달해 놓았다.

"업무 중에 실례합니다. 전하, 각 부서에서 올라온 보고서를 정리해 왔습니다."

"오오, 고마워."

그것을 비서가 정리해서 갖다 주었다. 그 이전에 도착한 타 부서의 보고서도 함께였다.

우선도가 가장 높은 전쟁 관련 이외의 정보는, 현재 같은 방에서 집무를 돕고 있는 비서인 청년을 창구로 삼고 있었다. 혼자서 모든 일을 하는 거보다 훨씬 효율이 좋았다.

에델하르트가 가장 먼저 훑어본 것은 재무부의 보고서. 국내의 재정은 현재 상당히 곤궁한 상태였다.

부왕이 행정에서 민완을 발휘했을 때에는 국고도 상당히 풍족했으나, 지금 그것은 거의 대부분이 전선의 원조로 날아간 상태였다.

……뭐, 오히려 부왕이 절약해 국고를 모아주지 않았다면 지원 부족으로 애초에 지금의 국경선에서의 선전도 있을 수 없던 셈이다.

'이거, 아바마마의 침실 쪽으로는 발을 뻗고 잘 수가 없겠군.'

에델하르트의 침대는 유감스럽게도 발치가 오스왈드의 방을 향하고 있었지만.

"전령입니다! 실례합니다!"

"오. 보고서같은 건 거기 상자에 넣어 줘."

"예!"

에델하르트가 정기연락을 받아들자, 전령은 또다시 집무실을 뛰어나갔다.

라이오넬이 있는 전선의 상황은 이미 왕도에도 전해졌다. 군에 배신자가 있을지도 모른다는 이야기도 함께. 그러나 이것이 민간에 흘러나가는 것은 엄중하게 함구령을 내려 저지했다.

그렇지 않아도 전쟁으로 국내의 정세는 불안정해졌고, 왕국 측의 불리함도 이미 많은 국민들이 알게 되었다.

거기에 아군에 적의 내통자가 있을지도 모른다는 사정을 국민들이 안다면 혼란은 피할 수 없으리라.

"거기, 비서군. 시급히 전령을 불러 줘. 긴급 쪽이야."

"아, 예. 알았습니다!"

에델하르트는 한시라도 빨리 아군이 태세를 재정비할 수 있도록, 국경에 물자나 병사의 운송체제를 강화하기 위한 명령서를 작성했다.

현재의 이 재정상황에서 추가지출은 솔직히 꽤 압박이 심했다. 그러나, 전쟁에서 지면 그럴 형편도 못 되었다. 대신에

세금과 무역방면을 손봐서 조세징수를 꾀하자.

"전하! 훈련상황을 보고드리고자 왔습니다."

비서가 일시적으로 자리를 떴기 때문에, 그 동안에는 정보가 에델하르트에게 바로 전해졌다.

"오오, 왔나. 그래서, 어때?"

"순조롭습니다! 약간 익숙지 않은 훈련법이라 처음에는 당황한 것 같은 기색이었습니다만, 익숙해지니 아무 문제없습니다."

"그래~ 잘됐군, 잘됐어. 그럼 계속해서 이대로 부탁해."

"예!"

에델하르트도 그저 국정에 쫓기고만 있는 것은 아니었다. 각지각국을 방랑한 끝에 고안해 낸 새로운 훈련법을, 전력 증강책의 하나로 도입한 것이었다.

국경에 총력을 모으는 것도 중요했으나, 그렇다고 해서 왕도나 국내의 경비를 소홀히 할 수는 없다는 것도 그 이유 중 하나였다.

'아직 전선에 파견할 수 있을 정도의 수가 되지 않는다는 것이 문제이지…….'

도입한 지 얼마 되지 않았으므로 써먹을 수 있는 병력도 적었다. 소수정예로 하기 위해 훈련일정을 조정하고 있으나, 과연 시간을 맞출 수 있을는지.

일단 1개 소대 정도는 훈련을 마쳤으니, 우선 그 부대를 시험적으로 실전에 내보내 보는 것도…….

똑똑

"응? 들어와."

"실례하겠습니다."

이렇게 바쁜 때에 예의바르게 노크를 하는 자가 있다니…….
에델하르트는 살짝 신기하게 생각했으나, 들어온 사람이 아샤
라서 납득했다.

아샤는 평소에는 에델하르트의 모후인 제3비 소피리아의
시녀로 있으나, 지금은 시녀복이 아니라 쇠사슬 갑옷을 장
비하고 허리에는 검을 차고 있었다. 긴 갈색 머리카락은 말
총머리로 하나로 올려 묶고 있었다.

"뭐—야. 아짱인가. 일부러 노크하지 않아도 괜찮은데."

"명색이 일국의 왕자이신 전하의 집무실에 들어오는데,
노크도 하지 않는다는 실례는 범할 수 없습니다."

"명색이, 라는 말은 필요 없잖아……."

이렇게, 묘하게 성실한 구석이 있는 것이 아샤였다. 분명
히 그녀에게는 노크도 하지 않고 남의 방에 들어오는 일은
하기 어려운 일일지도 몰랐다.

"그런데 갑자기 무슨 일이야? 이 시간은 아직 연병장에
있을 시간이잖아?"

아샤는 군인으로서 평소 의무병으로 종군했으나, 사관학교
의 생도였던 만큼 전투력도 갖추고 있었다. 때문에 오늘은 새

로운 훈련법에 따른 병사들의 훈련을 맡기고 있었는데…….

"그것이…….."

"……아짱. 무리."

"아아, 미안해. 좀 더 기다려 줄래? 메이."

그 대화로 에델하르트는 아샤의 등 뒤에 메이가 숨어 있다는 것을 알아차렸다. 아샤보다 머리 하나 이상 작은 메이는 아샤와 일직선상에 서면 각도에 따라서는 전혀 보이지 않았다. 게다가 일상적으로 기척을 지우고 있었기 때문에, 한층 더 발견하기 힘들었다.

오늘도 자신의 키만한 커다란 통을 등에 짊어진 채, 손이 새하얗게 될 정도로 강하게 아샤의 옷자락을 움켜쥐고 있었다. 짙은 푸른색의 눈동자도 뭔가를 참는 것처럼 가늘게 뜨고 있었다.

메이는 스피리아 전쟁이 끝난 뒤, 기억을 잃은 상태로 부왕에게 보호되었다. 개전 직후에 멸족당한 스피리아의 영주, 울데 공작가의 후계자의 증표인 팔찌를 갖고 있었기 때문에 울데 공작가의 외동딸인 『메이』일 것이라고 판단되었다.

그러나 마력을 전혀 갖고 있지 않았기 때문에 마력지상주의인 왕국 귀족들 중에서는 데리고 가겠다는 사람이 나타나지 않았다. 마침 울데 가가 죽은 왕비 조세핀의 본가였기에 그 인연으로 왕비와 친했던 어머니의 호위로서 몸을 의탁하게 되었다.

메이가 묘하게 소피아를 잘 따랐다는 점도 있으나, 이 시기는 그 직전에 에델하르트의 여동생인 제1왕녀 알렉시아가 구 피리아레기스령에서 사고로 죽은 참이었다. 딸을 잃은 어머니의 마음을 달래주기 위한 의도도 있었다든가 어쨌다든가.

"메이? 왜 그래?"

"……머리, 어질어질해."

그렇게 말하고 메이는 뚱하니 미간에 주름을 잡았다. 또였다. 최근 메이는 자주 현기증을 호소했다.

옛날부터 메이는 때때로 영문을 알 수 없는 현기증과 두통을 호소하는 때가 있었다. 그때마다 의사에게 진찰을 받았으나, 몇 번을 진찰해도 원인은 불명이었다.

결국 치료법은 찾지 못한 채로 정신을 차려보니 메이의 용태는 진정되었는데, 요 최근에 그 두통이 다시 도지고 있었다. 그리고 빈도가 이상했다. 무엇보다 이것으로 일주일 연속이었으니까.

"역시 힘들었나…… 메이도 몸 상태가 안 좋으면 무리하지 말라고 했잖아."

"……힘낼 수 있을 것 같은, 느낌이 들었어."

"느낌이 들었다가 아니라, 반드시 힘을 내야 할 때 힘을 내줘. 알았지?"

"……미안."

표정에 그다지 기복이 없는 메이도지만, 오늘은 알기 쉽게 풀이 죽어서 눈꼬리를 밑으로 떨어뜨리고 있었다.

"사과하지 않아도 돼. 그 대신 오늘은 느긋하게 쉬어."

"응…… 아."

메이가 작게 고개를 끄덕인 직후 뭔가가 떠올랐다는 것처럼 소리를 냈다. 그러더니 아샤의 옆을 빠져나가 에델하르트에게 가까이 다가와. 그대로 손에 들고 있던 뭔가를 손에 쥐어주었다.

"이거, 줄게."

"어? 잠깐만, 메이. 이건 중요한 거잖아. 메이가 갖고 있어야……"

"안 돼. 잘은 모르겠지만, 줘야만 해."

메이가 건넨 물건에 에델하르트는 흠칫 놀랐다. 하지만 드물게 신지한 표정을 띤 메이에게 그 이상은 아무 말도 할 수 없었다.

"아, 음…… 그럼 메이는 데려가겠습니다. 의무실에서 좀 재우면 다소 괜찮아질 테니까요."

"아, 그래. 부탁해, 아짱."

"그것과 훈련의 상세보고에 대해서는……"

"괜찮아, 괜찮아. 우선은 메이를 돌봐 줘."

"……알겠습니다. 다시 돌아오겠습니다."

아샤는 면목 없다는 듯이 고개를 숙이고는, 메이를 데리고 문 건너편으로 사라졌다.

　그것을 지켜본 뒤, 에델하르트는 자신의 손에 시선을 떨어뜨렸다. 그곳에는 방금 전 메이가 건네준 팔찌가 있었다. 울데 가의 후계자라는 것을 증명하는 팔찌였다.

　'메이…… 왜 이걸 내게 준 거지?'

　지금까지 한 번도 손에서 떼어놓으려고 하지 않았건만, 이 타이밍에 이것을 건넨 이유는 무엇일까.

　팔찌 자체에 뭔가 특별한 의미가 있는 것일까 싶어서 살펴봤으나, 눈에 띄게 수상한 장소는 없었다. 기껏해야 대좌에 검은 흑진주가 박혀 있는 것 정도.

　이런 종류의 골동품에 정통한 사람이라면…… 데이비드 정도일까. 최근 학원에서 모습을 감춰 행방불명인 것 같지만, 밑져야 본전이라고 한 번 대도서실에 얼굴을 내밀어보자.

　'그러고 보니, 그 보고는……'

　에델하르트는 서류가 산처럼 쌓여있는 책상 위를 뒤졌다. 며칠 전에 데이비드 명의로 보내진 어느 보고서가 퍼뜩 기억이 났다.

　최근 왕국 각지에서 일어나는 기묘한 현상에 대한 보고였다. 폭발과도 같은 것이 있는 이후, 지면에 뚫린 크레이터에 검은 연못과도 같은 것이 나타난다고 했다.

　연못이라고 해도 그 정체는 농밀한 안개로 무질서하게 발생하는 것처럼 보이지만, 조사해보니 실은 그것들은 모두 과거 그 지역에서 일어난 폭발사고로 인해 생긴 것이라고 판명되었다.

캘런포드에서의 사고와 같은 종류의 것이, 그 1년 사이에 왕국 각지에서 수 건 일어난 적이 있었다. 사고 뒤 유령마을이 되어버린 캘런포드 이외에는 몇 년 사이에 부흥해, 최근에는 사고이야기도 완전히 잊혀 있었다.

'왜 지금에 와서…….'

현재 사람이나 동물의 피해는 확인되지 않았지만, 원인불명이라는 것이 왠지 모르게 불안을 불러일으켰다. 뭔가가 일어날 전조가 아니면 좋으련만.

"……도로시."

현재진행형으로 전선에서 싸우고 있을 소꿉친구의 모습이 에델하르트의 뇌리를 스쳤다.

전생의 기억을 갖고 있으며, 검은 안개와 연이 깊은 그녀라면, 이 현상에 대해서도 뭔가 이유를 찾아낼 수 있었을까.

3장 루크레치아 학원의 대피

　적의 임시 아르마·리액터를 파괴한 뒤로, 제국군의 움직임은 조금씩 둔해지기 시작했다.

　아마도 아르마·리액터를 잃음으로써 군사력에 뚫린 구멍이 컸던 것이리라. 재정비할 때까지 아직 시간이 필요할 터였다.

　"대피, 요?"

　플라티나 왕국군의 진지, 그 총대장 텐트에서 레티시엘은 지금 막 들은 말을 복창했다.

　"예. 대피입니다."

　레티시엘의 정면에 앉은 라이오넬은 그렇게 말하고 생긋 미소를 지었다.

　잠입수사가 끝나고 난 뒤로 한동안 레티시엘은 전선에서 싸우는 일 외에 딱히 하는 일 없이 지내고 있었다. 라이오넬 역시 군의 통솔로 바쁘기에 잠입수사가 끝난 이후에는 만나지 않았다.

　그랬던 것이, 오랜만에 호출을 해왔다고 생각했는데 갑자기 뜬금없는 이야기가 나왔다. 상정하지 않았던 이야기였기 때문에 레티시엘은 멍해서 저도 모르게 눈을 깜박거렸다.

"실례입니다만, 누가 어디로 대피한다는 것이지요?"

"루크레치아 학원의 학생들이, 왕국 남부의 피서지로 대피할 겁니다."

"……."

한순간, 레티시엘의 머릿속에 친구들의 얼굴이 스쳤다. 혹시 그들의 신변에 무슨 일이 있었기 때문에 계획된 대피인 것일까……그렇게도 생각했으나, 냉정하게 생각해 면 수비가 두터운 왕도에서 사는 그들에게 이 전쟁으로 유래된 위험이 미칠 가능성은 낮을 것 같은 느낌이 들었다.

전장 부근에서 사는 일반 시민의 안전을 위해 그 사람들을 대피시키는 것은 이해할 수 있었지만, 왜 전장에서 멀리 떨어진 학원의 학생들이 그 대상이 되는 것일까.

"또, 무척 갑작스럽네요…… 뭔가 사건이라도 있었습니까?"

"그런 것은 아닙니다만, 최근 국토 안에 적병이 잠입했다는 보고가 몇 건이나 올라와 있어서 말입니다."

라이오넬이 말하길 제국군은 최근 전장에서는 기세가 꺾이고 있었지만, 그 대신 정탐에 힘을 쏟고 있다는 것 같았다. 우선 학원이 기습당한 것은 아니라는 사실에, 레티시엘은 안도했다.

지금까지는 별로 없었으나, 최근에는 국경을 넘어 왕국으로 침입하려고 하는 자가 다수 나타나고 있었다. 붙잡힌 그 대부분은 제국의 밀정이었다.

"국경의 침입은 되도록 주의해서 살피고 있습니다만, 그래도 놓친 밀정이 없다고는 단언할 수 없습니다. 때문에 안전을 위해 이번 대피를 생각했습니다."

과연. 라이오넬이 최근 바빠 보였던 것은, 이 제국으로부터의 밀정의 증가에 대응하기 위해서이기도 했다는 것인가.

"허나, 일부러 이 타이밍에 실행하신다는 것은 전하께는 제국이 학원의 학생들을 노릴 것이라고 생각하는 이유가 있으시다는 것인가요?

"예. 루크레치아 학원은 우리나라 최고의 교육기관입니다. 그곳의 수많은 학생들이 졸업한 뒤 국정이나 군 등 나라를 지탱하는 자리에 앉는다는 사실은, 조금만 조사하면 바로 알 수 있는 일입니다."

귀족의 자녀가 다니는 학교이기 때문에 졸업 후 주어지는 직책이 높은 것도, 교육수준이 높은 것도 분명했다.

"그것은 우리에게는 큰 무기인 동시에, 약점이기도 합니다."

"……미래의 싹을 잘라버릴지도 모른다, 라는 것인가요?"

즉, 장래적으로 왕국군의 전력이 될 수 있는 후보를 제국이 뭉개버릴 가능성을 염두에 둔 대피라는 것 같았다. 그 의도를 알아차린 레티시엘의 발언에 라이오넬은 고개를 끄덕였다.

"현재, 제국이 가장 바라는 것은 아마도 우리 군의 약체화일 것입니다. 본디라면 대승을 거둘 수 있었을 터인데, 상정 외의 저항에 소모를 강요당한 일은 상대에게도 예측하지 못한 사태일 것입니다."

"그건 그렇겠지요. 개전한 뒤로 오늘까지 제국군의 상황이 계속 바뀌는 것을 보면 일목요연합니다."

"시엘 님도 알고 계신 것 같으니 이야기는 빠르겠군요. 우리 군은 현재, 왕도에서 끊임없이 보내오는 지원물자와 원군으로 간신히 버티고 있는 것이나 마찬가지입니다. 그 원군을 차단하자고 적이 생각할 가능성을 고려해야만 합니다."

그렇지 않아도 국경선은 넓어서 그 전부를 완전히 방어하는 것은 매우 어려운 일이었다.

현재 왕국군에게는 당연히 그럴 수 있을 정도의 병력이 없으니, 적어도 적이 노릴 가능성이 있는 존재를 앞질러 보호하는 편이 득책이라고 판단했다는 것이었다.

참고로 똑같이 견습 군인을 양성하는 사관학교인 하인겔 학원 쪽도, 루크레치아 학원과 동시에 대피를 예정하고 있다고 했다. 왕국의 미래를 책임질 어린 싹의 보호를 최우선시한 셈이었다.

"호위는 저 한 사람인가요?"

"예. 루카스 님은 이곳에 남길 생각이니, 전선의 일은 걱정하지 마십시오."

"루카스 님 혼자서 괜찮으실까요?"

"지금의 제국군의 상태라면, 그 혼자서라도 충분히 전선을 유지할 수 있을 겁니다. 영웅께서 계시는 편이 병사들의 사기도 오를 테고요."

그에 대해서는 레티시엘도 부정하지 않았다. 분명히 스피리아 전쟁 때의 대영웅 『감벽의 사자』는 지금도 군인이나 병사들 사이에서 뿌리 깊은 인기를 자랑했다.

본진에서는 루카스에 대한 선망이나 동경 등 그런 류의 화제만큼은 풍부했다. 매일 어딘가에서 누군가가 이야기를 했다. 이것이 전시가 아니었다면, 분명히 수많은 병사가 루카스를 둘러싸고는 악수를 청했으리라.

"대피에 대해서는 알았습니다. 저라도 괜찮으시다면 그 임무, 하겠습니다."

"시엘 님이기 때문에 부탁드리는 겁니다. 그렇지 않아도 대피를 시키는 시점에서 불안을 부채질 할 텐데, 덩치가 좋은 군인보다 동년배의 호위 쪽이 학생들의 긴장도 다소 누그러질 테니까 말입니다."

"하아, 그런가요."

"……게다가, 그 편이 사태도 움직일 테고요."

"……?"

"아뇨. 아무것도 아닙니다."

한순간, 라이오넬이 작게 뭔가를 툭 중얼거리는 것이 들렸다. 레티시엘은 순간적으로 질문했으나 되돌아온 것은 여느 때의 미소와 얼버무리는 말뿐이었다.

요사이, 라이오넬은 이런 이해 불가한 반응을 자주 보이는 것 같은 느낌이 들었다. 전술에 대한 고집과 기묘한 발언. 그것들은 대체 무엇을 의미하는 것일까.

"……그래서, 대피일정은 정해진 것입니까?"

"그건 아직입니다. 오늘은 호위의 건을 시엘 님께 부탁드리기 위해 한 발 앞서 정보를 전달한 것뿐입니다."

"그런가요……."

"자세한 일정은 정해지면 그 때 다시 한 번 부르겠으니, 그때까지 조금 기다려 주십시오."

"알았습니다. 그리고 보면 제 정체는 감춰야 할까요?"

"그렇군요…… 기본적으로는 감춰주셨으면 합니다만, 괜히 얼버무리거나 하면 오히려 수상쩍어 하는 일도 있으니까 말이지요. 그쪽이 알아차렸을 때에는 시엘 님의 판단에 따라 정체를 밝히셔도 상관없습니다."

그 뒤 두세 가지 더 추가설명을 듣고, 레티시엘은 자신의 텐트로 돌아왔다. 호위인가…… 일정은 아직 정해지지 않았다고는 하나, 아마도 그렇게까지 오래 걸리지는 않으리라.

돌아가면 일단 짐 정도는 꾸려둘까. 어차피 소지품도 그렇게 많지 않으니까…….

그런 연유로, 현재 레티시엘은 마차의 위에서 흔들리며 가도를 남하하는 마차단을 습격하는 자가 없는지 경계하고 있었다.

머리카락과 눈동자 색은 정체가 탄로나는 것을 방지하기 위해 요전번의 잠입수사 때와 똑같이 검은 머리카락에 보라색 눈동자로 통일했다. 그리고 만일을 위해 후드도 깊이 눌러썼다.

라이오넬에게서 이야기를 전해 받은 다음 날에는 대피일정이 정해졌기에 레티시엘은 그날 중으로 꾸려놓은 짐을 갖고 왕도 니르반으로 돌아왔다.

그런 것도, 결정된 날짜가 불과 사흘 후였기 때문이었다. 덕분에 레티시엘이 루크레치아 학원의 면면과 합류한 것은 출발 당일 아침의 일이었다.

"늦어서 죄송합니다."

"아, 아뇨. 당치도 않습니다! 이쪽이야말로 와주셔서 고맙습니다. 시엘 님."

이쪽의 이름은 이미 전달된 모양이었다. 본 적이 없는 남자교사가 조금 상기된 목소리로 대응해 주었다.

마차의 주변에는 레티시엘 이외에도 호위로 생각되는 남성들의 모습이 보였다. 교사에게 그들에 대해 물어보니, 제3왕자가 파견한 자들이라는 것 같았다. 이전에 에델하르트가 친구들에게 붙여준다고 말했던 호위들인 것일까.

"이쪽의 준비는 끝났으니, 바로 출발하려고 생각합니다만."

"알았습니다. 문제없습니다."

친구들의 모습을 찾아보고 싶은 마음은 있었으나, 이미 출발시간이 아슬아슬했다. 그것과 무엇보다 학생들은 이미 전원 마차에 승차해있었기 때문에 일부러 안을 들여다보며 찾을 수도 없었다.

어느 쪽이든 이 마차 중 어딘가에는 타고 있을 테니, 목적지에 도착하고 나서 찾아도 늦지는 않으리라.

레티시엘이 마차 위에 오르자, 합계 12대의 마차는 줄줄이 달리기 시작했다. 전교생과 교원을 포함했기 때문에 상당한 대인원이었다.

덧붙여 레티시엘도 함께 마차에 타지 않겠느냐는 제의를 받았으나, 정중하게 거절했다. 사람으로 붐비는 것은 거북했고, 무엇보다 마차 안에 있어서는 만족스럽게 경계를 할 수 없었다.

제국군이 한층 과격해짐에 따라, 단순히 내지라면 안전하다고 할 수도 없게 되었기 때문에 이번 루크레치아 학원 일행이 대피하게 된 곳은 북쪽의 국경선에서 멀리 떨어진 왕도에서 한층 더 남쪽으로 내려간 지방이었다.

사실, 이렇게 거리를 벌어봤자 그것이 얼마나 의미가 있을지는 알 수 없는 일이었다. 하지만 적어도 위험의 본체에서는 떨어뜨려놓자는 라이오넬의 지시에 따른 것이라고 했다.

'······현재로서는 이상 없음, 이려나?'

레티시엘은 색적마술을 상시발동한 채로 있었다. 하지만

동물이나 일반 통행인의 기척은 있어도, 이쪽에게 적의를 가진 존재는 감지되지 않았다.

다만 서쪽 초원에 사슴무리가 있는 것을 감지했기 때문에 식재료로 삼기 위해 사냥했다. 급히 결정된 대피인지라, 홀가분하게 이동하기 위해 식재료는 모두 현지에서 조달하기로 되어 있었다.

물론 그 역할은 레티시엘의 몫이었다. 하지만 몇 백 명이나 되는 학원 관계자 전원분의 식재료를 혼자서 확보하라는 것은 꽤나 힘든 기대였다. 덕분에 늘 경비와 수렵을 동시에 진행해야만 했다.

'나도 사냥만 하고 있을 수는 없는데 말이지……'

레티시엘은 말로 해봤자 소용없는 불평을 마음속에서 중얼거리며 스스로를 납득시켰다.

학생들을 태운 마차는 세로로 나란히 달렸지만, 의외로 가도의 통행을 방해하거나 하지 않았다.

아마도 개전의 영향으로 마을과 마을을 이동하는 사람이 거의 없어졌든가, 혹은 이미 다 이동했기 때문이리라. 평소에는 좀 더 흥청거린다는 이 가도도 지금은 통행인이 없어서 휑했다.

"저기, 이번에 우리를 호위한다는 거, 그 분이죠?"

마차는 화물용 마차였기 때문에, 말소리 등을 가로막을 두꺼운 벽은 없었다.

때문에, 아래쪽의 마차 안에 타고 있는 학생들의 대화는 평범하게 바람에 실려 레티시엘에게까지 다 들렸다.

"그, 전장에서 신들린 강함을 보여주시는 마도사 님이죠? 분명히 멋진 분일 거예요."

"맞아요, 맞아. 저 분! 분명히 시엘 님이라고 하셨지요?"

"한 번 뵙고 싶었어요. 그게, 그렇게 화려한 전과를 올리는 분이라니, 감벽의 사자 이후로 처음이잖아요! 반할 것 같아요……."

"그러고 보니, 아직 모습을 뵌 적이 없어요. 저, 만나면 반드시 사인을 받으려고 생각하고 있었는데요."

"어머…… 듣고 보니 그러네요. 하지만, 분명히 가까이에는 계실 거예요!"

마차가 달리는 소리에도 지워지지 않다니, 어지간히 큰 목소리인 것 같았다. 대피 도중이건만 꽤나 즐거운 것 같았다. 아니, 밝은 기분으로 있는 일은 나쁜 일은 아니었지만.

"……."

그 소문의 당사자가, 자신들과 같은 마차의 위에 있다는 사실을 그녀들은 분명히 알지 못하리라.

경비가 임무인지라 이 자리에서 이탈할 수도 없고, 레티시엘은 최대한 그 이야기를 듣지 않도록 노력하는 것 외에 할 수 있는 일이 없었다. 새삼 루카스의 기분을 알 수 있을 것 같았다.

'……빨리 목적지에 도착하지 않으려나.'

마차 안에서 들려오는 소문에, 레티시엘은 근질거리는 기분을 억누르면서 안절부절 못했다.

자신에게 호의적인 소문을 자신이 직접 듣게 되는 일은, 전생에서부터 그렇게 익숙한 일이 아니었다.

＊＊＊

루크레치아 학원의 대피처는 왕국 남부에 있는 피서지였다. 과거에는 귀족의 별장이 늘어선 커다란 마을이었으나, 지금은 쇠퇴해서 무인의 마을이 되어있었다.

"잠깐만. 여기, 어떻게 봐도 고스트 타운이잖아."

"이런 곳에서 지나는 건가요? 말도 안 돼요……."

마차 안에서 그런 학생들의 불평이 들려왔다. 불평을 늘어놓는 목소리는 떨리고 있었으나, 그래도 이 폐허에 항의하는 것은 멈출 수 없는 모양이었다.

뭐, 이런 긴급사태의 한가운데에서는 불평 한마디라도 하지 않으면 불안이나 공포에 짓눌려버릴지도 모르지만.

학생들을 태운 마차단은 썩어가는 별장이 늘어서고 금이 간 포석이 깔린 가도를 빠져나가 피서지 외곽에 도착했다. 쇠퇴한 전 피서지였기 때문에, 주위는 이미 나무들에 덮여서 자연으로 돌아가고 있었다.

'목적지는…… 저곳일까.'

포장마차의 위에서는 시선이 높은 덕분에 전방의 경치도 잘 보였다. 레티시엘이 시선을 향한 그 끝에는 회색의 벽돌로 된 저택이 보였다.

주위는 울창한 숲에 둘러싸여 있었고, 건물 자체에도 덩굴이나 이끼가 표면을 뒤덮고 있어서 빈말로도 상태가 좋다고는 생각되지 않았다. 그러나 넓이만큼은 충분한 듯, 4층짜리 건물이 5개나 옆으로 죽 늘어서 있었다.

지금은 이미 방치되어 있었기 때문에 추측에 불과했지만, 이만큼 규모가 큰 시설이라면 원래는 왕가 관할의 별장이었는지도 몰랐다.

"거짓말…… 목적이라는 게 설마 저곳인가요?"

"우와— 말도 안 돼. 이런 곳에서 사람이 어떻게 살아?"

"좀 더 좋은 곳이 있었을 거 아냐……."

마차가 나무 사이를 빠져나옴에 따라, 건물이 학생들에게도 보이게 된 듯 했다. 밑에 있는 마차 안에서 한층 더 불만스러운 목소리가 흘러나왔다.

이것만큼은 어쩔 도리가 없었으나, 평소 현란하고 호화로운 저택에서의 생활에 익숙한 귀족 도련님, 아가씨들은 이 폐허와도 같은 저택은 필시 빈곤한 것처럼 보이는 것이리라.

녹이 슬어 경첩이 허술해진 정문을 빠져나가니 사방에 잡초가 자란 정원이 마차단을 맞이했다. 포장되어 있었으리라고 생각되는 바닥의 포석 사이로도 잡초가 자란 것을 보건대, 사람 손을 타지 않게 된 지 꽤 오랜 세월이 지난 것 같았다.

"아— 여러분. 마차에서 내려 광장에 집합해주세요! 점호를 하겠으니, 그것이 끝나면 바로 저택 내부의 홀에서 대기해주세요!"

저택 현관 앞의 광장에 마차가 차례차례 멈추고, 인솔교사의 지시가 날아왔다.

잠시 시간이 지나자, 학생들이 꿈실꿈실 마차에서 내렸다. 레티시엘은 그 모습을 마차의 위에 앉은 채 물끄러미 지켜보았다.

이번에 학생들에게는 자신들의 호위가 레티시엘이라는 사실이 알려지지 않았기 때문에, 레티시엘은 후드를 깊이 눌러서서 얼굴이 보이지 않게 하고 있었다.

"아…… 보세요. 수상한 사람이 있어요."

"정말이네요. 누구일까요? 저렇게 빈틈없이 로브를 갖춰 입고 있다니, 덥지 않을까요……?"

"혹시 그 분이 아닐까요? 마도사 시엘 님?!"

"에! 저 분이요?! 뭐라고 할까요…… 예상외네요."

"하지만, 저런 저거대로 미스터리한 분위기라서 근사하네요……."

"뭔가…… 좋네요. 얼굴은 보이지 않지만 분위기가 늠름

해서 멋져요."

"저 분이 구세주로 이름 높은 마도사 시엘 님인가……."

몇 명…… 아니, 대부분의 학생들이 이쪽을 올려다보며 소곤소곤 서로 속닥거렸다.

그 마음은 이해 못할 것도 없었다. 후드를 깊게 눌러쓴 수상쩍은 호위가 마차 포장 위에 타고 있다면, 신경이 쓰이지 않는 편이 이상했다.

방금 전까지 화제에 올랐던 인물을 앞에 두고 의아하다는 얼굴을 하는 사람도 있는가 하면, 작게 새된 비명을 지르는 사람, 존경의 시선을 보내는 사람. 실로 다양한 반응을 보이고 있었다.

출발 시간에 아슬아슬하게 합류한 탓에 학생들은 이 모습을 거의 보지 못했으니, 놀라는 것도 무리는 아니리라. 역시 거북해…….

상대하기 시작하면 끝이 없었기 때문에, 레티시엘은 그 시선들을 모두 합쳐서 직시하지 않도록 스리슬쩍 그들에게 등을 돌렸다.

"오랜 이동에 고생이 많으셨습니다."

마부석에 앉아있던 여교사가 이쪽에게 말을 걸어왔다. 여성이 마부를 하다니, 조금 보기 드물었다.

"아뇨, 신경 쓰지 마십시오. 이것도 임무이니까요."

"그렇게 말씀하지 마시고, 줄곧 마차 위에 앉아있었는데 피곤하지 않을 리가 없지요. 대단한 설비는 없다고 생각하지만, 오늘 정도는 느긋하게 쉬세요."

"배려에 감사드립니다."

여교사의 마음은 매우 고마웠지만, 레티시엘에게는 그들의 호위라는 밤낮을 가리지 않는 임무가 있었다. 마음 놓고 쉬고 있을 수도 없었다.

"그런데, 이곳은 무척 쓸쓸하네요."

"예. 대피해서 몸을 숨길 장소로는 안성맞춤이 아닐까요."

레티시엘은 외벽에 덩굴과 이끼가 자란 눈앞의 낡은 건물을 올려다보았다. 그 시선을 좇아 여교사도 또 그쪽에 시선을 주었다.

그럭저럭 넓은 저택이긴 했으나, 일부가 무너지거나 자연에 완전히 덮인 탓에 멀리서 보면 의외로 눈에 띄질 않았다. 실제로 레티시엘도 탐색마술을 사용하지 않았더라면, 알아차리는 것이 좀 더 늦었을지도 몰랐다.

또, 저택 내부에서 머무는 것은 학생뿐으로 교사들은 정원에 텐트를 치고 생활할 예정이라고 했다. 물론, 레티시엘도 나중에 텐트를 쳐야만 하리라.

학원의 학생과 교사들이 같은 장소에 머무는 것에 대한 위험은 존재했으나, 분산시키면 그건 그거대로 레티시엘 혼자서는 다 지킬 수 없었다. 물론, 호위가 레티시엘만 있는 것은 아니었으나, 그래도 한 자리에 모여 있는 편이 위험하긴 해도 지키기 편했다.

"게다가, 이곳은 그 캘런포드의 소동에 휩쓸려서 쇠락한 마을이니까요. 쓸쓸한 것도 당연하지요."

"……? 어머. 이 마을, 캘런포드와 가까운가요?"

"예. 걸어서 갈 수 있는 거리일 거예요."

레티시엘은 저도 모르게 눈을 부릅떴다.

캘런포드라고 하면 베로니카가 유소년기를 보낸 마을로, 과거 정체불명의 폭발사고로 완전히 바뀌어 고스트 타운으로 변해버린 도시였다.

설마 이렇게 가까운 장소에 예의 마을이 있다니……. 뭣보다 임무를 부여받고 난 뒤 출발까지 시간이 촉발해 체류할 장소까지는 듣지 못했다.

그러고 보면, 사고 이전에 캘런포드는 국내에서도 유수의 피서지로, 귀족과 왕족의 별장도 수없이 있었다고 전에 책에 쓰여 있던 것 같기도 하고……

돌발적인 대피에 선정된 장소가 과거 사고로 황폐해진 도시의 바로 근처라는 것은, 우연이라고 해야 할까 뭐라고 해야 할까.

"그럼 저는 마차들을 모아서 뒤에 세우고 오겠습니다."

"예. 주위의 경계는 이쪽에서 하겠습니다."

"감사합니다. 이야, 역시 최전선에서 활약하시는 분답게 믿음직스러우시네요."

어떻게 반응해야 할지 곤란했기 때문에, 레티시엘은 일단 모호하게 미소를 지었다. 여교사는 말에 가볍게 채찍질을 해서 마차와 함께 정원의 뒤쪽으로 들어갔다.

그것을 곁눈으로 지켜보며, 레티시엘은 학생들의 통행에 방해가 되지 않도록 정면현관으로 이어지는 길옆으로 이동했다.

그리고 그대로 학생들이 전원 저택에 들어갈 때까지 대기했다. 이 뒤의 레티시엘의 예정은 학생들이 저택에 다 들어간 후 저택 그 자체에 결계마술을 거는 것뿐이었다.

"……저, 저기."

주위의 경계를 시작한 지 한 시간 정도. 절반가량의 학생들이 저택에 들어간 타이밍에, 레티시엘에게 말을 걸어오는 자가 있었다.

"……?"

누구일까? 하지만 목소리가 귀에 익은 것 같기도 하고…… 그런 생각을 하면서 뒤를 돌아보았다가 레티시엘은 저도 모르게 굳어버렸다.

"저, 갑작스러운 말인데다가 제 착각이라면 죄송합니다만……."

목소리의 주인은 미란다레트였다. 목소리가 귀에 익은 것도 당연했다.

최근에는 거의 보지 않게 된, 낯을 가리고 자신 없이 머뭇

거리는 미란다레트였다. 일단 레티시엘은 현재 타인이라는 것으로 되어 있으니, 그런 반응을 할만도 했다.

"호, 혹시 도로셀 님……이, 아니신가요?"

"……."

다 탄로 났잖아. 그것도 비교적 간단하게.

혹시 자신은 변장이 서툰 것일까……? 그렇게, 레티시엘은 자신의 변장능력에 조금이나마 의문을 품기 시작했다.

분명히 전생에서는 왕녀라는 점도 있어서, 변장을 필요로 하는 은밀한 임무를 맡을 기회는 거의 없었다.

역시 완전히 숨기기 위해서는 미채마술도 사용해서 전력으로 속여야만 할지도 몰랐다. 이것은 좋은 교훈이 되었다.

"이봐, 루루. 마도사 님이 곤란해 하시잖아."

"어, 아, 죄송합니다. 갑자기 이런 말을 들으면 깜짝 놀라시겠죠……."

미란다레트의 뒤에서 타이르듯이 그녀의 어깨를 잡은 것은, 이 또한 오랜만에 보는 히르메스였다.

단, 눈에 보이게 전신에 기운이 없었다. 눈은 초점이 거의 맞지 않았고, 어깨도 무겁게 처져 있었으며, 표정에도 패기가 없었다. 넘치는 기운이 장점인 히르메스가 별일이었다.

"다만, 그…… 늠름한 분위기가 어딘지 지인과 닮은 것 같은 느낌이 들어서……."

"분위기라는 것도, 알 수가 있는 거군요."

도중에 목소리가 끊어졌다. 레티시엘이 감탄해서 무심코 말을 잘못했더니, 그 순간 미란다레트가 얼어붙었다.

그 뒤에서 멍하니 있던 히르메스는 눈치채지 못한 것 같았다. 의아하다는 듯이 미란다레트를 쳐다보고 있었다.

으음…… 역시 분위기라든가 목소리 같은 것에서 친한 사람은 알아차릴 수 있는 건가. 그렇지 않으면 미란다레트가 날카로운 것뿐인가?

"……다른 사람들에게는 비밀이에요."

"……! 아, 알겠습니다."

상대가 정체를 알아차렸을 때에는 이쪽의 판단으로 정체를 밝혀도 좋다고 했기 때문에, 레티시엘은 쓸데없이 감추거나 하지 않았다. 게다가 미란다레트라면 분명히 비밀을 지켜줄 것이다.

"저, 걱정했어요."

"미안해요. 하지만 보다시피 난 무사해요."

"정말요, 참! 이걸로 무사하지 않았다면 어떻게 하나 하고…… 하는 일, 힘드시진 않나요?"

"딱히, 그렇게는요. 싸우는 건 특별히 고되지 않고, 학원장님이나 라이오넬 전하처럼 믿음직한 분들도 같이 계시니까요."

"지크 님도 건강하게 잘 지내고 계시나요?"

"예. 건강해요. 최근에는 일이 늘어나서 바쁜 것 같지만."

"잠은요? 식사는요? 휴식은 제대로 취하고 계신가요? 무모한 짓을 하지는 않으시는 거죠?"

"……괜찮아요. 참 걱정이 많네요."

"걱정 정도는 하게 해주세요! 전쟁은 격화돼 가고, 정보는 철저하게 봉쇄돼서 현재 상황도 알 수 없으니까요……."

"그건…… 그러네요. 미안해요."

갑자기 학원에서 모습을 감췄다 싶었더니 전장의 최전선에서 싸우고, 꽤나 걱정을 끼친 자각은 있었다. 하지만 갑작스러운 질문공세에는 살짝 기가 죽었다.

레티시엘에게는 어머니가 없었다. 정확히는 어머니의 기억이 없었다.

전생의 어머니는 레티시엘이 어릴 때 병으로 돌아가셨고, 이번 생의 어머니는 감각적으로 타인이나 마찬가지였다. 그마저도 죄에 대한 벌을 받아 이제는 없었다.

전생에서도 이번 생에서도 어머니라는 존재를 가까이에서 느낀 적이 없었으나, 다른 사람들을 돌봐주기 좋아하는 어머니를 둔다면 이런 느낌일까.

"그런데……."

"예?"

"저택에 안 들어가요? 집합시간이 가까워지지 않았나요?"

"예? ……아! 큰일이다!"

미란다레트는 흠칫 놀라서 눈을 크게 뜨고는 얼굴을 창

백하게 물들였다. 일단, 몇 시까지 입관완료라는 지시는 있었는데 그 최종시각을 까맣게 잊어버렸던 모양이었다.

"이, 잊고 있었어요. 저기, 저 그만 가볼게요!"

"그래요. 서두르는 편이 좋을 것 같아요."

"예. 저기⋯⋯."

"?"

"⋯⋯또, 뵐 수 있을까요?"

"그러네요. 저도 같은 저택 안에서 머물테니까, 만날 기회 정도는 얼마든지 있지 않을까요⋯⋯."

"그런가요⋯⋯ 그럼 나중에 또 만나요!"

그렇게 말을 남기고 미란다레트는 곧바로 달려갔다. 지금까지 봤던 것 중 가장 빠른 달리기가 아닐까. 히르메스도 어찌할 바를 몰라 하면서 그 뒤를 따라갔다.

또한, 히르메스는 끝까지 『호위 시엘』의 정체를 알아차리지 못했던 모양이다.

히르메스는⋯⋯ 뭐라고 할까, 약간 단순한 구석이 있어서 분명히 미란다레트가 이야기하거나 혹은 레티시엘이 후드를 벗을 때까지 알아차리지 못할 것 같은 느낌이 들었다.

"아, 있다있다. 여기 계셨군요."

그때, 레티시엘에게도 집합지시가 내려왔다.

"이제 슬슬 시작하고 싶으니 곧바로 큰홀로 와주시면 감사하겠습니다."

"알겠습니다. 바로 가겠습니다."

대피 중의 업무나 당번, 주의사항 등을 결정, 확인하기 위한 회의에의 참가였다.

레티시엘이 그 회의에서 뭔가 발언하는 것은 아니었으나, 호위하는 측으로서는 그런 기초정보는 공유해둬야 할 것이리라, 라는 위로부터의 지시였다.

회의에 참가하러 가는 도중, 레티시엘은 힐끗 학생들이 있을 회색의 저택을 올려다보았다.

식물에 덮이고 벽 여기저기에 금이 간 미덥지 못한 그 모습에 일말의 불안과 같은 것을 느낀 것은, 자신뿐일까.

그 날은 결국, 텐트의 설치와 배치확인 등의 기초적인 작업을 마치는 것만으로 밤이 되어버렸다.

"그럼, 내일부터 잘 부탁합니다."

"예."

내일 예정에 대한 사전협의를 마치고, 인솔자인 교사는 자신의 텐트로 돌아갔다.

그것을 지켜본 뒤, 레티시엘은 경비 일로 돌아갔다. 이곳은 저택의 앞뜰, 그 중앙에 피워진 화톳불 앞이었다.

첫날 밤의 경호는 레티시엘을 포함해 다섯 명이 돌아가면서 맡기로 했다. 담당구역인 저택의 정면을 둘러보면서 지금은 화톳불 앞에서 잠깐의 휴식을 취하고 있었다.

"안녕하세요. 저녁식사를 가져왔습니다."

그곳에 찾아온 자가 있었다. 베로니카였다. 레티시엘은 예
상외의 방문객에 놀랐다.

"저녁식사요? 그 시간은 이미 한참 전에 지났는데요?"

"그렇지만요. 마도사 님, 식사 때 오지 않으셔서요……."

그 손에는 작은 마대가 들려 있었다. 아마도 그 안에는 빵
이나 뭔가가 들어있는 것이리라.

분명히 모두가 식사를 하고 있을 때에도 시간이 아깝고
그다지 배가 고프지 않아서 임무를 속행했는데, 아무래도
신경을 쓰게 만든 것 같았다.

"그건…… 고맙습니다. 나중에 먹지요."

"아, 예."

레티시엘은 마대를 감사히 받기로 했다. 순찰 중의 야식
으로라도 삼자.

식사를 건네주는 일은 그것으로 끝이 났을 터인데, 베로
니카는 그 자리에서 움직이지 않았다. 조심스러운 기색으로
이쪽을 살펴보다가는 시선을 돌리는 등, 뭔가를 말하고 싶
지만 고민하고 있는 것처럼 보였다.

"왜 그러시죠? 뭔가 하고 싶은 말이라도 있나요?"

"……저기, 제 착각이라면 실례입니다만……."

"……?"

"혹시, 도로셀 님이신가요?"

이 감각, 기시감이 있었다. 그렇다기보다 낮에 막 경험한 참이었다. 그것도 미란다레트와 다르게, 이쪽은 왜인지 확신을 갖고 있었다.

"……."

"아, 그게, 저기…… 분위기가 비슷한 것 같은 느낌이 든다고 해야 할까요. 마력을 감지할 수가 없어서……."

"마력……?"

"아, 아뇨. 역시 아무것도 아니에요!"

레티시엘이 반응하지 않은 것을 두고, 자신의 발언이 틀렸다고 생각한 것일까, 베로니카는 당황한 기색으로 고개를 숙였다. 그녀는 사과할 만한 일은 하지 않았다. 레티시엘은 베로니카의 어깨를 잡고 얼굴을 들게 했다.

"……오늘은 여러 사람에게 들통이 나는군요."

"……!"

"정말로 신기해요. 대체 무엇으로 판단하고 있는 것이죠?"

"어 그러니까…… 가, 감?"

"감인가요."

사람의 직감이라는 것은, 예를 들면 이런 일이 벌어질 수도 있으니 업신여길 수가 없었다.

"하지만 마력을 감지할 수 있다니 몰랐어요…… 어느새 그런 능력을 얻으셨죠?"

"저기, 마도사님 덕분입니다. 얼마 전에 받은 책을 참고로 자 자신 나름대로 여러모로 훈련을 한 결과이니까요……"

레티시엘은 바로 연금술의 이야기라고 알아차렸다. 최근에 그녀에게 건넨 책은 그것밖에 없었다. 그 뒤 곧바로 레티시엘은 전쟁에 차출되었는데, 독학으로 책을 계속 읽어나가고 있는 것 같았다.

그리고 레티시엘에 대한 베로니카의 호칭도 원래대로 되돌아와 있었다. 연금술에 대해서도 상당히 애매하게 이야기했다. 아직 아무것도 말하지 않았지만, 타인에게 공개해서는 안 된다고 판단한 것 같았다. 레티시엘은 그 빠른 눈치에 놀랐다.

"마력을 끄집어내는 등 특수하게 취급하는 술법이라 마력의 기척에는 민감해지는 것일까요?

"글쎄요…… 하지만 책에는 마력이란 사람의 몸이 띠고 있는 힘의 막 같은 것이라고 쓰여 있었으니까요. 기척이 민감해지는 것은 있을 수 있을지도 모르겠습니다."

"병 쪽은 어떤가요? 잘 듣나요?"

"예. 최근에는 정말로 전혀 괴롭지 않아요. 마력의 배출이 원활하게 되었기 때문인지도 모르겠어요."

듣자 하니, 책에 실린 간단할 술법이라면 나름대로 사용할 수 있게 되었다고 했다. 이렇게 단시간에 상당히 힘을 키운 것 같았다. 베로니카는 연금술에 재능이 있는 모양이었다.

적당한 선에서 이 화제는 일단 단락을 짓기로 했다. 마술과 같은 기밀성은 없다고 해도, 이곳에서 선 채로 연금술에 대해 길게 이야기할 수는 없었다. 자세한 이야기는 또 나중에 듣도록 하자.

"밤도 꽤 깊었으니 슬슬 쉬는 게 어떤가요?"

"아…… 그러네요. 이제 돌아가야겠어요."

"배웅할게요."

"아, 그런, 일하시는데 방해할 수는 없어요."

"방해는 아니에요. 어차피 순찰을 돌던 중이었으니까요."

베로니카는 조금 면목 없다는 것 같은 태도를 취했으나, 최종적으로 레티시엘의 뜻을 받아들여 둘이서 함께 저택으로 향했다.

이번 대피에서는 앞뜰에 면한 저택의 정면 쪽 방만 사용하게 되어 있었는데. 지금 현재 불이 켜진 창은 찾아볼 수 없었다. 다들 벌써 잠이 든 것 같았다.

"그럼 마도사님, 안녕히 주무세요."

"그래요. 잘 자요."

레티시엘과 인사를 나누고 베로니카는 저택 안으로 돌아갔다. 정면현관의 문이 닫히는 것을 지켜본 뒤, 레티시엘도 다시 순찰로 돌아갔다. 밤은 길었다. 이제부터가 중요한 고비였다.

야간경비의 교대가 올 때까지 레티시엘은 저택부지 안의 구석구석까지 공들여 안전을 확인하며 돌았다. 첫날의 경호는 딱히 아무 문제도 없이 흘러갔다.

＊＊＊

루크레치아 학원 일행이 이 저택으로 대피한 지 오늘로 딱 1주일이 경과했다.

당초 학생들은 자신의 몸에 위험이 닥치고 있을지도 모른다는 불안에 어두운 얼굴을 하고 있었으나, 지금은 모두의 얼굴에 조금씩 웃음이 되돌아오고 있었다.

전장에서 멀어졌다는 것과, 일주일간 아무 일도 없었다는 사실 덕분이리라. 그 탓에 최근에는 경계심이 옅어져서, 개중에는 가까운 곳에 놀러나가는 학생들까지 나오기 시작하고 있었다.

레티시엘 쪽도 저택부지 전체에 결계마술을 펴고, 정기적으로 색적마술을 발동하는 등 만전의 방어태세를 취하고 있었으나, 정작 보호받을 대상인 학생들이 제멋대로 돌아다니기 시작하면 호위의 난이도가 크게 튀어 올랐다.

무엇보다, 한 사람 한 사람 개별적으로 지키게 되면 역시나 레티시엘이라도 손과 기력과 신경이 남아나지 않았다.

"……이건, 대피라는 의미가 제대로 성립하고 있는 걸까?"

레티시엘은 저택의 정원 끝에서 담소를 나누는 동급생들을 구석에서 바라보며 저도 모르게 눈썹을 찌푸리고 말았다.

모두의 긴장이 풀리는 일은 물론 좋은 일임이 틀림없었다. 그러나 이래서는 바캉스를 온 것과 크게 다르지 않지 않은가. 불안하다고 생각은 해도, 역시 평화로운 세계에서는 전쟁에 대한 인식이 무른 경향이 있었다.

일주일간 아무 일 없이 지나갔다고 해도, 아직 겨우 일주일이 지났을 뿐이었다. 긴장을 늦추기에는 너무 짧은 기간인데…….

"뭐, 그 마음도 이해 못할 건 없어요. 적이 자신을 노릴지도 모른다고 불안해하면서 이 저택에 계속 틀어박혀 있는 일은, 꽤 신경을 쇠약하게 만드는걸요."

그 옆에는 미란다레트가 남몰래 서 있었다. 『호위 시엘』과 공공연하게 사이좋게 지낸다면 사람들이 괜한 억측을 할지도 몰랐기 때문에, 사람들과 떨어져 이렇게 끄트머리에까지 와서 서 있었다.

"미라 님도 그러신가요?"

"저 말씀이신가요…… 저는 그렇지는 않지만요, 리프는 꽤 풀이 죽었어요."

"아아……."

리프는 히르메스의 미들네임이었다. 분명히 그 넘치는 기운이 장점인 히르메스에게는 이 감금에 가까운 상태는 답답할 것 같았다. 레티시엘은 묘하게 납득을 하고 말았다.

"히르메스 님은, 지금 어디에 계시죠?"

"아아, 리프라면 뒤뜰에 있어요. 기운을 되찾고자 검 휘두르기와 트레이닝을 하러 간다고 했어요."

"검 휘두르기……."

목검을 들고, 기합을 외치며 기운차게 그것을 휘두르는 히르메스의 모습이 손쉽게 레티시엘의 머릿속에 떠올랐다.

이곳에 와서 처음 얼굴을 마주했을 때에는 얼굴빛이 너무 안 좋아서 어딘가 건강이라도 안좋은 것이 아닐까 걱정이 되었는데, 무사히 재기한 것 같아서 다행이었다.

레티시엘과 루크레치아 학원 일행이 저택에 도착한 다음 날. 저택 대지를 둘러싼 담 위를 걸으며 주변경계를 하던 레티시엘에게 미란다레트가 다시 한 번 찾아왔다.

그때에도 히르메스는 함께였는데, 이번에는 이쪽을 보기 무섭게 성대하게 울음을 터뜨려 레티시엘을 곤혹스럽게 만들었다.

아무래도 그 전에 미란다레트가 『시엘 = 도로셀』이라는 사실을 가르쳐준 것 같았다. 그래서 얼굴을 보니 안심했다 든가 뭐라든가…….

이렇게 주변을 떠들썩하게 만드는 구석도 히르메스답다고 하면 그다웠다.

"역시 히르메스 님은 그런 단련을 하고 있을 때가 가장 즐 거운 것 같죠."

"게다가 최근에는 정말 보고 있는 것만으로도 괴로운 것 같아서 이 기회에 좋은 기분전환이 되어주면 좋겠다고, 그렇게 생각하고 있어요."

　학원상층부에서 그다지 정보가 내려오지 않았기 때문에 도로셀은 괜찮은 것일까, 무슨 일이 있는 것은 아닐까, 등등 걱정을 한 나머지 다양한 『최악의 상황』을 상정해서는 침울해하고, 안절부절못해 조금도 쉬지 못했다는 것 같았다.

　그 결과 밤에도 제대로 잠을 자지 못하고, 스트레스와 수면부족 등의 다양한 컨디션 난조가 합쳐진 결과, 그 상태에 빠지고 말았다……라고 미란다레트에게 들었다.

　"미라 님 쪽은 어떤가요?"

　"예? 저요?"

　"마술 연습을 하고 있었을까 해서요."

　"그건 물론 하고 있었어요! 오히려 그 이외에 제가 할 수 있는 일도 없다고 해야 할까요……."

　조금 거북하다는 듯이 미란다레트는 뺨을 긁적이면서 말했다.

　레티시엘의 자세한 상황을 알 수 없다면, 적어도 언젠가 그녀가 도움을 필요로 했을 때에 이쪽이 도와줄 수 있도록 나날이 훈련에만 힘썼다고 했다.

　"거기에다, 뭔가를 하지 않으면 불안해서 참을 수가 없고요……."

　"그렇군요…… 하지만, 믿음직스럽네요. 고마워요."

　"아뇨. 오히려 도로……시엘님이라면 도움 같은 것이 없어도, 전부 어떻게든 하실 수 있을 것 같은데요."

미란다레트가 본명을 부르려다가 허둥지둥 고쳐 말했다. 『시엘』이라는 가명에는 아직 익숙해지지 않은 것 같았다.

"그렇지도 않답니다? 나도 완벽초인은 아닌걸요."

"제가 보기에는 완벽초인이신걸요."

미란다레트가 어이가 없다는 듯이 멍한 얼굴로 대꾸했다. 과연. 미란다레트에게 자신은 완벽초인인 것인가······.

"그렇게 생각해주는 것은 기쁘지만······ 하지만, 무슨 일이 있다면 꼭 의지할게요."

"얏호! 예!"

미란다레트는 왜인지 기쁘다는 듯이 승리포즈를 취하고는, 미소를 띠며 고개를 끄덕였다. 무엇이 그렇게까지 기쁜 것일까. 살짝, 잘 알 수가 없었다.

"어ー이!"

멀리서 누군가가 그렇게 외치면서 달려왔다. 히르메스였다. 한손에 목검을 들고 있었다. 대체 저건 어디서 갖고 온 것일까.

"있다있다. 도로······."

"잠깐, 리프. 목소리가 너무 커······!"

"아, 이런."

미란다레트의 주의에 히르메스는 허둥지둥 입을 다물고 멈춰 섰다. 그리고 고개를 한 번 끄덕이더니, 이번에는 천천히 이쪽으로 걸어왔다.

"안녕하세요, 히르메스 님. 단련을 끝내고 돌아가시는 길인가요?"

"그렇습다. 이곳에 온 뒤로 몸을 제대로 움직이질 않아서 말이죠. 운동하는 김에 같이 했습니다!"

히르메스는 땀을 닦으며 이를 내보이고 웃었다. 그런 약혼자에게 어디서 꺼낸 것인지, 미란다레트가 수건을 건넸다.

"그런데 무슨 이야기를 하고 계십까?"

"지금 마침 시……엘님과 평소의 단련 이야기를 하고 있었어."

"단련 이야기?! 그거라면 나도 여러 가지 얘기를 하고 싶습다!"

미란다레트가 대답하자, 히르메스는 그렇게 말하며 눈을 빛냈다. 만약 그의 머리에 강아지 귀가 달려 있었더라면, 틀림없이 발딱 일어섰을 것이다.

한동안 만나지 못했기 때문일까, 쌓인 이야기가 산더미처럼 많은 모양이었다. 한 번 입을 열자 히르메스는 계속 이야기를 했다.

그 역시 레티시엘이 학원을 떠난 뒤 매일같이 훈련에 힘썼고, 문제에 부딪쳐도 자신이나 미란다레트, 베로키나와 함께 어떻게든 해결해왔다고 했다.

"하지만, 설마 술식을 견디지 못하고 목검이 부러질 줄은 생각도 못했습다. 그래서 난 그때 생각했죠. 좀 더 튼튼한 목검이 필요하다고!"

"……하지만 설마 리프가 「나, 검을 처음부터 만들 거야!」라고 말할 줄은 몰랐지만요."

"맞아맞아. 그래서, 「튼튼한 목검이란 뭐지?」라고 해서, 우선 재료부터 찾기 시작해서……."

"……."

"미, 미안. 그때 나 혼자 멋대로 폭주해서."

그 얘기가 화제가 된 순간, 미란다레트가 살짝 저기압이 되었다. 히르메스는 손바닥을 비비면서 사죄를 했다. 두 사람 사이에 한바탕 소동이 있었음을 추측할 수 있었다.

"하지만 덕분에 검에 마술을 두르는 거, 꽤 능숙해졌다고 생각한다!"

화제전환을 꾀하듯이, 히르메스는 들고 있던 목검을 앞으로 내밀고는 왼손으로 마도술식을 기동해 그것을 검에 갖다 대었다.

술식이 눈부시게 빛나면서, 붉은 불꽃이 순식간에 목검의 도신을 감싸 안았다. 검에 화염마술을 휘감았으면서도 검이 불타지 않는 것은, 연소를 차단하는 술법도 같이 사용하고 있는 것이리라. 전에 가르쳐준 대로 되어있는 것 같았다.

"어떻쓸까?"

이쪽의 감상을 미처 기다릴 수 없다는 기색으로 히르메스가 물어왔다. 불꽃의 기세나 규모는 아직 상당히 기복이 컸

지만, 당초 검 본체를 태우기만 했을 때보다 훨씬 실력이 향상되어 있었다.

"분명히, 꽤 능숙하게 마술을 휘감을 수 있게 되셨네요."

"역시 그런가요? 에헤헤."

"리프도 참 금방 우쭐해한다니까……"

"하지만, 마소를 쓰는 방법이 조금 효율이 안 좋네요. 이래서는 마술을 검에 정착시키는 것만으로도 고생할 거예요."

저택의 결계를 신경 쓰면서, 레티시엘은 재빠르게 히르메스에게 마술의 요령을 가르쳐 주었다.

공부는 잘하지 못하는 히르메스였으나, 마술이나 무술에 관해서는 기억력이 좋았다. 거기에, 레티시엘이 설명을 시작하자 어디에서 꺼낸 것인가 메모장을 들고는 진지한 얼굴로 열심히 듣기 시작했다.

처음에는 히르메스뿐이었던 것이, 어느새 미란다레트가 함께 끼어 있었다. 이것은…… 평소 학원에서의 방과 후와 별반 다르지 않았다.

"아, 맞다! 시엘 님, 이 뒤 시간이 있으시면 내 검 훈련을 봐주지 않으시겠습까?"

"그러고 싶은 마음은 굴뚝같지만, 전 이곳에서 움직이지 못하는데요?"

"헛! 이럴 수가! 그런가…… 그럼 역시 폐가 되겠네요……."

히르메스가 풀이 죽어 알기 쉬울 정도로 어깨를 축 늘어뜨렸다. 뭐랄까…… 강아지나 뭐 그런 것을 보고 있는 것 같아서, 레티시엘은 살짝 면목이 없다는 기분이 들었다.

"……이곳에서 보이는 범위 안에서라면, 때때로 상황을 보고 조언을 하는 정도는 가능한데요."

"정말임꽈?! 그럼 저 여기서 연습하겠슴다! ……아, 하지만 이 근처는 방해가 되겠죠?"

"저쪽에 있는 나무 그늘은 어떨까요? 그럭저럭 넓고, 사람 눈에도 잘 띄지 않아요."

"알았습니다! 그럼 나중에 저기로 갈테니 봐 주세요!"

히르메스는 태도가 180도 달라져서 눈을 빛내며 약속을 요구해왔다. 글쎄, 계속 보고 있을 수는 없다고 말했건만…….

임무는 물론 잊지 않았으나, 그 틈틈이 레티시엘은 두 사람의 친구의 이야기에 계속 귀를 기울였다. 두 사람의 근황, 최근에 있던 불쾌한 일, 즐거웠던 일.

즐거운 듯이, 그러면서 표정을 바꾸면서 이야기를 계속하는 미란다레트와 히르메스를 레티시엘은 미소를 지으면서 지켜보았다.

오랫동안 전장에서 지내온 레티시엘에게, 이것은 오랜만에 갖는 마음이 편해지는 평온한 시간이었다.

✱✱✱

닷새가 더 지났다.

그 사이, 역시 대피처인 저택에는 아무 이변도 발생하지 않았다.

"……정말로 이대로 아무 일도 일어나지 않을 것 같은 느낌이 들어요."

"그러네요……."

그렇게 긴장이 풀리는 것이야말로 주의해야 했으나, 지금 이 순간만큼은 레티시엘도 미란다레트와 함께 온몸에서 힘을 뺐다.

"하지만 이런 때일수록 정신을 바짝 차려야죠……."

"왠지…… 면목이 없네요."

"……? 왜죠?"

"저희의 호위를 해주시는 거, 시……엘님 혼자뿐이시죠? 보호만 받는 것이 왠지 미안해서요."

"당신들이 신경 쓸 일이 아니건만……."

변함없이 『시엘 님』이라고 부르기 어려워하는 것 같은 것은, 이제 지금 와서는 신경 쓰지 않고 그냥 흘려듣고 있었다.

딱히 억지로 임무에 임하고 있는 것도 아니었고, 자신만이 할 수 있는 일이라면 전력을 다하는 것이 당연했다. 미란다레트가 면목 없다고 느낄 필요는 어디에도 없었다.

"시엘 님은 임무가 아닐 때에는 뭘 하시나요?"

"딱히 아무것도 안 하려나……. 잘 때 이외에는 대개 순찰만 도니까 시간의 흐름도 그렇게 신경 쓰이지 않아요."

"그런, 가요."

"미라 님은 꽤 즐거운 것처럼 보이네요. 지루하지 않나요?"

"지루해요. 지루하니까 이렇게 시엘 님이랑 이야기를 하러 온 거예요."

"아아, 그렇군요."

듣고 보니 분명히 그 말대로였다. 그 이외에는 할 수 있는 것이 없으니까, 볼일도 없으면서 그냥 발이 향한다. 레티시엘도 알 수 있는 감정이었다.

"오히려 이 상황에서 지루하지 않은 사람이 더 보기 힘들어요. 베로니카 님도 왠지 할 일이 없어서 무료하다는 느낌이었고요."

"어머. 그런가요?"

"그게, 이곳에는 피아노도, 농예를 할 수 있는 도구도 없잖아요."

"아아…… 그건 분명히 한가할지도 모르겠네요."

피아노와 농예…… 그 중에서도 후자는 베로니카가 가장 즐겨하는 취미였다. 이 저택에는 책다운 것도 없으니, 할 일이 아무것도 없다면 분명히 큰일이었다.

거기에, 지금 막 화제에 오른 베로니카가 머뭇머뭇 얼굴을 내밀러 왔다.

도착 첫날, 야간에 몰래 인사를 하러 와준 뒤로 오랜만이었다. 말하기 어려운 일이라도 있는 것일까, 그 시선이 약간 허공을 헤매었다.

"⋯⋯베로 님? 무슨 일이시죠?"

"저기 도로⋯⋯가 아니라, 시엘 님께 부탁이 있어서요."

베로니카도 레티시엘의 이름을 잘못 말할 뻔 했다. 아무래도 레티시엘의 친구들은 도로셀이라고 부르는 것에 너무 익숙해서 가명에는 쉽게 익숙해질 수 없는 모양이었다.

"실은 비품의 재고가 줄어서, 가까운 마을까지 물건을 사러, 가려고 하는데요⋯⋯."

"과연. 외출 때의 호위를 해주었으면 한다는 것인가요?"

"에, 예⋯⋯."

베로니카가 고개를 끄덕였다. 레티시엘은 턱에 손을 대고 생각에 잠겼다.

오는 도중 사냥을 통해 확보한 식재료는 아직 여유가 있었지만, 그 이외의 일용품의 재고는 이야기는 또 달라졌다. 그것을 보급하기 위해 물건을 사러 나간다는 방법을 취하는 것은 당연하리라.

허나, 이번에 호위로 파견된 것은 레티시엘 한 명뿐이었다. 에델하르트가 사적으로 보내 준 호위는 있지만, 왜 다른 자들이 없는지는 알 수 없었다. 라이오넬이 호위를 붙이지 않았다고 들었다.

레티시엘도 라이오넬에게 직접 그 이유를 물었으나, 라이오넬은 완강하게 레티시엘 이외의 호위를 파견하려 하지 않았다. 그 이유도 『몰라도 되는 일입니다』라며 대충 넘겼다.

그렇게까지 하며, 레티시엘 한 사람에 의한 호위에 집착하는 이유가 무엇인가. 혹은 이 태세를 구축하는 것이 그에게 뭔가 큰 의미가 있는 것일까…….

"그 마을까지는 거리가 얼마나 되요?"

"거리, 라면…… 편도 10분 정도, 일까요."

"10분……."

즉 물건을 사는 시간 등을 포함하면, 30분은 저택을 비워야 할 필요가 있을 것 같았다.

하지만 이 장보기의 중요성도 아주 잘 알고 있었다. 기본적인 비품이 확보되지 않는다면, 학생들은 다른 의미로 위험에 노출되게 된다.

"……알았습니다. 함께 가죠."

심사숙고한 결과, 레티시엘은 베로니카의 요청에 고개를 끄덕였다.

한 번 장보기를 끝내면 한동안은 외출할 일도 없어질 테고, 그렇게 되면 레티시엘도 저택의 경비에만 집중할 수 있으리라.

"고, 고맙습니다! 그럼, 준비하고 오겠습니다."

베로니카는 안도한 것처럼 크게 숨을 내쉬고, 그런 말을 남기고는 부리나케 왔던 길을 총총히 되돌아갔다.

"그런 연유로, 잠시 나갔다 올게요."

그것을 배웅하고, 레티시엘은 미란다레트를 돌아보며 말했다. 아마도 대화는 들렸을 것이라고 생각하지만, 일단 보고는 해두었다.

"예. 장보기 건은 제가 선생님에게 전해둘게요."

"고마워요, 미라 님."

인사를 하고 레티시엘은 저택 밖으로 나갔다. 밖은 아직 해도 높았고 밝았다. 이 정도라면 해가 지기 전에는 돌아올 수 있을 것 같았다.

자신이 자리를 비우기 때문에, 만일을 위해 레티시엘은 저택의 대지에 펼친 결계를 이중으로 해두었다. 내친 김에 강도도 보완했다. 이것으로 어지간한 일이 없는 한, 아마도 저택의 대지 내로 적의 침입을 허용하는 일은 없으리라.

"오래 기다리셨, 습니다."

조금 기다리자 베로니카가 바로 돌아왔다. 손에는 커다란 마대를 몇 장 들고 있었다.

"저기, 부탁이, 하나 더, 있습니다만……."

"……?"

"물건을 다 산 뒤, 짐을 수납해주실 수 있을까요? 저 혼자서는, 분명히 다 들 수 없을 것 같으니까요……."

"그 정도는 상관없어요."

그런 대화를 나누면서 두 사람은 저택을 출발했다. 목적지인 마을은 이곳에서 서쪽으로 언덕을 내려간 곳에 있다는 것 같았다.

"베로 님은, 요즘 어떠신가요?"

"어떠냐, 니요?"

"근황 말이에요. 어쩌고 계시나 해서요."

"아…… 그러고 보면, 선생님들을 돕고만 있어서, 시엘 님과는 거의, 이야기를 하지 못했네요."

퍼뜩 기억이 난듯 베로니카는 앗 하고 눈을 크게 떴다. 완전히 잊고 있었던 모양이었다.

그 뒤로 베로니카는 레티시엘이 학원을 떠나 있던 동안 학원에서 있던 일을 말해주었다.

전쟁이 시작되면서 학원의 수업은 거의 휴강이 되었다. 그러나 집에 틀어박혀있어도 쓸데없이 불안만 늘어나기 때문일까, 대다수의 학생들이 수업이 없는 학원에 계속 나왔다.

그렇게 되면 하루가 통째로 자유시간이 되는 것이나 마찬가지였기 때문에, 베로니카도 미란다레트, 히르메스와 함께 마법훈련장에 틀어박혀 있었다고 했다. 혹은 대도서실에 가서는 조사를 하는 나날을 보내거나.

"다만, 역시 시엘 님처럼 잘은 되지 않았어요. 하루 동안 책을 잔뜩 읽으려고 해도 무리였고요. 좀 더 힘을 기르기 위해서도 많은 지식을 얻고 싶지만요……."

"그 부분은 무리하지 않아도 되는 점이라고 생각해요."

진지한 표정으로 말하는 베로니카에게 레티시엘은 저도 모르게 표정을 풀었다.

"취미 쪽도 변함없나요?"

"예! 작년에 화단에 새로 심은 꽃이 피었어요. 여러모로, 불안이 많은 상황이지만요. 가만히 있으면 더 우울해질 것 같아서, 박물관 일을 돕는 것도 날짜를 늘리고 있어요."

"힘들진, 않나요?"

"그야 물론, 바쁩니다. 그게…… 그 사건 이후로 박물관은 줄곧 사람 손이 부족한 상태이니까요……."

그 사건…… 길름이 사망한 그 박물관 습격사건을 말하는 것일까.

길름 외에도 다친 사람이 다수 나온 일이 공포심을 한층 더 부채질한 것인지, 사직하는 사람이 늘었다고 들은 적이 있었다.

"하지만, 학생들은 자주 오게 되었답니다. 그래서인지 직원분들도 기뻐하시기는 하는 것 같긴 하더라고요."

"그거 잘 되었네요…… 하지만 어째서 학생들이 박물관을 자주 찾는 거죠?"

"박물관을 다시 부흥시키려고 했던 것 같아요. 지금 직원분들도 줄어들고, 사람 손도 부족하고 해서 박물관은 여러모로 큰일이라서요…… 그래서 자신들이 힘이 되어 줄 수 있다면, 이라고 생각했던 것 같아요."

"과연. 자선활동 같은 것일까요?"

"그럴지도 모르겠어요. 아, 물론, 취미로 와주는 사람도 있답니다."

레티시엘은 베로니카의 말에 맞장구를 치면서 언덕길을 내려갔다. 역시 마음을 잘 아는 상대와의 대화는 마음이 편해서 좋았다.

"……아, 시엘 님. 보이기 시작했어요."

베로니카가 말한 대로, 목적한 마을이 보이기 시작한 것은 두 사람이 저택을 나선지 10분 정도 지난 때였다.

"사야했던 것들은 대부분 살 수 있었네요."

그 뒤로 좀 더 시간이 지나.

현재 레티시엘과 베로니카 앞에는 내용물이 꼭꼭 들어찬 커다란 마대가 다섯 개 정도 나뒹굴고 있었다.

말할 것도 없이, 마을에서 사들인 물자들이었다. 아무래도 전날 교사들이 사전에 마을주민들과 거래를 성립시켜놓은 듯, 마을에 도착했을 때에는 구입 예정인 상품들이 모두 준비되어 있었다.

"어떤가요? 베로 님. 그밖에 사는 걸 잊은 물건은 없나요?"

"어, 음…… 예. 아마도, 괜찮을 거예요."

확인도 끝났기 때문에, 레티시엘은 재빨리 아공간마술을 기동해 마대를 차례차례 수납했다.

아공간마술의 마소소비량은 수납하는 자의 기량에 따라 달라졌다. 하지만 이번에는 무거운 물건들 뿐이라 상당히 소모가 컸다. 어쩔 수 없는 일이었다.

마을 사람들에게 감사의 인사를 하고, 레티시엘은 베로니카와 함께 마을을 뒤로 했다. 상당히 원활하게 일이 진행되었기 때문에, 이 정도라면 30분도 걸리지 않아서 돌아갈 수 있을 것 같았다.

"양이 엄청나네요. 이거, 제가 없었다면 어떻게 옮길 생각이었나요?"

"그건…… 선생님들의 도움을 받아서, 몇 번으로 나누어서 옮기려고 했어요."

"착실한 방법이네요."

사소한 잡담을 하면서 두 사람은 저택으로 이어지는 언덕길을 올라갔다.

줄곧 잡담이 꽃폈던 오는 길과는 달리, 돌아가는 길은 조용했다. 평온한 침묵. 오는 길에 여러모로 이야기할 거리를 전부 이야기해버린 것일지도 몰랐다.

"……그러고 보니, 시엘 님은 아시나요? 이곳이 캘런포드와 가깝다는 거요."

한참을 나아가고 나서 문득 베로니카가 그런 말을 했다.

"예. 도착한 날에 그렇게 들었어요. 분명히, 도보로 갈 수 있다던가요?"

"예. 그 숲 안쪽에 크게 뚫린 장소요. 그곳을 내려가면 거기서부터가 캘런포드의 시가지였던 곳이에요."

그렇게 말하며 베로니카가 가리킨 곳은, 길의 양옆에 펼쳐진 숲의 한쪽이었다.

레티시엘이 살펴보니, 나무들 건너편에서 하얀빛이 흘러넘치고 있었다. 아마도 그 장소에서부터 숲이 끊어졌기 때문이리라.

"……저곳이 캘런포드인가요?"

"예. 가깝죠?"

"예. 생각했던 것 이상으로요……."

이 길에서 분명히 5분도 필요로 하지 않을 거리였다. 설마 이렇게까지 가까운 곳이었다니.

"고향, 이었죠."

"예. 그렇다고 해도, 자란 교회는 그 사고 때 없어져서…… 아."

이야기하는 도중에, 베로니카가 작게 소리를 내며 멈춰섰다.

그 시선은, 어느 한 곳에 박혀 있었다. 레티시엘도 발을 멈추고 베로니카가 쳐다보는 그 끝으로 시선을 향했다.

나무들의 틈새를 누비듯이, 저 멀리에 과거 사고의 폭심지로 생각되는 구멍이 어렴풋이 보였다.

그 주변에는 금속으로 된 높은 울타리가 세워진 것이 보였다. 아마도, 누구든 안으로 침입할 수 없도록 하기 위한 대책일 것이리라.

'생각했던 것보다 외곽이었네……'

올 때에는 전혀 알아차리지 못했다. 나무들 뒤에 가려져 잘 숨겨져 있던 것이리라.

도시 하나가 통째로 사라질 정도의 폭발이니, 완전히 시가지 중심에서 일어났다고만 생각했는데 예상외였다.

교외가 폭심지인 사건에서 중심부까지 말려들게 한 대규모의 피해를 미친 사례는 적었는데…….

"베로 님."

"예, 예……."

"저 크레이터를 조금 보고 와도 괜찮을까요?"

"예? 아, 예. 괜찮습니다."

"여기서 기다리고 있어도 괜찮아요."

저도 모르게 레티시엘은 그렇게 제안을 했다.

이 장소는, 과거 이 마을에서 살던 베로니카에게 자신의 인생을 엉망으로 만드는 계기가 된 장소였다.

그런 장소에 가벼운 마음으로 접근하고 싶다고 생각하는 사람은 그렇게 많지는 않지 않을까. 베로니카도 또 저 커다란 구멍에 괴로운 기억이 있는 것은 아닐까, 그렇게 걱정해서 건넨 말이었다.

"아, 괘, 괜찮습니다. 그렇게까지 신경을 써주시지 않아도요. 솔직히, 저…… 그 사고의 흔적은 실컷 봐서, 익숙하니까요."

하지만 베로니카는 힘차게 고개를 좌우로 흔들었다.

그 얼굴에 떠오른 미소는 다소 어색한 것 같은 느낌도 들었지만, 안경 너머로 이쪽을 바라보는 눈동자에는 똑똑한 의지가 깃들어 있었다.

"그런가요…… 하지만, 무리는 하지 말아주세요."

"예."

베로니카가 고개를 끄덕였다. 레티시엘은 그녀를 신경쓰면서 풀숲을 헤치고 나아가 크레이터에 가까이 다가갔다.

가까이 감에 따라, 큰 구멍의 전모가 보이기 시작했다. 크게 원형으로 도려내진 대지. 그 구멍의 주변만큼은 풀도 자라지 않는, 메마르고 거대한 크레이터가 자리하고 있었다.

이윽고 두 사람은 울타리 바로 근처에까지 왔다. 울타리는 레티시엘보다 머리 두 개 정도 더 높았지만, 격자 형태로 되어 있었기 때문에 얼굴을 집어넣을 수 있을 정도의 틈은 있었다.

"……!"

안을 들여다 본 레티시엘은 눈을 크게 떴다.

높게 박힌 울타리 너머로 보인 크레이터는 내부가 전부 새카만 물과 같은 것으로 가득 차 있었다.

게다가 잘 응시해보자, 그것은 물이 아니라 농도가 높은 안개와도 비슷한 것이라는 것을 알 수 있었다. 그것이 밀집해 울렁거려서 물처럼 보인 것이었다.

"이건……?"

"전에는 이렇지 않았던 것 같지만요."

옆으로 다가와 나란히 선 베로니카가 그렇게 말했다. 그 어조에 놀란 기색은 없었다. 아무래도 그녀는 이미 이 사실을 알고 있던 것 같았다.

"그런가요?"

"예…… 저도 자세히는 알지 못하지만, 보름 정도 전부터 이렇게 되었다던가요. 밤중에 산사태라고 해야 할까, 산불이라고 해야 할까요…… 그런 것이 있은 다음이라고 해요."

"꽤나 최근의 이야기네요. 이전에는 어땠나요?"

"평범한 크레이터였다고 생각해요. 옛날 기억이라 어렴풋하지만 큰 구멍이 뚫려 있고, 분명히…… 비석? 같은 것이 있던 것 같기도 하고……."

"비석? 이 주변에 원래 있던 것이 떨어진 것일까요."

"그, 글쎄요…… 저도 캘런포드의 교외에는 전혀 오질 않았으니까요."

크레이터의 바닥 부분을 보려고 해도, 안개가 너무 짙어서 전혀 들여다볼 수가 없었다. 그 비석이니 하는 것은, 설령 있었다고 해도 지금은 이미 저 안개의 바닥인가.

"아랫마을 사람에게 들은 것인데, 이 연못, 그냥 검은 것뿐이에요."

"검은 것뿐?"

"그, 희한하게도, 실제 피해는 없다는 것 같아요. 예의 산사태가 있은 뒤로, 울타리의 틈새로 이 안개 속에 손을 넣어본 주민이 있었지만, 그냥 쑥 손이 통과해버렸을 뿐이라고……."

"그것뿐인가요? 그 뒤에 뭔가 몸에 영향이 있거나 하지는……."

"손을 집어넣은 거, 이 이야기를 해 준 사람의 부인이었지만 건강해보였어요."

그 부인은 꽤나 위기감이 없구나, 라고 레티시엘은 생각하고 말았다. 아무 일도 없었으니 망정이지, 무슨 일이 있었다면 어쩔 생각이었던 건가.

의아하다는 듯이 말하는 베로니카에게 맞장구를 치며, 레티시엘도 내심 의아하게 생각했다.

이 검은 안개로 가득 찬 크레이터를 봤을 때, 반사적으로 떠오른 것은 사라…… 그 가면을 쓴 소년의 모습과 하얀 결사의 면면이었다.

지금까지 레티시엘은 검은 안개의 영향으로 마음이 망가진 사람들과 몇 번이나 대치했다. 로시포드, 프리드, 주술병, 디오르그.

크레이터 안에서 떠돌고 있는 것도, 검은 안개와 비슷한 형상의 무언가였다. 레티시엘이 싸워온 검은 안개는 인간의 정신에 그렇게나 강력한 악영향을 미쳤건만, 이쪽에서는 안개 형태의 뭔가에 사람이 닿아도 아무 일도 일어나지 않았다.

이 검은 안개 형태의 것은 레티시엘이 지금까지 봐 온 검은 안개와 똑같은 것일까. 다른 것일 가능성도 있었다. 그렇다면 검은 안개와 같은 효과를 발휘하지 않는 이유도 이해 못할 것도 없었다.

이 크레이터에 가득 찬 안개는 아마도 지금까지 봐 온 어느 안개보다도 훨씬 짙었지만…… 이 이상 생각해도 지금은 답이 나올 것 같지도 않았다.

"그건 그렇다 쳐도 무척 큰 크레이터네요…… 뭘 어떻게 하면 이런 거대한 것이 생길 수 있을까요?"

"글쎄요…… 저도, 거기까지는……."

베로니카의 이야기를 듣는 한, 꽤 큰 소동이었음에도 정작 중요한 폭발의 순간을 목격한 자는 한 사람도 없었다고 했다.

사고 당일의 동틀 녘, 갑자기 화산이 분화하는 것 같은 굉음이 대지를 흔들고, 이어서 무시무시한 지진이 캘런포드의 마을을 덮쳤다. 그리고 무슨 일인가 해서 사람들이 밖으로 뛰쳐나왔을 무렵에는 이미 하늘을 뒤덮을 것 같은 칠흑의 안개가 주변을 감싸고 있었다든가.

"무너진 집도 꽤 많았지만, 무너지지 않은 집도 있었어요. 하지만 마을을 감싼 안개가 사람들에게 좋지 않아서, 사람들이 많이 쓰러지고……."

베로니카는 자신의 팔뚝을 꽉 움켜쥐면서 고개를 숙인 채 더듬거리듯이 말을 했다.

레티시엘이 가만히 그 등을 가만히 쓸어주자, 베로니카의 손이 희미하게 떨리는 것이 전달되어 왔다. 역시 트라우마인 것이리라.

"사건의 전말이 그랬군요……."

역사서 등에는 단순히 캘런포드에서 일어난 원인불명의 폭발사고라고만 적혀 있었다. 하지만 실제로 경험한 당사자에게 들어보니 모르는 일 투성이었다.

"미안해요. 괴로운 기억을 떠올리게 해서."

"아뇨…… 이건, 제가 이야기하고 싶어서 이야기한 거예요. 도로셀 님은, 아무 잘못도 없으세요."

베로니카가 이쪽에게 걱정을 끼치지 않으려는 것처럼 미소를 지어보였다. 그렇지만 그 직후, 이름을 잘못 불렀다는 것을 깨닫고 헉 하고 입을 틀어막았다.

그 모습에 레티시엘은 저도 모르게 작게 웃음을 흘렸다. 그에 이끌리듯이 베로니카도 미소를 지었다. 떨림은 이제 멈춘 것 같았다.

"……."

레티시엘은 다시 한번 크레이터에 시선을 되돌렸다. 단순한 폭발사고가 아니라는 것은 훨씬 전부터 눈치채긴 했으나, 정말 이것은 어떻게 된 일일까.

'……그 아이는 결국 뭐가 하고 싶은 것일까.'

이것이 사라의 소행이라면, 검은 크레이터를 이곳에 만드는 의미는 어딘가에 있는 것일까. 이 크레이터의 바닥이 검은 안개로 감춰져 있는 것은 왜일까.

이곳 이외에도 13년 정도 전에 하늘에 붉은 별이 떠오른 뒤, 비슷한 폭발사고가 각지에서 몇 건인가가 일어났다고 책에서 읽었다. 그것도 또 사라가 일으킨 것일까.

"……슬슬 돌아갈까요."

"그, 그러네요."

신경 쓰이는 일은 산더미처럼 많았지만, 줄곧 이곳에 있을 수는 없었다. 레티시엘은 베로니카에게 말을 걸고, 다시 원래의 샛길로 되돌아와 저택으로 향했다.

다음에는 임무가 아닌 때에 다시 한번 오자. 그때에는 이 정체불명의 안개 형상의 물질도 연구해보자. 레티시엘은 그렇게 생각했다.

"시엘 님! 시엘 님!"

그때였다. 절박한 목소리가 그녀의 이름을 부른 것은.

레티시엘은 무슨 일인가 해서 소리가 난 쪽을 쳐다보았다. 길의 끝에서, 한 명의 교사가 금방 숨이 넘어갈 것 같은 모습으로 달려왔다. 미란다레트에게 사정을 전달해 놓았기 때문에, 그 말을 듣고 여기까지 온 것이리라.

"진정하세요. 무슨 일인가요?"

"그, 그것이······."

기진맥진한 교사는 새파랗게 질린 얼굴을 하고 있었다. 불길한 예감이 들었다.

"학생들이, 저택이, 적에게······!"

"?!"

눈을 크게 뜬 것도 잠깐이었다. 다음 순간, 레티시엘은 이미 지면을 박차고 달리고 있었다.

"왜 하필이면······."

자신이 저택을 떠나있을 때에, 라는 말은 그대로 삼켰다. 그런 변명 같은 말을 할 여유가 있다면, 조금이라도 빨리 귀환할 수 있도록 달리는 편이 나았다.

레티시엘은 힐끗 뒤를 돌아보았다. 베로니카가 거칠게 숨을 몰아쉬면서, 그래도 열심히 뒤를 쫓아오고 있었다. 레티시엘은 그녀의 속도에 맞추면서 저택으로 돌아가는 길을 서둘렀다.

캘런포드 마을에서 대피처인 저택까지는 그렇게 멀지 않았다. 빠르게 뛰니 저택의 정문이 보였다.

벽돌로 된 담장 안쪽에서 비명과 노성이 들려왔다. 레티시엘은 반쯤 열린 문을 통해 일직선으로 저택 대지 안으로 뛰어 들어갔다.

그곳에서 그녀가 목격한 것은 도망치는 학생들과 그들을 덮치는 제국병의 모습이었다.

4장 이해할 수 없는 기습

제국의 습격.

갑자기 찾아온 재앙에, 학생들은 혼란에 빠지면서도 대피처인 저택 안을 도망치고 있었다.

레티시엘의 눈앞에 펼쳐진 것은 그런 극도로 혼란스러운 광경이었다. 그것은 전생의 비참한 기억들과 하나가 되어 레티시엘의 마음을 후벼팠다.

이런 식으로 괴멸한 마을을 몇 개나 보았다. 이런 식으로 도망친 끝에 모두 살해당한 주민들을 몇 명이나 보았다.

"⋯⋯정신 차려."

레티시엘은 머릿속을 스치는 기억을 억지로 털어냈다. 구할 수 있었던 목숨도, 구하지 못했던 목숨도 지금은 모두 과거의 일에 불과했다. 어떻게 하면 지금 이 상황을 타개할 수 있을까, 그것을 생각하는 것이 최우선이었다.

애초에 결계가 쳐져 있던 이 저택의 대지 안에 적은 어떻게 침입한 것일까. 결계가 깨진 기색은 없었다. 그냥 통과하기라도 했다는 것일까.

"선생님, 괜찮으신가요?"

혼란에 빠진 저택의 정원을 가로질러, 레티시엘은 가까이에 쓰러져 있던 교사를 부축해서 일으켜 세웠다. 가벼운 타박상은 있었지만 다행히 큰 상처는 없는 것 같았다.

"아, 아아…… 시엘 님……."

"무슨 일이 있던 거죠? 이 상황은 대체 어떻게 된 건가요?"

"모르겠습니다…… 갑자기, 저 병사들이 나타나서……."

교사는 혼란에 빠진 듯 이야기하는 중에도 몇 번이나 말이 막혔다. 그때마다 레티시엘은 등을 쓸어주며 달랬다.

"학생들은요?"

"그것이…… 따로 떨어진 사람들도 많아서……."

"떨어지지 않은 학생들은 어디에 있나요?"

"지, 지하실입니다. 대계단 뒤에 있는 그림의 뒤쪽으로 들어갈 수 있어요……."

잠시 이야기를 하고 있으니, 교사는 겨우 침착함을 되찾았다. 입구가 그림으로 감추어진 지하실…… 아무래도 이 저택에는 비밀의 방도 있는 모양이었다.

"알았습니다. 그럼 다른 학생들을 보호하는 즉시 그곳으로 데려가겠습니다. 다른 학생들이 갈만한 장소로 짐작 가는 곳은 없으신가요?"

"숨을 만한 장소…… 그러고 보면, 습격당하기 전에 저택 뒤의 별관에서 기분전환 삼아 다과회를 연다고 말했던 영애들이……."

"과연. 고맙습니다."

레티시엘은 우선 그곳으로 가보기로 했다. 대피 중에 다과회를 갖는다는 것도 묘한 이야기였으나, 어쨌든 아직 전원이 그곳에 있기를 빌자.

예의 별관은 본관에서 조금 떨어진 숲 안에 세워져 있었다. 별관 자체는 본관의 2층에서 육안으로 볼 수 있었으나, 어쨌든 거대한 저택이었다. 뒤뜰의 넓이는 상당해서, 신체강화마술을 사용했어도 이동에 약간의 시간을 필요로 했다.

"……?"

숲의 입구까지 왔으나 생각 외로 주변은 조용했다.

레티시엘은 곧바로 함정의 존재를 경계했다. 그러나 어쨌든 학생들이 있는지 없는지, 그것만이라도 확인하지 않으면 이곳에 온 의미가 없었다.

'함정이 있다면 돌파하면 되지.'

만일을 위해 자신에게 결계마술을 걸고, 레티시엘은 그대로 숲 안으로 돌입했다.

별관은 벽돌과 목재를 섞어서 지은 아담한 건물로, 주위가 나무들에 둘러싸여 있는 탓인지 어딘가 부드러운 인상의 외관을 하고 있었다. 정면에서는 잘 알 수 없지만, 조금 큰 산장 정도의 넓이는 될 것 같았다.

주변에는 변함없이 아무도 없었다. 학생들의 모습도, 적병의 모습도 보이지 않았다. 현관의 문에 손을 대자, 잠겨있지 않은 듯 쉽게 열렸다.

레티시엘은 기분 나쁠 정도로 쥐죽은 듯한 고요한 별관 안을 경계하면서 나아갔다. 도중에 창문너머로 확인한 가운 데 정원에는 목재의 간소한 식기들이 난잡하게 놓인 테이블 이 있었다. 다과회는 둘째 치고, 이곳에 누군가가 모여 있던 것은 사실인 것 같았다.

2층으로 이어지는 계단은 의자나 테이블 등이 잡다하게 쌓여있어서 올라갈 수 없을 것 같았기 때문에, 1층의 방을 중심으로 조사를 진행했다. 하지만 단서는 전혀 없었고, 변함없이 사람 한 명 보이지 않았다.

"……"

대부분의 방을 다 조사하고 마지막으로 남은 방의 문을, 레티시엘은 물끄러미 바라보았다.

짙은 갈색의 나무로 만들어진 커다란 문. 현관홀에 남겨져 있던 별관의 지도에 따르면, 이 앞은 댄스홀이라고 했다.

"……무난한 장소를 골랐네."

이렇게까지 상황이 부자연스러우면, 이제 레티시엘도 함 정이 없다고는 생각하지 않았다. 그녀가 찾는 사람들은, 분명히 지금 이 문 안에서 마음을 졸이며 이제나저제나 하고 기다리고 있으리라.

레티시엘은 댄스홀이 얼마나 넓은지 잘 알지 못했다. 그렇지만 많은 사람들이 춤을 추는 방이므로, 그 나름대로 여유가 있는 공간이기는 할 터였다. 그런 곳에 인질을 잡고 틀어박히면 누가 발을 들여놓든 유리하게 대항할 수 있는 가능성이 커졌다.

그렇다고는 해도, 레티시엘에게 그런 것은 크게 관계가 없었다. 장소가 어떻든 이기면 되었다. 레티시엘은 문에 손을 대고 단숨에 그것을 열어젖혔다.

벽지와 융단이 벗겨지고 돌이 드러난 거친 공간이 눈앞에 펼쳐졌다. 높은 천장에 늘어뜨려져 있는 반쯤 썩은 샹들리에가 끽끽 위태위태한 소리를 내면서 흔들리고 있었다.

"……왔나."

과거의 호사스러움의 흔적을 남기고 있는 전 댄스홀의 구석에 제국군 갑옷을 입은 집단이 서 있었다. 이미 전원이 무기를 쥐고 있었고, 그 중 일부는 우월한 미소까지 띠고 이쪽을 뚫어져라 노려보고 있었다.

그 뒤에는 5명인가 6명 정도의 여학생들의 모습도 보였다. 아무래도 전원 뒤로 손이 묶여 있는 것 같았으나, 현재로서는 위해를 당한 기색은 없는 것 같았다.

"……? 네놈, 마도사 시엘인가?"

"예. 그래요."

"……흥. 거짓말을 하려면 좀 더 나은 거짓말을 하는 게 어떠냐?"

사실을 고했을 뿐인데, 상대는 왜인지 그렇게는 생각하지 않는 모양이었다. 질문을 해 온 병사는 코웃음을 치며 그렇게 대꾸했다.

"어머. 어째서 내가 거짓말을 한다고 생각하는 거죠?"

"머리카락 색이 다르기 때문이다. 그 악마의 머리카락은 너 같은 칙칙한 색이 아니야."

자신이 있는 것일까. 그 병사는 상당히 득의양양한 표정이었다. 아무래도 이 병사는 전선에서 『마도사 시엘』을 본 적이 있는 것 같았다.

그러나 가까이에서 얼굴을 본 적까지는 없는 모양이었다. 레티시엘은 미채마술을 사용하고는 있어도 얼굴 생김새는 바꾸지 않았다. 만약 겉모습을 아는 사람이라면, 잘 보면 동일인물이라고 알 수 있을 터이니까.

"그 정도로 다르다고 단언하다니, 꽤나 자신만만하네요."

"말로 이기려고 해도 소용없다. 너 같은 가짜는 우리 상대조차 되지 않아."

"어머. 말 잘 했네요. 그건 당신의 견해인가요? 아니면, 배후에서 누군가가 그렇게 불어넣은 것인가요?"

"그걸 내가 말할 성 싶으냐?"

"그러네요. 그런 건 기대할 수 없겠지요."

레티시엘에게 이끌리는 형태로, 적병은 대화에 응했다. 그것이 레티시엘의 책략임을 알아차리지 못하고.

상대의 의중을 떠보는 척하면서 그 사이에 레티시엘은 몰래 결계마술의 준비를 하고 있었다. 목적은 제국병 뒤쪽에 잡혀 있는 학원의 학생들이었다.

빠르던 늦던 제국병과의 싸움이 시작될 것이다. 그렇게 되면 그녀들이 인질로서 방패로 이용될 가능성은 충분히 있었다. 때문에, 레티시엘은 전투개시 전에 뒤에서 몰래 보호태세를 갖춰놓고자 생각했다. 사태의 엄중함을 중시해, 결계는 만일을 위해 이중으로 겹쳐놓았다.

"그럼 억지로라도 캐묻는 수밖에요."

":……멈춰라. 그 이상 접근하면 목숨은 보장할 수 없다."

레티시엘은 말을 계속하면서 한 걸음, 한 걸음 제국병 쪽으로 걸어갔다. 제국병들은 경계심을 드러내며 그 진행을 막으려 했다.

"그렇게 심각한 이야기는 아니잖아요. 제 상대가 되지 않는 것은 그쪽이 아니지 않나요?"

"……허세를 부리는 것도 지금뿐이다. 위압적인 태도로 나오면 우리가 주춤할 거라고 생각한 거냐?"

"흐응. 그렇게까지 자신이 있으시다면, 덤벼보세요. 당신들이 제 숨통을 끊을 수 있을까요?"

"……그렇다면 바라는 대로 숨통을 끊어주마!"

그야말로 가는 말이 고와야 오는 말이 곱다는 것이었다. 레티시엘의 도발에 적이 단숨에 임전태세에 들어갔다. 네 명 정도의 병사가 한꺼번에 레티시엘에게 덤벼들었다.

"악마의 이름을 사칭한 보잘것없는 가짜다! 겁먹지 마라!"

망설임 없는 검격이 동시에 몇 줄기나 레시티엘의 어깨나 목을 노리고 날아 들어왔다.

레티시엘은 그것을 받아 흘리는 것으로 피했다. 이 정도 빠르기의 검이라면 딱히 보조마술을 사용하지 않아도, 눈으로 보고 피할 수 있었다.

이쪽이 피하는 것도 미리 계산에 들어가 있던 것일까. 상대도 곧바로 추가공격을 해왔다. 자신에게 결계마술을 걸어두었기 때문에, 레티시엘은 그대로 맨손으로 도신을 받아냈다.

"이럴수가?!"

예상대로, 맨손의 레티시엘에게 칼날이 잡힌 제국병은 눈을 부릅떴다.

거기에 신체강화마술을 겹쳐서 사용하자, 레티시엘에게 잡힌 검은 손에 힘을 넣으니 손쉽게 뚝 부러졌다.

"어, 어떻게 된 거냐……!"

적병들이 허둥대기 시작했다. 그 동요에 적들에게 빈틈이 생겼고, 레티시엘은 그것을 놓치지 않았다.

높이 들어 올린 오른손을 기점으로 9개의 번개의 화살이 원을 그리듯이 공중에 소환되었다. 얼음마술의 산물이었다.

그것은 마침 현재 레티시엘에게 덤벼들고 있는 적병과 같은 수. 그들이 가진 금속제 검을 목표로 레티시엘은 차례로 화살을 투척했다.

"으악!"

"뭐냐, 이건?!"

검에 화살을 제대로 얻어맞은 남자들은 너무 아픈 나머지 검을 떨어뜨리고 팔을 감싸 쥐었다.

금속에는 전기가 잘 통한다. 무난한 방법이었으나 실내 등 한정된 공간 안에서 싸울 때에는 유효한 수단이었다.

레티시엘『마법사 시엘』과 같은 힘을 사용한다는 사실이 제국병들의 곤혹스러움을 더욱 부채질한 모양이었다.

"그 여자는 여기 없다는 얘기 아니었나?!"

"이래서는 그 악마와 똑같잖아!"

마술로 머리카락과 눈동자 색을 바꾸었다고는 하나,『마도사 시엘』본인이었으니 당연한 일이었다. 그렇지만 그것까지 가르쳐줄 의리는 없었기 때문에 레티시엘은 공격을 속행했다.

"······이렇게 되면!"

욕설을 내뱉으면서도 적은 점차 후퇴했다. 그러더니 한 사람이 작은 검으로 무기를 바꿔 쥐고 등 뒤의 인질을 베어버리려고 했다.

챙!

그러나 적이 내리친 검은 보이지 않는 결계에 튕겨나고, 주변에는 메마른 금속음이 메아리쳤다. 레티시엘이 방금 전 쳐놓았던 그 결계마술이었다.

"뭐?! 네놈, 뭘 한 거냐?!"

그런 부분에서는 둔하지 않은 듯, 곧바로 그것이 레티시엘의 소행임을 직감한 적병이 이쪽을 노려보았다. 레티시엘은 대답하지 않았다. 그 반응이 한층 더 그들을 조바심 나게 했다.

"이⋯⋯!"

이대로는 승산이 없다고 깨달은 것인지 어떤 것인지, 왜인지 제국병은 각자 무기를 다른 것으로 바꿔 들기 시작했다.

칼자루 부분이 매우 두꺼운 짙은 회색의 소검이었다. 그러고 보니 방금 전 적이 결계를 베어버렸을 때에도 이 검을 사용했다. 왜 이 타이밍에 그 무기로 바꿔 드는 것인지 알 수 없었다.

어느 쪽이든 똑같은 검인 데다가, 작은 무기로는 상황변화에 재빨리 대응할 수는 있어도 공격력은 기대할 수 없지 않을까?

그러나 기회라는 점은 변함이 없었다. 레티시엘은 자신의 주변에 동시에 네 개의 불덩어리를 생성해, 그것을 일제히 적병을 향해 던졌다.

"⋯⋯!"

그 공격은 적에게 닿지 않았다.

눈앞까지 육박해온 불덩이를, 남자들은 소검으로 양단한 것이었다. 두 쪽으로 갈라진 불덩어리는 공중에서 한순간 흔들리더니, 그대로 녹아드는 것처럼 소멸했다.

마술로 생성된 것은 통상적으로는 칼에 베인 정도로는 완전히 소멸하거나 하지 않는다. 칼에 베여도 같은 진로를 계속 나아가 어딘가에 착지했다.

그것이 베인 것만으로 사라졌다는 것은…….

"……흐응. 재미있는 걸 사용하는군요."

레티시엘은 저도 모르게 그런 감상을 흘렸다. 즉, 마술을 지워버리는 효과가, 저 소검에는 있다는 뜻. 그런 무기는 처음 보았다. 제국군의 신병기일까.

"효, 효과가 있다. 이거……!"

퍼뜩, 방금 전 적이 결계를 베었을 때의 일이 레티시엘의 머릿속에 떠올랐다. 그때 그 검에 결계는 지워졌던 것이리라.

그러나 레티시엘이 결계를 이중으로 해 둔 덕분에 바깥쪽의 결계층만 소멸하고, 내부의 것은 남았다. 그 때문에 학생들의 안전은 지켜졌던 것이라고 레티시엘은 깨달았다.

'다시 한번 베인다면 큰일이야…….'

이번에야말로 결계가 깨지고 말 터였다. 레티시엘은 적이 눈치채지 않도록, 신속하게 결계를 여러 층 겹쳐서 전개했다. 공격당해도 유지될 가능성을 늘리기 위해, 이번에는 3중으로 했다. 그만큼 결계를 유지하기 위한 정신력은 소모되었으나, 사람의 목숨을 지키기 위해서이니 어쩔 수 없었다.

"이걸로 이제 성가신 공격을 할 수 없겠지! 이제 네게는 승산이 없어!"

"……과연 어떨까요?"

적들은 마술을 없앨 수 있다는 것을 알고 완전히 우위에 섰다고 생각하고 있는 것 같았다.

의기양양하게 돌진해와서 손에 쥔 검을 내리친 제국병의 남자는 레티시엘이 작게 툭 중얼거린 그 한 마디를 듣지 못했다.

레티시엘은 기세 좋게 육박해오는 칼날의 궤도를 끝까지 지켜보고 재빨리 그것을 피했다. 그리고 그대로 남자의 손목에 일격을 박아 넣고, 그 손에서 칼자루가 떨어지자 남자가 그것을 다시 주워들기 전에 검을 빼앗았다.

"건방지게……!"

무기를 빼앗긴 남자는 곧바로 검을 되찾고자 달려들었다. 레티시엘은 그 팔을 피하고는, 검을 끝까지 다 휘둘러 남자의 팔을 잘라버렸다.

"크아악!"

"뭐, 뭐냐?!"

레티시엘이 반격한 일이 어지간히 예상외였던 것일까. 적병들은 하나같이 눈을 부릅떴다.

분명히 마술을 봉인당한 것은 뼈아팠으나, 그것으로 이쪽의 공격수단이 완전히 소멸한 것은 아니었다. 마술이 효력을 잃은 것은 적에 대해서 만으로, 레티시엘 자신에게는 제대로 기능했기 때문에 체술로 반격한다는 수가 남아 있었다.

그렇다고는 하나, 레티시엘도 현재 완전히 우위에 있다고 생각하지 않았다. 무엇보다, 레티시엘이 익힌 무술은 최소한의 호신술뿐이었다.

게다가, 이 세계에 전생한 뒤로는 전투시에는 마술을 사용해 싸우는 일이 대부분으로, 체술로 적을 상대하는 일도 적었다.

때문에 이 호신술 정도의 빈약한 체술이 어디까지 적에게 통용될 것인가 하는 불안은 있었다. 그러나, 지금은 이 이외의 방법이 남아 있지 않았으니 어렵게 생각해도 소용없으리라.

"……."

손에 쥔 검의 칼자루를 고쳐 쥐고, 레티시엘은 힘차게 바닥을 박찼다.

신체강화마술로 강화된 레티시엘의 다리 힘은 무시무시해서, 벽까지 후퇴했던 적병의 앞에 순식간에 나타났다. 그리고 앞으로 내지른 검은 적의 옆구리를 찔렀다.

"끄억!"

상대가 배를 감싸 쥐고 맥없이 쓰러졌다. 이 공격의 본래 위력은 낮을지도 모르나 속도로 그 점을 보완하면 아직 통용될 것 같았다.

레티시엘은 곧바로 다음 적에게로 향했다. 실내라고는 하나 한정된 공간 속에서는 적병도 마음대로 움직이지 못하는 것 같았다.

"어, 어디냐?!"

"우악! 파, 팔이……."

적들은 고속으로 이동하며 때로는 벽을 내달리는 레티시엘의 움직임을 따라오질 못했다. 덕분에 기습도, 배후를 잡는 일도 비교적 쉬웠다.

레티시엘은 팔을 자르고, 다리를 걸어 넘어뜨리며 방을 내달렸다. 마구잡이로 검을 휘두르는 적병도 있었지만, 모두 모아서 정리했다.

"……이걸로 끝일까?"

그리고 적병이 모두 돌바닥 위로 쓰러지는데 그렇게 긴 시간은 필요로 하지 않았다.

이제 서 있는 적이 한 사람도 없는 큰 방 안을 둘러보며 안전을 확인하고 난 뒤, 레티시엘은 신체강화마술을 풀었다.

그리고 방구석에 버려져있던 폐자재 중에서 끈 종류를 찾아내어 그것으로 적병들을 중앙의 돌기둥에 묶어놓았다.

도망갈 가능성도 있었으나, 그렇다고 레티시엘이나 학생들이 감시를 할 수도 없었다. 지금은 일단 이쪽의 피난이 끝날 때까지 시간을 벌 수 있으면 그것으로 족할 것이다.

"괜찮은가요?"

"예, 예……."

레티시엘은 학생들의 구속을 차례차례 풀어주었다. 전원 큰 상처는 입은 것 같지 않아서 안심이었다.

"바로 이곳을 벗어나죠. 설 수 있나요?"

"꽤, 괜찮습니다."

언제 또 적의 증원이 올지 알 수 없었다. 레티시엘은 여학생들을 데리고 걷기 시작했다. 전투에 약간 시간이 걸리고 말았다. 서둘러 저택 쪽으로 돌아가야 했다.

실내에서도 밖에서 다 들리는 외침이나 금속음이 자주 울려 퍼지고 있었다. 레티시엘은 뒷문으로 여학생들을 본관 안으로 피난시키고, 곧바로 정면현관으로 나왔다.

"……!"

그곳에서 레티시엘이 본 것은, 제국병들을 상대로 분투하고 있는 수많은 동료들의 모습이었다.

"리프! 그쪽을 부탁해!"

"맡겨 둬!"

"부상자, 부상자는 이쪽으로 오세요!"

교사들만이 아니었다. 미란다레트와 히르메스, 베로니카의 모습도 보였다. 거기에, 가죽갑옷을 걸친 남성들도 있었다.

미란다레트와 히르메스가 공격에 가담하고, 베로니카는 후방에서 부상자 치료를 하고 있는 것 같았다.

"안녕하세요. 설마 싸워주고 있으리라고는 생각도 못했어요."

"아, 시엘 님. 저희도 힘이 있고, 또 그저 보호를 받기만 하는 것도 면목이 없어서요."

후위에서 마법공격에 전념하고 있던 미란다레트에게 말을

걸자, 그런 대답이 되돌아왔다.

레티시엘로서는 친구들이 전투에 참가하는 것은 위험요소가 너무 많아서 솔직히 찬성할 수 없었다. 그렇지만 교사들만으로는 전력이 부족했고, 무엇보다 이미 싸움은 시작되었기 때문에 새삼 어쩔 도리도 없었다.

"저도 가세하겠어요."

"아, 기다려주세요! 그 전에 한 가지 부탁을 할 수 있을까요?"

"……? 뭐죠?"

"실은…… 방금 전 몇 명인가 적의 침입을 허용하고 말았어요. 바로 찾으러 가고 싶지만, 이쪽은 전혀 손을 뗄 수가 없어서……."

아무래도 본관에 적이 침입한 것 같았다. 본관 저택이라고 하면, 대부분의 학생들이 피난한 비밀의 지하실도 있었다. 그 장소를 찾아내기라고 한다면 성가실 것 같았다.

"알았어요. 그쪽은 내게 맡겨요."

"고맙습니다!"

레티시엘은 곧바로 저택 안으로 향하여 색적마술로 적의 위치를 확인했다.

확인할 수 있던 것은 열두 명. 전원 1층의 큰홀에 집결해 있었다. 학생들의 피난처가 그곳이 아닐까 하고 예상했는지도 몰랐다.

그렇다고는 하나, 한자리에 모여있다면 이쪽에게 유리했

다. 빠르게 제압하기 위해 레티시엘은 큰홀에 똑바로 돌입했다.

"……?! 벌써 온 건가……!"

레티시엘의 모습을 본 제국병이 그렇게 말했다. 아직 별관에서 전투 중이라고 생각했던 모양이었다.

통성명도 하는 둥 마는 둥 하고, 레티시엘은 난데없이 적을 향해 압축한 물 탄환을 발사했다. 그들도 마술무효무기를 갖고 있을지도 모르니, 선수필승이었다.

"우왓! 어, 어떻게 해서든 막아라!"

아니나 다를까. 강습을 당한 적병은 한순간 동요를 내보였다. 레티시엘은 그 틈을 놓치지 않고 한층 더 대량의 총알을 생성해, 비처럼 쏟아져 내리게 했다.

설령 마술무효무기를 갖고 있다고 해도, 이만한 양의 마술을 다 없애는 것은 불가능하리라. 10분도 지나지 않아 제국병은 모두 바닥에 쓰러지고, 저택 안으로 침입한 적은 전멸했다.

'좋아. 그럼 이 사람들을 옮겨서…….'

레티시엘은 신체강화마술을 사용해 기절한 적병들을 한 사람도 남기지 않고 저택 밖으로 끌어냈다. 그리고 이 이상 적이 침입하지 못하도록 저택을 결계마술로 감쌌다.

밖으로 나오자, 타이밍 나쁘게도 마침 베로니카가 있는 치료거점이 습격을 받고 있었다.

"저기! 제가 막고 있을 테니, 그 사이에 적을……!"

아무래도 베로니카가 수비태세를 취하고, 그 사이에 경비병들이 적을 물리치고 있는 것 같은 상황이었다.

베로니카의 손에서 사각형의 종이가 엿보였다. 무엇이 쓰여 있는지 알 수 없었으나, 그것이 희미하게 빛을 내면서 주변에 옅은 황색의 결계를 전개하고 있었다.

마력포화증을 앓는 베로니카는 마법도 마술도 사용할 수 없었다. 그렇다는 것은, 이 힘은 연금술에 의한 것이라는 말일까.

"베로니카 님."

"꺅! 아, 시엘 님……."

"방어는 제가 맡겠어요. 당신은 계속해서 부상자의 치료에 임해주세요."

"예, 예! 고맙습니다."

레티시엘은 베로니카의 결계 바로 바깥쪽 윤곽을 따르듯이 결계마술을 추가했다.

동시에 베로니카의 손에 있던 종이가 불타 재가 되었다. 그 종이는 결계의 발생원이었다고 생각되므로, 그녀의 결계가 버티지 못하게 되기 전에 그럭저럭 인계받을 수 있던 것 같았다.

결계용 종이가 불탄 뒤, 베로니카는 곧바로 주머니에서 다른 종이를 꺼내들었다.

네 개의 마법진이 결합한 것 같은, 복잡한 형태의 마법진이 그려진 종이였다. 베로니카는 그것을 바닥에 놓고 그 위에 손을 올린 채 눈을 감았다.

그 입이 희미하게 움직이고 있었다. 뭔가 주문을 외우고 있는 것 같았다. 지면에 놓여있었을 뿐이던 종이의 마법진이 차례로 빛을 내기 시작하고, 그와 비례해 베로니카의 손에도 빛이 모였다.

'저것이 마력을 추출하는 과정일까?'

마법진이 내뿜는 빛과 모여든 빛은 서로 다른 색이었다. 전자는 청색, 후자는 황색이었다. 베로니카의 손에서 황색 빛이 스며나오 듯이 마법진 쪽으로 흘러들어갔다.

두 가지 빛은 서로 섞이면서 색을 바꾸고 마지막에는 아름다운 비취색으로 바뀌었다. 그러자 대지에 무수한 빛의 선이 내달렸다.

그 중심에 예의 술식이 적힌 종이가 있었다. 그것에 적힌 것과 똑같은 마법진이 지면에 그려지고, 진 안에 있는 사람들의 상처가 빛을 받아 천천히 회복되어 갔다.

마지막은 방금 전의 결계와 똑같았다. 지면의 마법진이 한층 크게 빛나더니, 술식이 적힌 종이가 작은 불기둥을 피워 올리며 불탔다. 그러자 지면도 또 원래대로 되돌아갔다.

이야기를 듣거나 책으로 읽어서 알고는 있었지만, 실제로 연금술을 본 것은 이번이 처음인지도 몰랐다.

추출하는 마력의 양에 따라 위력이 변화하는 만큼 마력량이 많은 사람은 사용하기 쉬울 것 같았으나, 발동할 때까지 그 나름대로의 시간이 걸리는 것 같았다.

'이것이 연금술…… 아니, 감탄할 때가 아니야.'

적은 몰아내서 후방의 안전은 확보했으나, 아직 긴장을 늦출 수 있는 상황은 아니었다.

레티시엘은 저택 전체를 감싼 결계를 강화하고, 거기에 더해 치료거점을 지키기 위한 결계도 삼중으로 겹쳐서 전개했다. 부담은 결코 가볍지 않았으나, 이 정도라면 아직 여유가 있었다.

마술을 무효화하는 예의 정체불명의 무기가 있었지만, 생각해보면 없애는 것과 같은 속도로 계속해서 거듭해 전개하면 문제없었다. 그 사실을 깨달았기 때문에 레티시엘은 지금은 그 방법으로 대응하고 있었다.

"3시 방향에 적 세 명!"

"이봐. 누군가 여기 좀 도와줘! 이대로 돌파당할 거다!"

"지금 가겠습니다!"

그러는 사이에도 적의 공격은 계속되고 있었다. 아직 한동안은 공방이 계속될 것 같았다.

적을 완전히 물리칠 수 있던 것은 그 뒤로 몇 시간 뒤의 일이었다.

적의 수가 그렇게까지 많지는 않았다고는 하나, 이쪽의 전력이 한정됐던 것도 있어서 조금 애를 먹었다.

"도와주셔서 고맙습니다."

이제 제국군이 없다는 사실을 꼼꼼히 확인하고, 레티시엘은 함께 싸워준 동료들에게 감사의 인사를 했다.

"그건 그렇다치고, 여기서 전투가 일어났다는 걸 용케 아셨네요."

"선생님 한 명이 마을까지 달려왔습니다. 여기 별장이 제국병의 공격을 받고 있다고. 처음 들었을 때에는 깜짝 놀랐습니다."

설마 이런 내륙에 제국군이 있으리라고는 보통은 생각하지 않죠. 그렇게 말하며 경비대원 남성은 쓴웃음을 지었다.

"그래도 선생님이 너무 필사적이라 경비대를 통째로 이끌고 상황을 보러 온 겁니다. 이야, 하지만 오길 잘했습니다. 이렇게 필요 이상으로 희생을 내지 않고 끝낼 수 있었으니까요."

"그렇군요. ……그런데 마을의 방위 쪽은 괜찮은 건가요?"

경비대가 이렇게까지 총출동했다면, 정작 중요한 마을을 지키는 사람이 없어지는 것은 아닐까.

"아아. 걱정할 필요 없습니다. 왕도에서 최신 정예부대가 파견돼서, 그들에게 맡겨놓고 있습니다."

아무래도 그것은 레티시엘의 기우였던 모양이었다. 하지만 최신 정예부대인가…… 소문으로는 들은 적이 있었다. 이제부터 전선에도 파견될 예정이 있다느니 없다느니.

에델하르트가 새로운 훈련법을 도입해 조직한 부대라고도 들었다. 그가 붙여준 호위도 그렇고, 정예부대도 그렇고, 이번에는 그에게 여러 가지로 많은 도움을 받았다.

전선에는 오지 못하고 왕과 제2왕자가 자리를 비운 왕도를 맡게 된 그였으나, 그곳에서도 그 나름대로 왕국을 위해 다양한 방책을 모색하고 있는 것 같았다.

그러나 왜 그 병력을 대피처의 경비로 돌리지 않았을까. 애초에 학원의 학생을 통째로 지키는데 레티시엘 이외의 전력을 기용하지 않은 것도 의아한 일이었다. 뭔가 이유라도 있는 것일까.

'혹은 이 대피 자체를 그다지 중요시하지 않고 있다……?'

그런 일이 있을 수 있을까. 대피를 준비한 것은 라이오넬이었다. 그에게 이 대피는 어떤 의미를 갖고 있던 것일까.

"아, 있다있어. 도로…… 아니, 시엘 님."

거기에 미란다레트가 히르메스를 데리고 달려왔다. 그것을 본 경비대원은 고개를 작게 숙여 인사를 하곤 자리를 떴다.

"고맙습니다! 적, 격퇴할 수 있었어요!"

"그러네요. 나 혼자였다면 좀 더 애를 먹었을 거예요."

"별일이시네요. 그런 말을 하시다니."

"뭐, 그럴 때도 있답니다."

정신을 차리고 보니, 방금 전까지 레티시엘과 함께 싸워주 었던 사람들이 그녀 주변에 모여 있었다. 다들 입을 모아 고 마움을 표현했다. 감사해야 하는 것은 오히려 이쪽이건만.

"여러분. 함께 싸워주셔서 감사합니다. 덕분에 이 이상 피 해를 확대하지 않고 적의 습격에 끝까지 버텨낼 수 있었습 니다."

레티시엘은 힘을 빌려준 아군에게 깊이 머리를 숙였다. 한 순간, 주위에 동요와도 비슷한 공기가 퍼져나간 것 같은 느 낌이 들었다.

"아, 아뇨, 그런! 저희는 아무것도…… 그저 옆에서 도왔 을 뿐이에요."

"그렇습다! 시엘 님이 계셨기 때문에 우리도 자신을 믿고 힘낼 수 있었습다."

미란다레트와 히르메스가 겸손해하며 그렇게 말했다. 다 른 사람들도 동조하듯이 고개를 끄덕였다. 다들 그렇게 부 정하고 싶을 정도로 자신은 이상한 소리를 한 것일까…….

본인들은 아마도 겸손해한다는 생각도 없을 테지만, 레티 시엘은 그들이 생각한 것 이상으로 이곳에 있는 전원에게 감사하고 있었다.

마술 이외에는 가벼운 호신술 정도의 전투술만 갖춘 레티 시엘에게 이번 적은 상정외의 존재였다.

검으로 마술을 물리적으로 베어 없앤다. 그런 것이 가능한 것인가 하고 놀랐다. 거기에, 학생들의 원호가 없었다면 분명히 이렇게 단시간에 결판을 내지는 못했으리라.

'이제 슬슬 마술에 의지하는 전투방식을 바꾸라는 것일까?'

분명히 공격수단이 하나뿐이라는 것은, 이런 예측 불가한 사태에 대응하지 못할 가능성이 컸다. 앞으로는 무술의 단련에도 좀 더 힘을 쏟아야할 것 같았다.

"피해 상황은 어떤가요?"

"아, 음. 다친 분들은 계시지만, 전원 그럭저럭 무사합니다."

"그래요…… 그렇다면 일단은 안심이네요. 하지만 꽤나 요란하게 부숴버렸네요. 저 벽, 복구해야겠어요……."

"어. 저건 역시나 우리한테는 무리임돠!"

"알아요. 수복은 내가 해둘 테니, 히르메스 님은 진화활동을 도와주실 수 있나요? 아마도 선생님들이 벌써 작업을 시작하셨을 거라고 생각하니까요."

"오, 오오! 맡겨두라고!"

히르메스가 힘차게 고개를 끄덕이고는 달려 나갔다. 전투가 막 끝난 참이건만, 변함없이 그는 기운이 넘쳤다.

"아, 맞다. 시엘 님!"

그것을 지켜보고 있으려니, 문득 옆에서 비명이 들려왔다. 목소리의 주인은 미란다레트였다. 방금 막 뭔가를 떠올린 것처럼 멍한 표정을 짓고 있었다.

"왜 그러죠?"

"그러고 보니까 방금 전에 적의 짐 속에서 이런 것이 나왔는데, 시엘 님께 건네는 걸 잊고 있었어요."

그렇게 말하며 미란다레트는 주머니에서 나뭇조각을 꺼내 레티시엘에게 건넸다.

손과 거의 비슷한 크기의 낡은 사각형의 나뭇조각이었다. 듣자 하니, 제국병의 검 손잡이 안에 박혀 있었다고 해다. 그 칼자루가 묘하게 두꺼웠던 것은, 안에 이것이 들어있었기 때문이었던 모양이었다. 나무의 질 문제인 것일까. 촉감은 조금 축축한 것이 기분 나빴다.

"……? 이건 뭐죠?"

"글쎄요……? 저도 통…… 시엘 님이라면 뭔가 아시지 않을까 하고 생각했는데요……."

"미안해요. 나도 짐작 가는 바가 없네요."

"그런가요……."

미란다레트도 뭐가 뭔지 모르겠다는 기색으로 고개를 갸우뚱해 보였다. 의지해 준 그녀에게는 조금 면목이 없었지만, 레티시엘도 고개를 좌우로 저었다.

가볍게 어깨를 늘어뜨리는 미란다레트에게 다시 한 번 사과하고 레티시엘은 다시 한 번 나뭇조각을 유심히 관찰했다. 색이 어둡긴 했지만, 잘 보니 희미하게 문자와도 같은 문양과도 같은 것이 쓰여 있었다.

'이건…… 뭔가의 술식일까?'

나뭇조각에 쓰여 있는 문양의 선을 이어보자 원형의 마법진과 같은 것이 떠올랐다.

레티시엘은 조금 더 세세한 곳까지 살펴보려고 했지만, 글씨가 흐릿했고 그 흐릿한 글자도 나뭇조각 자체의 색에 가려져 무척 알아보기 힘들었다.

뭔가 종이에 옮겨 그릴 수 있다면 알아보기 쉬워질까. 그렇게 생각해 레티시엘은 나뭇조각에 전사마술을 걸려고 했다.

그러나 그럴 수 없었다. 술식이 실패한 것은 아니었다. 술식이 나뭇조각을 인식하지 않았던 것이다.

발동한 전사마술은 마치 투명한 뭔가를 통과하는 것처럼, 스르륵 하고 나뭇가지의 한가운데로 그냥 빠져나갔다.

"……어떻게 된 거지?"

레티시엘은 고개를 갸우뚱했다. 이 세계에 전생한 뒤로 시간이 좀 흘렀지만, 지금까지 이와 같은 상황에 빠진 적은 없었다.

그 순간 방금 전 싸웠던 제국병의 검이 레티시엘의 머릿속에 떠올랐다. 그 검은 레티시엘의 마술을 받아내도 상처 하나 입지 않고, 심지어는 마술을 베어보였다.

그때에는 원인을 알 수 없었으나, 그 검에도 이것과 똑같은 것이 달려 있었다고 한다면 설명이 되었다. 검이 아닌 이쪽의 나뭇조각에 원인이 있었다고 한다면 결계를 억지로 부수지 않고도 저택 대지 내로 침입할 수 있던 것도, 이것을 사용해 결계를 베어 없앴기 때문이리라.

"미라 님. 뭔가 적당한 크기의 종이는 없을까요? 이것과 비슷한 크기의."

"예? 글쎄요…… 잠깐만 기다려 주세요."

미란다레트는 일단 그 자리를 벗어나 저택 안으로 달려 들어갔다. 그것을 잠시 기다리고 있으니 곧 다시 돌아왔다. 손에는 몇 장의 종이를 들고 있었다.

"잠깐 달려서 창고로 쓰이는 방까지 다녀왔습니다! 우선 몇 장 갖고 왔는데, 이 정도 크기면 될까요?"

"예. 이 정도면 좋아요. 고마워요."

레티시엘은 미란다레트가 건네준 종이뭉치에서 두 장 정도를 뽑은 뒤, 그 사이에 예의 나뭇조각을 끼웠다. 그리고 사이에 끼운 나뭇조각이 아니라, 그것을 감싼 종이 두 장을 대상으로 마술을 발동했다.

나뭇조각 자체에 마술이 듣지 않는다면, 그곳에 직접 마술을 쓰지 않으면 되었다. 두 장의 종이에 걸린 술식은 압축 마술. 레티시엘의 손 안에서 두 장의 종이는 그 사이에 끼인 나뭇조각에 좌우로부터 가차 없이 압력을 가했다.

1분 정도 그 상태를 유지하고 레티시엘은 마술을 해제했다. 압력 탓에 바깥면의 종이에는 무수한 주름이 잡혀 있었다.

"……문제없는 것 같네요."

그 다른 한쪽의 종이를 뒤집자, 그것에는 마법진이 선명하게 찍혀 있었다. 인감과 같은 요령으로, 압축을 사용해 문자를 종이에 꽉 대고 눌렀다.

윤곽선 등 일부의 잉크는 색이 다소 희미했지만, 애초에 원본 마법진의 선이 흐릿했으니 어쩔 수가 없으리라.

레티시엘은 다시금 새로이 베껴 쓴 마법진을 바라보았다. 마법이나 마술의 술식과는 다른 서식으로 새겨진 것인 듯, 잠깐 보는 것만으로는 레티시엘이라도 도형이나 문자가 어떤 의미를 갖는지 판단이 되지 않았다.

가까스로 마법진의 안쪽에 쓰여 있는 문자의 일부가 마도술식의 것이라는 사실은 알 수 있었는데…… 이것은 조만간 본격적으로 연구를 할 필요성이 있을 것 같았다.

덧붙여, 적이 사용하던 쪽의 무기를 조사해보니 똑같은 나뭇조각이 나왔다. 연구의 소재로 사용하기 위해, 원형을 유지하고 있어 다시 이용할 수 있을 것 같은 것은 사양하지 않고 빌리기로 했다.

'……역시 그 아이일까.'

레티시엘의 뇌리를 스친 것은 사라의 모습이었다. 이 세계에서 마술에의 대항수단을 짜낼 수 있을 정도의 지혜를 가진 것은, 그 아이 이외에는 있을 수 없었다. 다만, 그렇다면 그 아이가 이끄는 백의 결사는 제국과도 배후에서 이어져 있다는 말이 되었다.

"또 일이 성가시게 되었네요……"

"응? 무슨 말을 하셨나요?"

"아뇨. 아무것도 아니에요."

정세도 더더욱 혼란스러워졌다. 라피스 국을 본거지로 하는 백의 결사가 이리스 제국과 배후에서 관계를 맺고, 더 나아가 플라티나 왕국 안에서도 암약하고 있다……는 사실을 늘어놓자, 상황이 얼마나 복잡한지 잘 알 수 있었다.

결사와의 대결은 이미 왕국이라는 범위 안에 다 들어가지 않는다는 사실은 이해하고 있었으나, 이래서는 이 대륙 그 자체가 결사를 중심으로 돌고 있는 것이나 마찬가지였다.

"어—이, 시엘 님! 잠깐 손을 빌려주실 수 있나요?"

멀리서 레티시엘을 부르는 목소리가 들렸다. 이쪽을 향해 손짓을 하고 있는 사람이 있었다.

생각은 나중에 하자. 지금은 눈앞의 사태를 수습하는 것이 우선이었다. 불안을 가슴에 묻고, 레티시엘은 자신을 부른 쪽으로 발길을 향했다.

***

습격으로부터 하루가 지나고, 그만큼 대혼란에 빠졌던 저택도 시간과 함께 조금씩 침착함을 되찾고 있었다.

"저기, 지금 막 돌아왔습니다."

"시엘 님! 붕대, 보충해왔어요."

"고마워요, 두 사람 모두. 거기 테이블 위에 놓아주겠어요?"

나무상자를 끌어안고 돌아온 미란다레트와 베로니카에게 레티시엘은 입구 바로 옆에 있는 테이블을 가리켰다.

이곳은 저택 1층에 있는 큰홀이었다. 보통은 아무것도 없는 텅 빈 공간이지만, 지금은 다른 방에서 옮겨온 침대가 같은 간격으로 쭉 놓여있었다.

침대 위에는 어제의 습격으로 상처를 입은 학생과 교사들이 누워있었다. 레티시엘은 현재, 그들의 치료에 한창 분주하게 뛰어다니는 참이었다.

부상자들을 한 자리에 모은 것은, 두 번째 습격을 경계함에 호위대상은 가까이에 있어주는 편이 지키기 편한 것도 있었다. 실제로 다른 사람들도 전원 거처를 1층으로 옮겨 지내게 하고 있었다.

사실은 치유마술로 치료하고 싶은 참이었으나, 아무래도 적이 습격 때 사용했던 무기에도 예의 나뭇조각의 힘이 깃들어 있던 모양이었다.

그 무기로 입은 상처에는 마술을 이용한 치료가 듣지 않았다. 술법이 상처를 그대로 통과해버렸기 때문이다.

힘의 원천이 된 나뭇조각은 증거용으로 남겨둔 것 이외에는 모두 처분해버렸기 때문에, 시간을 두면 효과도 빠져서 마술로 치료할 수 있게 될 것이라고 생각되었다. 그렇긴 하지만 그때까지는 통상의 방법으로 치료해야만 했다.

마법에도 치유마법이 있기 때문에, 빛속성의 마력을 가진 교사들에게는 그것도 병용해 달라고 하고 있었다. 그렇지만 빛속성은 희귀했고, 또 마법의 술식은 연비가 매우 나빴다.

일단 치유마법의 술식을 개량해서 건네긴 했으나, 그래도 치료의 대부분은 약품을 이용한 치료를 하게 되었다.

"의료품, 그럭저럭 양을 맞출 수 있을 것 같아서 다행이에요."

"그래요. 이런 타이밍에서는 비품보충도 하기 어려운 걸요. 미라 님. 그쪽의 선반에서 약초를 집어주시겠어요?"

"아, 예. 여기요!"

"고마워요. 시간이 있다면 상처에 바르는 약을 만드는 거, 도와줄 수 있나요? 슬슬 바닥날 것 같아요."

"정말이다. 앞으로 몇 번 바를 정도밖에 없네요…… 알았습니다. 이 절구를 사용하면 되나요?"

"예. 부탁할게요."

그 때문에, 이렇게 착실하게 간병을 계속하고 있었다. 미란다레트와 베로니카만이 아니라, 의료 쪽에 소양을 가진 교사들도 도와주고 있었다.

생각해 보면, 이런 물리적인 치료행위는 레티시엘에게는 그다지 익숙지 않은 것일지도 몰랐다.

천 년 전에는 치명상이나 상태이상회복 등, 마술로 치료할 수 없을 때를 제외한, 전쟁에 의한 상처는 대부분 마술을 사용해 낫게 했다.

'하지만 그 정체불명의 나뭇조각…… 어떻게 대처할까.'

레티시엘은 상처에 바르는 약의 재료를 개면서 그 일만을 생각하고 있었다.

지금까지, 마술이 있으면 대부분의 일은 어떻게든 될 것이라고 생각했는데, 그런 것도 아니라고 이번 일로 판명되었다.

그 나뭇조각은 아마도 레티시엘 대책을 위해 만들어진 것이리라. 만일을 위해 미란다레트에게 나뭇조각에 불의 마법을 갖다 대어봐달라고 부탁하니, 나뭇조각은 그 공격을 튕겨내지 않고 평범하게 불타 재가 되었다.

즉, 그것은 마술의 힘만을 무효화하는 것이었다. 제국의 기술력이 얼마나 높은지는 안다고 생각했는데, 마법 등의 술법에 매우 강한 혐오감을 보이는 제국이 이런 것을 만들다니 상정 외였다.

'마술을 무시한다는 것은, 마소를 무시한다는 것일까……'

체내의 마력만을 사용하는 마법과 공기 중의 마소를 체내로 흡수해 사용하는 마술.

마소는 마력과 상성이 나쁜 물질로, 마력이 높은 사람은 마술을 사용하면 리바운드라고 불리는 위험한 반동을 일으켰다. 그러나 그것은 마소를 무시하는 것은 아니었다.

그럼, 예의 나뭇조각에 걸려있던 마법진은 어떤 구조로 움직였던 것일까. 어딘가 마음에 걸리는 이야기였으나, 실제로 그런 물건이 있는 것은 사실. 이쪽도 대책을 강구해야만 했다.

마소라는 것은 아직 수수께끼가 많은 물질이었다. 공기 중에 떠도는 무형의 것이기는 했으나, 마술의 연료라는 것 이상의 정보는 없었다. 생각해 보면, 천 년 전에도 레티시엘은 마술의 연구는 했으나, 마소의 연구는 하지 않았다.

그것은 수많은 나라들도 마찬가지였는데, 우선은 그곳에서 시작해야했다…… 다만 지금까지는 마소를 가시화하는 방법은 없었다. 그렇다면 무형의 것을 연구하기 위해서는…….

"……엘 님."

"……."

"시엘 님!"

"……!"

미란다레트의 커다란 목소리에 레티시엘은 퍼뜩 정신을 차렸다. 생각에 너무 열중해 주위가 보이지 않았던 것 같았다.

"미안해요, 미라 님. 생각을 좀 하고 있었어요."

"아뇨, 전혀 반응을 하지 않으셔서 놀란 것뿐이에요…… 그것보다 이 거즈 크기 말인데요……."

그렇게 말하고 미란다레트는 갖고 있던 거즈를 펼쳐보였다. 정신을 차리고 보니 미란다레트에게 맡겼던 분량의 약은 이미 완성되어 있었다.

"어느 정도로 잘라야 할까요? 너무 커도, 너무 작아도 안 되겠죠?"

"그러네요. 그럼 손바닥 크기 정도로 통일해주시면……."

지금은 우선 부상자의 치료를 끝내야 했다. 레티시엘은 일단 생각하던 것은 거두고, 다시 약의 제조 작업을 개시했다.

"……됐다. 이 정도면 됐겠지."

겨우 전원의 치료를 마친 것이 해가 질 무렵. 마침 주방에서도 희미하게 향기로운 냄새가 풍겨왔다. 저녁식사 때인 것 같았다.

"그럼 이거, 빨아올게요."

"예."

미란다레트는 치료하면서 교환한 다 쓴 붕대를 던져 넣은 바구니를 끌어안고 빠른 걸음으로 홀을 나섰다. 그것을 지켜보고 레티시엘도 자리에서 일어났다.

"어라? 시엘 님. 어디 가시나요?"

"조금 볼일이 있어서요. 여러분끼리 먼저 식사를 하고 계세요."

미란다레트는 다른 사람과 다른 방향으로 걷기 시작하는 레티시엘이 의아하게 여겨졌던 모양이었다. 다른 사람들에게 한 마디 양해의 말을 건네고, 레티시엘은 본관 밖으로 나왔다. 목적지는 본관 뒤에 있는 별관. 인질로 잡혔던 여학생들을 구출한 그 숲 안에 있는 별관이었다.

레티시엘은 도중에 창고로 쓰는 방에 들러 어떤 물건을 갖고 별관으로 향했다. 별관 입구 앞에서는 이번에는 경비대의 남성들이 경계를 하고 있었다.

"……아. 시엘 님. 고생이 많으십니다."

"임무 수행하시느라 수고하십니다. 그래서, 그들의 상태는 어떤가요?"

"입이 상당히 무겁더군요. 우리 경비대 정도는 두렵지도 않은지, 거꾸로 도발하는 것 같은 말을 해올 정돕니다."

"……참 깨끗하게 체념을 못하네요."

지금 레티시엘과 경비대원이 이야기하고 있는 것은, 앞선 전투에서 생포한 습격자들이었다. 그들은 엄중한 감시를 받으며 이 별관 안에 구금되어 있었는데, 심문이 좀처럼 잘 되어가지 않는 모양이었다.

"그럼 제가 가보죠."

"예? 아뇨, 그런. 영웅님을 번거롭게 할 수는……."

"영웅님이라는 호칭은 좀 봐주세요."

전생에서도 그런 호칭으로 불린 적은 없었다. 낯간지러웠다. 그렇게까지 칭송받을 정도의 일을 하지는 않았다고 생각하기 때문에, 되도록 평범하게 불러주었으면 했다.

"어쨌든, 제가 가서 정보를 알아내겠습니다. 원래대로라면 제가 가져온 사건이니까요."

"하지만…… 그 자들, 꽤 흥분한 것 같은 기색이었습니다. 위험하지는 않을까요?"

"그럴지도 모르지요. 하지만, 분명히 제가 심문하는 쪽이 원활하게 정보를 토해내지 않을까요."

결코 억측으로도, 자의식과잉으로도 하는 말이 아니었다.

심문에서 중요한 것은, 얼마나 상대의 공포심을 자극해 겁을 먹게 하는 것인가. 기밀을 쥐고 있는 군 상층부의 인간은 이야기가 좀 다르지만, 하급 병사들은 자신의 목숨의 위기를 느끼면 제 몸이 소중해서 비교적 간단히 정보를 내주는 경향이 있었다. 전생에서 익힌 경험이었다.

그리고 제국병사들은 『마도사 시엘』을 두려워하고 있었다. 그것도 전선에서 실물을 멀리서라도 본 적이 있었고, 싸우는 모습과 전적을 잘 알고 있었다.

한 차례 신병기로 대항할 수 있었던 것 같은 장면도 있었지만, 최종적으로는 그 무기를 갖고서도 『마도사 시엘』에게 패배했다. 그 절망에서 쉽게는 빠져나오지 못할 것이다.

"신경이 쓰이신다면, 밖에 병사를 대기시키는 것은 어떨까요? 무슨 일이 있으면 부를 테니까요."

"우—음. 그렇게까지 말씀하신다면…… 알았습니다."

아직 걱정이 되는 것 같았으나, 경비대의 남성은 고개를 끄덕이고는 레티시엘을 별관 안으로 들여보내주었다. 또한, 곁을 지킬 병사도 역시 동행시켰다.

붙잡힌 병사들은 지하에 있는 방에 가둬놓았다고 했다. 원래는 지하창고였던 곳을 정리해 비웠다든가. 지하로 이어지는 계단 옆에 파수꾼이 있었고, 더 나아가, 계단을 내려간 그 끝에도 문지기가 두 명 정도 대기하고 있었다.

레티시엘은 동행한 병사를 입구 앞에 세워두고, 문을 열고 방으로 들어갔다. 창문도 없는 지하실은 낮인데도 꽤 어두웠고, 벽에 걸린 횃불만이 주위를 희미하게 오렌지색으로 물들이고 있었다.

"안녕하세요, 제국병 여러분."

"······?!"

제국군 병사들은 방 안쪽의 벽에 묶여 있었다. 원래 벽걸이용이었다고 생각되는 후크에 새끼줄을 걸고, 그 새끼줄로 전원을 둘둘 감고 있었다.

그들은 문이 열리는 소리에 입구 쪽을 날카롭게 쏘아보았다. 그렇지만, 들어온 것이 『마도사 시엘』이라는 것을 인식하자마자 똑바로 응시하지 못하고 시선을 이리저리 피했다. 역시 레티시엘의 추측은 틀리지 않은 것 같았다.

"······이것 참. 이런 곳까지 일부러 납시다니, 고생이 많으시군."

그래도 중앙에 있는 리더격의 남자는 아직 의연한 태도를 잃지 않고 있었다. 경계하듯이 이쪽의 상황을 살피고 있었다.

이번에 레티시엘은 미채마술을 사용하고 있지 않았기 때문에, 그들의 눈에 레티시엘은 『마도사 시엘』로 비치고 있으리라. 아직 자신들이 싸운 상대가 눈앞에 있는 인물과 동일 인물이라고는 알아차리지 못하고 있었다.

무엇보다, 눈치채게 했다고 해서 이쪽에 뭔가 이득이 있는 것도 아니었기 때문에 뒷사정을 설명할 생각은 없었지만.

"그렇게 생각한다면 갖고있는 정보, 얼른 말해주었으면 하는데요."

"흥. 그 말에 우리가 응하기라도 할 거라고 생각하는 거냐?"

"분명히 이대로는 무리겠죠. 하지만 당신들은 분명히 이야기할 거예요. 그러기 위해 내가 온 걸요."

그렇게 말하고 레티시엘은 의미심장하게 미소 지었다. 그러자 남자들의 표정이 조금은 굳었다. 살짝 상대를 흔들어 보기는 했으나, 그들도 생각한 것보다 여유가 있는 것은 아닌 것 같았다.

"……호오. 할 수 있으면 해봐라. 네 힘 따위, 우리 제국군은 이제와서 주눅들거나 하지 않아……!"

아마도, 예의 소검으로 마술을 베어낼 수 있었던 일이 그들에게는 큰 자신으로 이어진 것이리라.

"어머. 그 자신의 근거는 이것일까요?"

심문을 함에 있어 우선은 그 자신을 없애야만 했다. 레티시엘은 갖고 왔던 자루의 매듭을 풀었다.

가벼운 금속음과 함께 돌바닥에 나뒹군 것은, 대량의 소검. 전날의 전투에서 그들이 장비하고 있던 것을, 사전에 창고방에서 갖고 나왔다.

"이 검에 대한 이야기는 이미 제 지인에게 들었어요."

"그렇다면, 더 이상 네가 우위에 있지 않다는 걸 알았을 텐데. 우리만이 아니다. 이미 제국군에는 이 무기가……."

"배포되었다? 그건 처음 듣는 이야기네요. 회수한 적의 무기를 일부러 여기까지 갖고 온 것은 무엇을 위해서인가, 생각해본 적 없나요?"

"뭐……?"

이야기를 도중에 가로막힌 남자는 의아하다는 듯이 고개를 갸우뚱했다. 아무래도 나뭇조각이 제거되었다는 사실은 알아차리지 못한 것 같았기 때문에, 레티시엘은 그 착각을 그대로 이용했다.

레티시엘은 바닥에 여기저기 흩어진 소검에 손을 갖다 대었다. 그 손바닥이 희미하게 빛을 띠더니, 천천히 마법진의 형태를 형성해갔다.

횃불의 빛이 없어도 확연하게 알 수 있는 심홍색 빛이었다. 그것이 아지랑이를 내뿜으면서 점차 색을 바꾸어, 오렌지, 노란색, 그리고 푸른색으로 변화했다. 그 무렵에는 그들도 그것이 불꽃의 술식이라는 사실을 이해한 것 같은 기색이었다.

레티시엘의 손에서 생성된 푸른 불꽃은 불기둥을 만드는 것처럼 바닥에 떨어진 검에 떨어져 순식간에 전체로 번져나갔다. 고온의 불꽃에 휩싸인 소검들은 마술을 없애는 나뭇조각이 없기 때문에 곧바로 원형을 유지하게 못하게 되었다.

"어머. 이야기로 들었던 것과 다르네요. 쉽게 부서졌어요."

제국병들은 불타가는 소검들을 잡아먹을 것처럼 바라보고 있었다. 이미 레티시엘의 목소리가 들리는지도 알 수 없었다.

"안됐네요. 제국병 여러분. 이제 이 검으로는 저를 막을 수 없을 것 같은데요?"

이 어둑어둑한 방안에서도 알 수 있듯이 얼굴빛이 나빠진 남자들이 레티시엘은 조금 불쌍한 느낌이 들었다.

"그래도 여전히 자신들이 유리하다고 생각하시는 건가요?"

레티시엘은 킥, 하고 웃어보였다. 횃불 이외의 광원이 없는 이 폐쇄적인 공간에서 그것은 필시 그늘진 불길한 미소로 보였으리라.

"부, 부탁해! 죽이지 말아 줘……!"

"죽이지 않을 거예요. 질문에 대답해 준다면, 말이죠."

방금 전까지의 강경한 태도에서 180도 달라져서, 남자들은 새파랗게 질린 얼굴로 목숨을 구걸하기 시작했다. 사람은 자신이 의지하던 것이 꺾이면 갑자기 나약해지는 경향이 있었다. 그렇긴 했지만 소검 파괴는 예상대로 효과 발군이었던 모양이었다.

"그 소검. 제국군에게 이미 다 배포되었다고 했죠. 그 말은 사실인가요?"

"……아니, 그건……."

"거짓말인 것 같네요."

레티시엘의 질문에 남자들은 말을 우물거리며 머뭇거렸다. 방금 전의 발언은 허세를 부린 것뿐인 것 같았다.

그렇다고는 하나, 무기의 양식이 이미 완성되어 있다고 생각하면 그리 머지않아 제국군 전체에 널리 퍼질 가능성은 충분히 있었다. 오늘부터라도 연구를 개시하는 편이 좋을 것 같았다.

"그럼 또 한 가지 대답해 주실까요. 이 장소를 습격한 이유는 뭐죠?"

"……."

"대답할 마음이, 없나요?"

"……자, 잠깐! 알았다, 얘기하겠어. 얘기할 테니까!"

적병들은 한순간 침묵했으나 레티시엘이 손끝에 불덩어리를 만들어 넌지시 내보이자, 곧바로 입을 열었다. 폐쇄된 공간 안에서 불에 둘러싸이는 것의 공포는 이만저만한 것이 아니리라.

"저, 전력이다…… 이번 습격은, 왕국군의 전력을 깎아내기 위해 한 것이다!"

남성은 입술을 떨면서 파랗게 질린 얼굴로 그렇게 내뱉었다. 그 정보에, 이번에는 레티시엘이 미간이 주름을 잡았다.

"전력을 깎아낸다? 어째서 왕국군의 전력을 깎아내기 위해, 이런 쇠퇴한 토지의 폐허까지 올 필요가 있었죠?"

"우, 우리는 그저, 위에서 지시가 내려왔으니까, 그대로 움직인 것뿐이다!"

레티시엘이 지그시 노려보자, 남성은 패닉에 빠질 것 같을 정도로 당황해서 둑이 터진 것처럼 떠들기 시작했다.

그 말에 따르면, 제국은 이번 전쟁에서 이쪽의 전력을 완전히 다 깎아놓을 수는 없다고 판단한 듯했다. 가까운 미래에 다시 한번 왕국과 전쟁을 할 때, 그때에는 우위를 점할 수 있도록 장래의 싹을 일치감치 제거해 버리기 위해 이 습격대를 편성했다고 했다.

'라이오넬 전하가 예측했던 대로 되었다는 거네…….'

그러나 대체 제국군은 어디에서 그 정보를 입수한 것일까. 대피 이야기는 라이오넬에게서 직접 내려온 명령으로, 레티시엘 이외의 군 관계자에는 알려지지 않았을 터인데……

"그 정보는 누구에게서 얻었죠?"

"우, 우리가 알 리가 없잖아! 이쪽은 위에서 말한 대로 실행하는 것뿐이다……."

일단 물어보았지만 역시 대답다운 대답을 얻을 수는 없었다

그 이상 알아내고 싶은 정보도 없었기 때문에, 레티시엘은 그쯤에서 심문을 마치고 지하실을 나왔다. 뒷일은 경비대에게서 맡기자.

레티시엘은 여전히 밖에서 기다리고 있던, 그녀를 보호하기 위해 따라온 경비대원에게 문제없다는 뜻을 전하고 본관

으로 돌아갔다. 외모는 또다시 미채마술로 검은 머리에 보라색 눈으로 돌려놓았다.

"······아, 시엘 님."

순찰을 가기 전에 별 생각 없이 큰홀에 잠시 들렀더니, 친구들이 아직 전원 남아 있었다. 미란다레트가 이쪽의 모습을 알아차리고 자리에서 일어섰다.

"여러분······? 식사시간은 이미 끝나지 않았나요?"

"그렇긴 한데, 시엘 님을 기다리고 싶어서요······ 볼일, 다 끝나셨나요?"

"그래요. 끝났어요."

"그렇군요. 고생 많으셨습니다."

미란다레트가 안도한 것처럼 미소를 지었다. 무엇을 하고 있었는가, 까지는 아무도 묻지 않았다. 홀에 침묵이 내려앉았다.

"······저기, 결국 제국군은 어째서 저희를 노렸던 것일까요."

그 침묵을 깬 것은 또 미란다레트였다. 레티시엘은 고개를 가로 저었다.

"자세한 것은 모르겠어요. 전력을 깎기 위해서라고 적은 말했지만, 어디까지 신용할 수 있을지······."

"저, 전력? 저희를 노렸다고 해서 얻을 수 있는 건 아무것도 없다고 생각하는데요······."

"미래의 싹을 꺾어놓으려 했다고 생각해요. 그만큼 제국은 이쪽의 힘이 강해지는 것을 경계하고 있어요."

"미래의 싹이라니……."

"게다가, 이런 전장에서 멀리 떨어진 남쪽 지방까지 적이 들어오다니……."

거기서 레티시엘은 매우 위험한 가능성을 알아차렸다. 혹시 전선에서 왕국군이 고전을 강요받고 있기 때문에 국경경비에 할애하는 병력이 적어지고, 그래서 침입을 허용한 것이 아닐까.

"……시엘 님?"

갑자기 입을 다문 레티시엘의 얼굴을, 친구들이 의아하다는 표정으로 들여다보았다. 그러나 레티시엘은 생각에 몰두했다.

게다가 포로의 발언은 허세였으나, 예의 무기를 적의 본진의 병력이 하나도 소유하지 않았다고 보장할 수는 없었다. 그나뭇가지가 마술을 튕겨내는 물건이라면, 마도술식을 원동력으로 하는 멸마총의 공격도 지워버리는 것이 아닐까…….

다만, 이런 상황의 저택을 떠나는 것도 결단이 쉽지 않았다. 자국군의 안부는 신경이 쓰였으나, 그 점은 학생들이나 교사들도 마찬가지인지라 남겨두고 가는 것은 불안이 강했다. 무엇보다도 그것은 임무를 방기하는 일이 되었다.

레티시엘에게 부여된 임무는 루크레치아 학원 학생들의 호위. 그것을 내던지고 전선으로 돌아가는 일이 과연 용납

될 것인가.

"괜찮아요, 시엘 님."

"……?"

"걱정이 있으시다면 가세요. 이곳은 저희한테 맡기시구요!"

미간에 주름을 모으고 있던 것을 미란다레트에게 들켰다. 아직 아무 말도 하지 않았는데, 마치 마음을 읽은 것처럼 미란다레트는 그렇게 말을 했다.

"맡기라니……."

"그게, 경비대 분들도 이미 와 주셨고, 남은 일은 전에 붙잡은 사람들을 넘겨주는 것뿐이죠?"

"그건, 그렇지만……."

"시엘 님. 저희, 이렇게 보여도 시엘 님에게 직접 마술을 전수를 받은 제자들이라구요. 게다가 경비도 강화해 주셨고, 이번엔 제자를 믿어 봐주시지 않으시겠어요?"

"제자…… 후후. 분명히 듣고 보니 그럴지도 모르겠네요."

미란다레트와 베로니카에게 마술이나 연금술을 전수한 것은 다름 아닌 레티시엘 자신이었다. 위험은 사라졌으니, 이곳은 모두에게 맡겨도 좋을지도 몰랐다.

"그럼, 이곳을 부탁할 수 있을까요? 저 사람들을 넘겨주기만 하면 되니까요."

"예. 쉬운 일입니다!"

미란다레트는 힘차게 승리포즈를 취하며 웃어보였다. 옆

에서는 히르메스와 베로니카도 고개를 끄덕였다.

　그 모습에 레티시엘도 미소를 돌려주고는, 그대로 전선을 목표로 밤의 어둠 속으로 뛰어나갔다.

5장 왕국군의 배신자

레티시엘이 국경의 왕국군 본진에 도착한 것은, 남쪽의 저택을 떠난 다음 날 저녁이었다. 전이마술은 너무 긴 거리에는 대응할 수 없었기 때문에 몇 번으로 나누어 전이했다.

"……."

왕국군에 무슨 일이 있는 것은 아닐까. 그런 걱정이 들어 돌아왔으나, 눈앞에 펼쳐진 광경에 그것은 필요 없는 걱정이었다고 깨달았다.

본진은 평화 그 자체였다. 전쟁에 의한 피로 때문에 병사들의 얼굴빛은 약간 나빴지만, 전체적으로 적의 기습을 당한 모습도, 대패를 당한 것 같은 기색도 없었다.

'……걱정이, 지나쳤던 것일까.'

안심이 되는 것 같기도 하고, 납득이 되지 않는 것 같기도 한 그런 감정을 끌어안으면서도, 귀환했으니 일단 총대장에게 가고자 레티시엘은 걷기 시작했다.

"……어라? 시엘?"

총대장의 텐트 앞에까지 왔을 때, 루카스와 딱 마주쳤다. 레티시엘을 보고 놀란 것 같은 기색이었다.

"안녕하세요, 루카스 님. 오랜만에 뵙습니다."

"오랜만이라니, 아직 며칠도 안 지났잖아⋯⋯. 아니, 그런 건 아무래도 좋다. 너, 언제 돌아온 거냐?"

"방금 전입니다."

"그, 그러냐⋯⋯ 그쪽에서 무슨 일이 있던 거냐?"

루카스가 목소리를 낮춰 그렇게 물었다. 레티시엘은 주변에 사람이 없는 것을 확인하고 대피처에서 일어난 일을 간결하게 루카스에게 들려주었다.

"뭐어? 습격?!"

"루카스 님. 목소리가 크세요."

"미, 미안하다."

너무 놀란 나머지 동요했으나, 루카스는 작게 헛기침을 하고 목소리를 낮추었다.

"하지만 습격이라니, 대체 무슨 일이 있던 거냐?"

"그 말 그대로입니다. 제국군에 의한 것이었습니다만, 아무래도 여러모로 배후가 있는 것 같아서요."

"과연. 그런 일이 있었나⋯⋯ 어쨌든 전하에게 보고하자."

그렇게 말하고 루카스는 장막을 걷고 텐트 안으로 들어갔다. 레티시엘도 그 뒤를 따랐다.

"⋯⋯어라? 어째서 시엘 님이 여기 계시는 겁니까?"

책상에서 서류와 마주하고 있던 라이오넬은 발소리에 얼굴을 들었다가, 레티시엘을 발견하고 의외라는 듯 눈을 깜박거렸다.

"한창 임무를 수행해야 함에도, 독단으로 귀환한 점은 사죄드립니다."

"뭐, 그것은 상관없습니다만, 그렇게 판단한 이유를 여쭤봐도 되겠습니까? 아아, 루카스 님. 죄송하지만 사람들을 물려주시겠습니까? 지금은 누구 하나 이 텐트에 접근시키지 말아주십시오."

"……? 예, 알았습니다."

라이오넬의 지시를 받고 루카스는 약간 의아해하는 것 같으면서도 고개를 끄덕이고는 밖으로 나갔다.

왜 그렇게까지 엄중하게 사람을 물리는 것인지, 레티시엘도 잘 알 수 없었다. 하지만, 일단 이곳에 온 목적을 달성해야 했다.

그때부터 레티시엘은 캘런포드 교외의 저택에서 일어난 일을 상세하게 라이오넬에게 보고했다.

제국의 부대가 저택을 급습한 일, 습격 목적이 전력을 깎아내기 위한 것이었던 일, 제국병이 사용하던 마술을 지워 버리는 묘한 나뭇조각의 일, 그리고 자신이 보관하던 나뭇조각의 실물도 두 개 중 하나를 증거품으로써 제출했다.

그리고 대피처가 과거의 폭발사고 현장 바로 근처였던 일은, 이번 사건과는 관계가 없을 테니 말하지 않았다.

"내륙에서 그런 일이 있었습니까……."

이야기를 다 들은 라이오넬은 미간에 주름을 잡으며 그렇게 중얼거렸다. 하지만 그의 태도에서는 그렇게까지 초조한 기색이 느껴지지 않았다.

제국의 병사가 내지에 침입해 온 일에 대한 추궁도 대책도 없었다. 적의 두 번째 침입을 저지하기 위해서라도, 뭔가 행동을 하는 것이 일반적이지 않을까.

'……결국, 전하는 이 습격을 어떻게 생각하셨던 걸까.'

지금의 타이밍에는 물을 수 없었지만, 레티시엘 안에서는 의문이 하나 더 늘었다.

"사정은 알았습니다. 습격을 잘 막아주셨군요. 하지만 이것만으로는 전선으로 돌아온 이유가 안 되지 않습니까?"

"대피처는 왕국의 상당히 남쪽에 위치하고 있습니다. 그런 내부까지 적이 침입해왔다면, 혹시 전선에 무슨 일이 있는 것은 아닐까 걱정이 된 나머지 독단으로 돌아오고 말았습니다."

"아아. 그렇군요. 분명히 그건 걱정이 되기도 하겠군요."

레티시엘이 추가로 설명하자, 납득한 것처럼 라이오넬은 맞장구를 쳤다. 맞장구를 친 본인이 그다지 걱정하는 것 같지 않은 점이 여전히 신경이 쓰였으나, 지금은 마지막까지 보고를 마치는 것이 선결이리라.

"하지만, 보시다시피 우리 군은 현재 적의 습격도 받지 않았고 아무 문제가 없습니다. 그 점은 걱정하지 마십시오."

"그러네요. 그건 아무래도 제 기우였던 것 같습니다."

"그것보다 신경이 쓰이는 것은 시엘 님이 말씀하신, 마술을 무효화한다는 나뭇조각이로군요. 이건 적 본진을 살짝 떠봅시다."

"적 본진을요?"

"예. 적 본진에도 배포되었을 가능성이 있으니까 말입니다."

"……그럴 경우에는 시급히 대책을 생각해야겠군요."

"기대하고 있겠습니다."

그 뒤, 라이오넬은 레티시엘이 부재중이었던 사이의 왕국군의 상황과 전황에 대해 이야기해 주었다.

예상과 반대로 왕국군에 큰 피해는 없었으나, 놀랍게도 적군에 큰 타격을 입히는 것에도 성공했다는 것 같았다. 이쪽을 야습할 예정이었던 적진의 행동을 미리 읽고 거꾸로 기습을 해서 격퇴했다는 것이었다.

"그런 또…… 근사한 전과이시군요."

"에델하르트가 보내온 원군도 좋은 활약을 해주었습니다. 그 동생, 멋으로 각지를 돌아다닌 것은 아닌 것 같습니다."

분명히…… 새로운 훈련법을 도입해 편성한 특수소대였던가. 저택의 전투에도 원군으로서 달려와 주었다.

"……저택에도 그 부대가 있어주었다면 좋았을 텐데요."

"죄송합니다. 어쨌든 부대의 수가 적어서, 전선과 각지의 중요한 군사거점에 돌리는 것만으로도 벅차서 말이지요."

"그런가요……"

"그렇다고는 하나, 돌아와주셔서 감사합니다. 좋은 정보였습니다."

"아뇨."

"그런데, 귀환 도중에 군 관계자에게 모습을 보이셨습니까?"

"……? 아니요. 아마도 보이지 않았다고 생각합니다만."

"그렇다면 다행입니다. 계속해서 다른 이들에게는 발견되지 않도록 해주시면 기쁘겠습니다."

"……?"

"오늘은 그만 돌아가 주십시오. 나중에 루카스 님에게 식사를 부탁해 놓을 터이니, 너무 밖을 돌아다니지 말아 주세요."

"예, 예에……."

이유를 물을 틈도 없이 레티시엘은 텐트에서 퇴출되는 처지가 되었다. 밖에는 루카스가 사람을 물리기 위해 입구 앞에 서 있었다.

"……대체 무슨 일인 걸까요?"

"나한테 묻지 마라. 나도 전혀 모르겠다."

라이오넬의 의도를 알 수 없어도 너무 알 수 없어서, 루카스에게 그런 질문을 하고 말았다. 루카스도 알 리 없나.

어쨌든, 라이오넬의 말대로 레티시엘은 우선 자신의 텐트로 돌아가기로 했다. 하지만, 결국 라이오넬에게서 아무 지시도 내려오지 않은 채 아침이 찾아왔다.

"……정말로 얌전히 있는 것만으로 괜찮은 걸까요."

"전하가 아무 말씀도 하지 않으시는 동안은 그래도 괜찮은 거 아닐까?"

어제 라이오넬이 말한 대로, 아침식사를 가져다 준 루카스는 그렇게 말하고는 어깨를 움츠려 보였다. 그건 그렇지만, 원인을 알 수 없으니 마음이 개운치 않았다.

"하지만 뭐, 오늘이 중요한 국면이라고 전하가 말씀하셨으니 오늘 중에 뭔가 지시가 오지 않겠냐?"

"……? 그런가요?"

"그래. 뭐가 있을지는 나한테도 알려지지 않았지만 말이다. 나도 오늘은 휴가를 명받았고."

"예? 루카스 님이요?"

왕국군 안에서 루카스의 존재는 꽤 컸다. 주전력은 『마도사 시엘』이라 하더라도, 통솔력도, 카리스마성도 풍부해 군을 이끄는 리더는 틀림없이 루카스였다.

그 루카스에게도 비밀로 뭔가를 진행한다는 것은 어떤 상황인 것인가. 라이오넬의 언동이 점점 불가사의했다.

"그래. 다른 장군들은 일부 아는 사람도 있는 것 같다만…… 뭐, 휴가를 주신다면야 고맙게 받겠지만 말이지. 무기와 방어구나 군량의 재고, 병사들의 사기도 둘러보고 싶으니까 말이다."

"루카스 님다우시네요. 저도 함께 갈 수 있으면 좋겠습니다만……."

"마음은 이해한다만…… 그럼, 나중에 돌아보고 난 정황을 공유하마. 그럼 되지?"

"그래도 괜찮으시겠어요? 그럼 부탁합니다."

"그래. 맡겨둬라."

그 뒤로 루카스는 잠시 잡담을 나누다가, 레티시엘의 텐트를 뒤로 했다. 레티시엘은 텐트 안의 테이블 앞으로 돌아와 의자에 앉았다.

마술로 모습을 보이지 않게 하면 돌아다녀도 문제는 없겠으나, 지금은 라이오넬이 해내려는 『뭔가』가 끝날 때까지 섣부른 언동은 삼가는 편이 좋을 것 같았다.

그렇다고는 하나, 그냥 앉아 있기만 하는 것도 한가해서 레티시엘은 원시마술을 사용해 진지 내의 상황을 관찰하기로 했다.

"……응?"

관찰을 시작한 것까지는 좋았는데, 어떤 구획이 묘하게 소란스러운 것을 알아차렸다.

병기개발부 텐트가 설치되어 있는 구획이었다. 장군으로 생각되는 노인이 많은 병사들을 이끌고 이동하고 있었다.

어디로 향하는 것일까. 그렇게 생각해서 뒤를 쫓아보니, 그들은 병기개발부 앞에 멈춰 섰다. 목소리는 들리지 않으나, 안을 향해 뭐라고 말하고 있는 것 같았다.

안에서 누군가가 나왔다. 개발부장인 드라코였다. 그가 밖으로 나오는 것을 보자, 장군과 병사들은 놀랍게도 드라코를 구속하기 시작했다.

"뭐지?!"

이 전개에는 레티시엘도 눈을 동그랗게 떴다. 대체 뭐가 어떻게 돼서 드라코가 체포되는 것인가. 주위도 갑작스러운 사태에 술렁거리는 것을 알 수 있었다.

이어서 지크도 밖으로 뛰어나왔으나, 그 무렵에는 드라코는 이미 포승줄에 묶여 연행되어 갔다.

"대체……."

갑작스럽게 시작된 체포극은 돌연 끝났다. 솜씨가 꽤나 좋았다. 마치 처음부터 모든 것이 예정조화였던 것처럼.

'……이것이, 전하가 하려고 하셨던 일인 거야?'

그날 오후, 라이오넬이 레티시엘을 호출했다.

* * *

"드라코 님의 체포요? 아아. 시엘 님의 귀에도 들어갔습니까."

호출에 응해 입을 열기 무섭게 방금 전의 체포 건에 대해 물어보자, 라이오넬에게서는 선뜻 아무 일도 아니라는 것 같은 대답이 돌아왔다.

"설명해주시겠습니까? 병기개발부의 수장을 체포하다니, 대체 무슨 일이 있던 겁니까?"

"시엘 님은 이전에 우리 군에 적과 내통하는 자가 있다고 말한, 제 이야기를 기억하십니까?"

라이오넬은 이쪽에 눈을 주지 않은 채 갑자기 그런 이야기를 시작했다. 한순간, 레티시엘은 고개를 갸우뚱했다.

"……? 예. 기억하고 있습니다만……."

"그 배신자가 실은 드라코 님이었습니다."

"……예?"

레티시엘은 저도 모르게 맹한 대답을 하고 말았다.

"왜…… 그 분이 배신을?"

"자세히는 듣지 못했습니다만, 질투였다고 합니다. 자신보다 띠 동갑 이상으로 젊은 천재가 자신은 아무리 시간을 들여도 실현할 수 없었던 것을 차례로 실현해, 그 열등감이 그를 매국으로 치닫게 만들었다든가."

그것은 지크를 말한다는 것을 바로 알 수 있었다.

분명히 이전에 들었던 지크의 지금까지의 공적은 천재로 평가받기에 충분한 것들뿐이었다. 이번 전쟁에서의 병기개발도, 그가 아니었다면 완성하지 못했으리라.

재능이 있는 자가 시샘에서 벗어날 수 없다는 것은 잘 알았으나, 이렇게도 가까이에 있었다는 사실은 충격적이었다. 그것도 루카스와 똑같이 스피리아 전쟁을 헤쳐 나온 사람이…….

"……전하는, 언제부터 그를 의심하고 계셨나요?"

"그렇군요…… 비교적 빠른 단계부터 그를 눈여겨보고 있었습니다. 확신한 것은 우리 군의 기습작전이 개시 이전에 적에게 누설되었던 때일까요."

생각해보면 최근 라이오넬이 드라코를 불러서 뭔가를 이야기하는 장면을, 이 무렵 몇 번인가 목격한 적이 있었다. 그것은 드라코를 감시하고 견제하기 위한 행동이었던 것일까.

"기습작전의 정보를 흘린 것도 그렇고, 시엘 님의 부재를 노려 제국군이 습격해 온 것도, 루크레치아 학원 일행의 대피처에 제국병들이 쳐들어온 것도 정보를 흘린 것은 모두 드라코 님입니다. 자신이 그렇다고 자백했으니까요."

"그런가요."

"뭐, 그렇게 판을 짠 것은 저이긴 합니다만. 그는 제 뜻대로 잘 움직여줬습니다. 덕분에 그를 필두로 우리군 내의 불순분자를 축출할 수 있었고, 좋은 결과가 나왔습니다."

지금 스리슬쩍 엄청난 고백을 들은 것 같은 느낌이 들었다. 드라코의 내통행위는, 모두 라이오넬이 꾸민 것이었다고……?

"전하, 그건 무슨……."

"어이쿠. 총대장이나 되는 제가 그만 말실수를 하고 말았군요."

그 한 마디에 레티시엘의 머릿속에 수많은 장면들이 맴돌았다. 중요성을 역설하면서도 레티시엘 1명만 호위로 둔 루크레치아 학원 일행의 대피. 라이오넬 외에는 알 수 없었을 터인 대피계획, 레티시엘의 부재를 노린 제국군의 습격.

"……전하, 설마 당신은……."

"제가 뒤에서 유도했다고 하시고 싶은 겁니까? 유감스럽게도, 제가 직접 손을 댄 적은 한 번도 없습니다. 모두 드라코가 흘린 정보를 믿은 제국군이 일으킨 일이 아닙니까?"

그 드라코에게 가짜 정보를 흘려 그가 적과 내통하도록 판을 깐 것은 라이오넬이 아닌가.

"왜, 그런 위험한 일을…."

"어느 위험한 상황을 타개하기 위해서는 다소의 모험은 필요합니다. 껍질 속에 틀어박혀 안전책만을 취해봤자 사태는 아무 것도 바뀌지 않지요. 악화되기만 할 겁니다."

"그래도 좀 더 신중했어야 하는 것은 아닌가요? 그 위험한 작전이 실패했을 때 피해를 입는 것은 아무 죄도 없는 백성들입니다. 그들의 신변의 안전에 대해서는 생각할 필요가 있지 않았습니까?"

"저는 나라를 위해 늘 최선을 다하고 있습니다. 그를 위해 조사에도, 대피에도 시엘 님, 당신을 보냈으니까요."

레티시엘이 추궁해도, 라이오넬은 표정도 태도도 전혀 흔들리지 않았다.

"당신이라면 혼자서라도 제국을 상대하는 것은 손쉽겠지요. 이쪽에서는 주전력인 마도사 부재라는 틈을 만들 수 있었고, 그쪽에도 호위가 소수라는 언뜻 무너뜨리기 쉬운 상황을 만들 수 있었기 때문에 이번 결과로 이어졌던 것입니다."

레티시엘의 눈에는 온화한 어조로 말하는 라이오넬이 마

치 전혀 다른 생물처럼 보였다. 이쪽의 마음을 아는지 모르는지, 레티시엘과 눈을 마주친 라이오넬은 아름다운 미소를 지어보였다.

"모든 것은 우리나라의 미래를 위해. 좋지 않았습니까."

그 한 마디에 레티시엘은 등골이 오싹해졌다. 불신감과 동시에 무어라 표현할 수 없는 한기가 느껴졌다.

잠입수사 때의 본진 습격도, 대피저택에서의 전투도 자칫했으면 왕국군에도 막대한 피해가 미칠 수 있었다.

최종적으로는 호기로 바꿀 수 있었으나, 그것을 『좋았다』라는 문구로 정리하는 그의 사고에서 오히려 광기가 느껴졌다.

라이오넬이 주장하는 바는 이해할 수 있었다. 이해는 할 수 있지만, 공감은 할 수 없었다. 끝이 좋으면 다 좋다고는 하나, 그 과정에서 지켜야 할 백성들에게 피해가 발생해도 상관없다는 것인가.

"자. 이쪽에서 설명해야 할 일은 대강 설명했으니, 본론으로 들어가도 되겠습니까?"

레티시엘이 입을 다문 타이밍에, 라이오넬은 그렇게 말하며 이 화제는 여기에서 중단했다.

"……그러시죠. 본론이라는 게 뭔가요?"

"실은 당신에게 다시 잠입수사를 부탁하고 싶습니다."

생글생글 웃으면서 사뭇 당연하다는 듯이 라이오넬이 말했다.

"또……말인가요?"

"예. 또, 말입니다."

"저보다 적임인 사람은 많을 텐데요."

"아뇨. 시엘 님이야말로 적임이라고 생각하기 때문에 이렇게 부른 겁니다."

잠입수사는 이미 한 번 수행했으나, 지금도 라이오넬이 말하는 것처럼 잠입수사에 적임이라고는 레티시엘 자신도 생각하지 않았다. 이번에도 레티시엘의 부재를 이용해 뭔가 꾸미고 있는 것 같은 느낌마저 들었다.

"……또, 무슨 꿍꿍이라도 있으신 건가요?"

"신용이 없으시군요. 이것도 전부 우리 왕국을 위한 거랍니다."

그렇게는 말하지만, 라이오넬의 진의는 전혀 보이지 않았다. 거짓말을 하는 기색은 없었으나, 어디까지가 진심인지 헤아릴 수가 없었다.

다만 왕국에게 종합적으로 불리해지는 결말은 바라지 않는 것만큼은 분명하리라. 그의 생각을 살피기 위해서라도 명령에는 따르는 편이 좋았다. 게다가, 아무 근거도 없는 이야기였다. 함부로 일을 악화시켜서 사기에 영향이 가는 일은 있어서는 안 되었다.

"……상세한 내용을 들어보지요."

"고맙습니다."

그렇게 판단해, 방금 전 마음속으로 확신한 불신과 함께 레티시엘은 잠입수사의 명령을 수락, 모든 것을 삼키고 넘어갔다.

***

잠입수사의 상세한 내용을 듣고, 마도사 시엘⋯⋯도로셀은 텐트를 떠났다.

혼자가 되자 라이오넬은 의자에 앉아, 방금 전 도로셀이 보인 표정을 다시 떠올렸다.

라이오넬은 비교적 빠른 단계에서 도로셀이 자신에게 불신을 품고 있다는 것을 알아차렸다. 감이 좋은 인간은 싫어했지만, 그녀는 라이오넬이 지금까지 접해온 사람들 중에서 특별히 감이 좋은 사람이었다.

그랬기에, 묘하게 감추는 것은 그만두었다. 게다가 설령 이번 체포와 작전에 라이오넬이 얽혀있었다는 것을 알아도 그녀가 그것을 남에게 발설하지 않으리라는 확신도 하고 있었다.

마도사 시엘로서의 그녀는 아군에게는 매우 정이 깊고 사람을 죽이는 것에 대해 저항감과 혐오를 품고 있었다. 한편으로는 전술이나 마법 등, 그러한 군사적인 지식은 장군들 중에서도 특출났으며 어떤 의미로는 전쟁을 가장 잘 이해하고 있다고 해도 과언이 아니었다.

루카스나 지크 같은 속마음을 잘 아는 상대의 신뢰나 의존은 강했고, 그렇지 않은 인간에게는 쉽게 마음을 열지 않고 허락하는 일도 없었다.

이번에 라이오넬이 그녀에게 어느 정도 정보를 넌지시 흘린 것도 그 때문이었다. 이미 도로셀은 라이오넬을 경계하고 있었다. 그런 그녀를 정에 호소해 회유하는 것은 무리이리라.

그렇다면 공통의 비밀을 쥐어주는 편이, 도로셀을 자신의 손안에 쥐고 있는데 가장 효율이 좋았다. 설령 배신부터 시작해 모든 사건을 하나부터 열까지 라이오넬이 배후에서 조종하고 있었다고 확신해도, 아무 근거도 없이 그것을 군 내부에 퍼뜨리거나 하지는 않을 터였다.

전쟁을 매우 잘 이해하고 있는 그녀라면 그것이 쓸데없이 군의 통솔을 흐트러뜨려 전과에 악영향을 미치는 행위라는 것을 알고 있으리라고, 라이오넬은 그렇게 예상했다. 그리고 실제로 도로셀은 그 예상대로의 결단을 내렸다.

"……재미있는걸."

예전에 왕도의 피리아레기스 가의 저택에서 재회했을 때, 설마 그녀가 이렇게까지 흥미로운 존재라고는 생각도 하지 못했다.

아군으로 끌어들일 수 있다면 유일무이한 전력이 되리라.

그러나 동시에 그녀가 모든 것을 다 알아차릴 위험과도 등을 마주하게 될 것이다.

"……당신은 정말로 근사하고 성가신 분이군요, 도로셀 양."

그래도 도로셀을 자신의 손아귀 안에 놓아두고 싶은 것은, 그런 위험을 제하고도 남을 정도의 그녀의 우수함과 유능함 때문.

비천한 출신이라는, 뒤집을 수 없는 절대적인 핸디캡을 메우기 위해서는 한정된 시간 속에 그것을 뒤집을 정도의 막대한 공훈이 필요했다. 결과적으로 왕국의 이익이 된다면 그걸로 되었다.

이 플라티나 왕국을 위해, 그리고 왕위라는 어머니와 자신의 비원을 위해서는 설령 그것이 어떤 가시밭길이라도 걸음을 멈출 수는 없었다.

막간 불과 맹세

디오르그가 죽었다. 그것도 그 아이에게 살해당했다.

기대는 하지 않았다. 그 남자는 기껏해야 시간벌기 정도만 할 수 있을 것 같아 처음부터 선을 긋고 접근했다.

역시 그 남자는 단순한 무능력자였던 모양이었다. 그래도 왕국을 멸망시키기 위해 어느 정도의 전적을 남겨줄 거라고 생각했는데.

그 남자가 죽은 이상, 이제 이 장소에 머물 수는 없었다. 지금 당장 어딘가 안전한 장소로 이동해야 했다. 그리고 새로운 인형을 찾아야 했다. 아직 목적은 달성하지 못했다.

하지만 써먹기 좋은 장기 말은 좀처럼 발견되지 않았다. 제국의 열세가 계속되는 지금, 왕국의 내부정보 하나로 움직여줄 자는 없었다.

심지어 의심의 눈길을 보내오는 자도 있었다. 나라에 팔려는 자도 있었다. 잊고 있었다. 인간은 태연하게 거짓말을 내뱉는 생물이라는 것을, 자신이 가장 잘 알고 있었을 터인데.

그것을 알아차리고 나니 이제 누구도 믿을 수 없었다. 가까이 다가온 남자들은 하나같이 자신을 배신했다. 그래서 한 사람도 남기지 않고 모두 불태워주었다.

그곳에서 하나 옆에 있는 영지로 이동했다. 그 마을에는 여행자로서 받아들여질 수 있었다. 그러나 이곳은 조금도 안전하지 않았다. 밖으로 나가면 모두가 이쪽을 빤히 쳐다보았고, 방에 틀어박혀 있어도 창문으로 아이들이 들여다보았다.

감시다. 마을 전체가 한패가 돼서 나를 감시하는 것이 틀림없었다. 마을에 받아들여준 것도 틀림없이 이 때문이다. 언젠가 경비대에 넘길 생각이다.

그런 일은 사양이었다. 그쪽이 그럴 생각이라면, 이쪽도 그에 상응하는 대처를 할 뿐. 다행히 이쪽에는 그것이 있었다. 그것을 사용하면 이런 마을 하나 간단히 지워버릴 수 있었다.

숙소 주방에 있던 냄비에 불을 붙였다. 그 뒤로는 순식간이었다. 집들이 불타고 사람들이 도망치며 우왕좌왕하는 사이, 마을을 빠져나왔다.

빨리 다음 장소로 이동해서 몸을 숨겨야 했다. 하지만 똑같은 지방 안의 마을은 믿을 수 없었다. 이 마을에서 정보가 돌지도 몰랐고, 이 지방을 다스리는 총독의 귀에도 들어갈지도 몰랐다.

한층 더 먼 지방까지 도망치기로 했다. 이번에는 좀 더 작고 빈곤한 마을을 찾았다. 그럼 쫓아오지 않으리라 생각했다.

하지만 역시 소용없었다. 이곳에도 감시의 눈이 있었다.

또 태워버려야 해. 그리고 도망쳐야 해. 좀 더 멀리, 좀 더 안전한 곳으로.

이 거짓말을 끌어안고 어디까지든 도망쳐 주겠어.

＊＊＊

눈앞에서 마을이 불타고 있었다. 밀그레인은 새빨갛게 불타오르는 불꽃을 조금 떨어진 언덕 위에서 말없이 바라보고 있었다.

날은 완전히 저물어서 마을과 이 언덕을 감싼 경치는 어두웠다. 달도 없는 밤에는, 하늘에 걸린 별의 희미한 빛 외에 주변을 비추는 것은 아무것도 없었다.

"이야~ 요란하게 타고 있구나~."

밀그레인의 옆에는 똑같이 불타는 마을을 바라보고 있는 자쿠도가 서 있었다.

"하지만 불꽃색이 참 좋네. 흔들리는 모습도 아름답고 말이야."

"……취미가 안 좋은 남자로군."

"웅― 미르 군은 변함없이 엄격하네~."

밀그레인이 경멸의 눈초리로 노려봐도 자쿠도는 전혀 개의치 않았다.

"하지만 말이지. 뭔가 불타는 모습을 보고 있는 건, 꽤 즐겁지 않아?"

"즐겁지 않다."

"에, 거짓말. 미르 군. 이 즐거움을 모르는 거야? 하아~ 아깝네."

"닥쳐."

밀그레인은 짜증을 담아 그렇게 내뱉었다. 그러자 자쿠도는 헤실헤실 웃으면서도 그 이상 아무 말도 하지 않게 되었다.

불은 싫었다. 뱀처럼 꿈틀거리며 모든 것을 삼키는 모습에는 혐오감마저 들었다. 그것을 아름답다고 말할 수 있는 자쿠도의 신경을 이해할 수가 없었다.

활활 타오르는 불꽃의 요란한 소리와 도망칠 곳을 몰라 갈팡질팡하는 사람들의 비명이 들려왔다. 저 불은 이 마을의 모든 것을 완전히 태워버릴 때까지 가라앉지 않으리라.

밀그레인과 자쿠도는 딱히 이 일련의 원인모를 화재사건을 쫓고 있는 것 아니었다. 그렇지만 사건의 원인이 됐으리라 싶은 물건에는 짐작 가는 바가 있었다.

큐브라 불리는 하얀 입방체였다. 모든 물체에 불을 붙일 수 있는 것 이외에 딱히 눈에 띄는 효과도 없고, 기껏해야 본래 불탈 리가 없는 불연체도 발화시킬 수 있다는 것, 한 번 불이 붙으면 반경 10미터 이내에서 모든 것이 소멸할 때까지 꺼지지 않는다는 것 정도였다.

원래는 마스터…… 사라님이 주술을 완성하기 이전에 개

발한 것으로, 긴급 시에 적의 주의를 돌리기 위한 것이었다고 들었다. 연비가 나쁜 불량품이라는 것도.

"그렇지만, 요란하게 소란을 피워주는 건 고맙네. 이 소동 덕분에 일을 진행하기가 쉬워졌어."

자쿠도가 즐거운 듯 말했다. 마스터의 계획의 최종단계에 필요한 혼의 기둥 기동을 위해 이 마을을 찾았는데, 우연히도 예의 여자가 소동을 일으키고 있었다.

"……그걸 장려하고 부추긴 것이 다름 아닌 네놈이잖나."

"어이쿠. 그렇게 노려보지 말아 줘. 나는 어르신을 위해 그렇게 한 거니까~."

"그렇다면 지금 당장 기둥을 기동시키고 오는 건 어떠냐."

"에에. 좀 더 구경해도 되잖아. 좀 늦어도 괜찮아. 어차피 기둥 본체는 도망가지 않으니까 말이야."

밀그레인은 또다시 자쿠도를 노려보았다. 이 단시간 동안 대체 이 남자를 몇 번이나 노려보는 것인가. 이제는 일부러 그러는 것 같은 기분조차 드는 것이 또 괘씸했다.

마스터의 비원을 위해 스피리아 전쟁 이후 조금씩 각지에 놓아둔 혼의 기둥의 쐐기이건만, 이 남자의 태만함 탓에 계획에 지장이 생긴다면 어떻게 해 줄까.

"그건 그렇다 치고, 미르 군이 불을 싫어하는 건 여전하네. 옛날에는 비슷한 일을 자기네 마을에서도 했으면서~."

"……그 이야기를 입에 올리지 마라. 죽고 싶은 거냐."

"후후~ 말이 헛나왔네~."

자쿠도는 이쪽의 속내도 모르고 느긋하게 휘파람을 불었다. 짜증과 조바심만이 점점 쌓여갔다.

과거, 밀그레인이 나고 자란 마을도 이 마을과 마찬가지로 업화 속에서 모조리 불에 타 버렸다. 큐브로 인한 발화사건이었다.

불은 꼬박 하루 동안 타올라서 집은 남김없이 재가 되었고, 마을 사람들은 누구 하나 살아남지 못했다. 화재의 원흉인 밀그레인 단 한 사람을 제외하고.

부모도 마을도 최악이었다. 밀그레인이 부모 어느 쪽도 닮지 않은 것만으로 폭력을 휘두르고, 노예처럼 혹사시킬 줄만 아는 능력이 없는 인간들이었다.

마을의 다른 인간들도 똑같았다. 작고 폐쇄적인 마을은 다들 스트레스 발산에 굶주려있었다. 밀그레인은 최고의 표적이었다.

지옥과도 같은 나날이 계속되고, 차라리 죽어버리고 싶을 정도로 정신적으로 몰린 시기도 있었으나 결국 그런 마음은 행동이 되지 못하고 계속 살아갔다.

그런 때, 여행자로 마을을 찾은 사라님과 만났다. 그 분은 아무 말도 하지 않고 하얀 상자형태의 물건을 하나 건네주었다. 밀그레인이 처음으로 큐브를 손에 넣은 순간이었다.

"네가 하고 싶은 대로 행동하면 된다."

그 분은 그렇게 말씀하셨다. 그래서 그 분이 준 큐브를 써서 부모와 함께 마을을 불태웠다. 한 명도 남기지 않고 불에 휘감겨 타죽는 녀석들을 보고 겨우 해방되었다는 상쾌함을 느꼈다.

밀그레인은 그 일을 지금도 후회하지 않았다. 오히려 그 기회를 준 마스터에게 감사하는 마음만 있을 뿐이었다.

"……변함없이 어르신을 엄청 좋아하는구나. 미르 군은."

"마스터에 대한 네놈의 충성심이 너무 낮은 것뿐이다."

"에에……."

자쿠도는 어딘가 질겁하는 것 같은 얼굴을 했지만, 밀그레인이 보기에는 그렇게 생각하지 않는 자쿠도 쪽이야말로 더 믿기지가 않았다.

마스터가 밀그레인을 받아주었을 때, 이미 이 남자는 마스터의 옆에 있었다. 그러나 이 남자가 마스터에게 충성을 표하는 일 따위 한 번도 본 적이 없었다.

마스터가 없었다면 지금의 자신은 이곳에 존재하지 않았다. 마스터와 만나지 않았다면 밀그레인은 길거리에 쓰러져 죽었으리라. 때문에 마스터의 명령이라면 어떤 일이라도 이루어 드리고 싶었다. 그것이 마스터에게 구원받은 자의 절대적인 사명이며, 긍지였다.

기둥의 설치와 기동작업에도 참여했고, 루크레치아 학원의 학예사로서 침입했으며, 전 공작령에도 교주로 숨어들었다.

그 분의 바람은 밀그레인의 바람이기도 했다. 그것을 완수해내기 위해서라면 자신의 목숨조차 아깝지 않았다.

"하지만, 어르신은 뭔가 숨기는 일이 있다고 생각하는데 말이지. 왜, 가끔씩 벽에 대고 말을 하거나 이상한 혼잣말을 하거나 하잖아? 그거, 신경 쓰이지 않아?"

"쓰이지 않는다. 그건 마스터가 그 정체불명의 괴물과 대화하기 위해 필요한 과정일 뿐이다."

"어라? 알고 있었구나."

마스터에게 직접 들은 이야기는 아니었다. 몇 번인가 그런 광경을 보는 사이, 그 구조를 파악한 것뿐이었다.

어떤 인연이 있는지는 알 수 없었으나 마스터에게는 정체불명의 괴물이 협력자로서 붙어 있는 것 같았다. 밀그레인과 자쿠도가 다루는 검은 안개의 근원으로, 실체를 갖지 않는다는 것은 알고 있으나 그 이외의 것은 전부 수수께끼에 싸여 있었다.

그러나 그것은 밀그레인에게는 관계없는 이야기였다. 마스터의 등 뒤에 어떤 존재가 있다고 해도, 자신이 마스터의 도움만 될 수 있으면 그것으로 충분했다.

"당연하지. 그런 일로 마스터에 대한 내 충성심은 흔들리지 않는다."

"흐응."

재미없는걸. 밀그레인은 자쿠도가 그렇게 중얼거리는 것

을 들었다.

그 말에 밀그레인은 또다시 발끈했다. 옛날부터 자쿠도는 결사에 충성을 보이는 언동을 하지 않았으나, 최근에는 그것이 한층 더 심해진 것 같았다.

임무 중에 멋대로 없어지는 일은 이제는 당연한 일이었고, 주위를 부추겨서 의심을 하게 만드는 것은 묵과할 수 없었다. 그래도 마스터가 아무 말도 하지 않는 탓에 벌을 줄 수도 없었다. 오히려 이 남자가 우쭐거리는 것을 조장할 뿐이었다.

자쿠도는 결사 결성 때부터 함께 한 고참이라고 했다. 마스터는 왜 이 남자를 계속 옆에 두고 있는 것일까.

"뭐, 그런 부분이 미르 군답지. 그럼, 나는 다른 볼일이 있어서 이만."

"잠깐. 어딜 가려는 거냐."

"응? 음~ 뭐, 성묘 같은 거? 안심해. 일은 제대로 할 테니까 말이야."

자쿠도는 그렇게 말하고 들뜬 기색으로 어딘가로 가 버렸다. 이런 시각에 무슨 용건이 있다는 것인가. 역시 저 남자의 언동은 하나하나 신용할 수가 없었다.

자쿠도의 뒷모습을 지켜보던 밀그레인은 후드를 벗고 혼자서 홍련의 불꽃을 바라보았다. 그 목덜미에 통증이 내달렸다.

목 전체를 덮은, 곧게 세운 카라의 틈 사이로 검은 가시와도 같은 문양이 얼굴을 향해 가지를 뻗고 있었다. 요즘 바쁜 나머지 정화를 소홀히 한 것이 안 좋았던 것 같았다.

"……알렉시아."

코드네임을 부르자 곧바로 어둠 속에서 한 소녀가 모습을 나타냈다. 머리와 전신을 덮은 하얀 로브의 틈 사이에 살짝 붉은 머리카락이 보였다.

밀그레인은 알렉시아라고 부른 소녀의 손을 잡았다. 시커먼 빛이 두 사람의 손을 감싸듯이 밝혀졌다. 그것은 소녀의 팔을 타고 이동해, 그녀의 가슴에 있는 붉은 스퀘어컷의 보석으로 빨려 들어갔다.

검은 빛…… 주술을 다루기 위해 체내에 박은 주석이 발하는 검은 안개의 정기를 흡수해, 붉은 보석은 그 광채를 더해갔다. 얼마 지나지 않아 맞잡은 손에서 장기가 사라지고 밀그레인은 소녀의 손을 놓았다.

당장에라도 밀그레인의 얼굴까지 뻗어오려고 하던 검은 가시문양은 그 가지를 옷 속으로 거둬들이고 있었다. 이것으로 당분간은 버틸 수 있으리라.

알렉시아는 아무 말 없이 그 몸에 옅은 빛을 두르고 있었다. 정기를 대량으로 정화하면서 쿨타임이 발생한 것 같았다.

한나절이나 의식을 잃지 않게 되었다는 것만으로도 과거 성녀로서 피리아레기스령에서 반란을 부추겼을 때보다는 나아졌지만 지금도 정화효율은 좋지 않았다. 마스터의 명령으로 그 이후에도 각지를 이동하며 계속해서 능력을 사용하게 하고 있었으나, 이런 상태로는 앞으로 기대할 수 없으리라.

'역시 대용품으로는 이 정도가 한계인가……'

십수 년 전의 스피리아 전쟁 당시, 예정 외의 사건으로 목적했던 인물을 확보하지 못해 급히 마련해서 오늘날까지 계속 써먹고 있는 이 계집도 어디까지 버틸 것인가. 계획도 이제 종반이니 부서져도 별로 상관은 없었지만.

구 공작령의 화재로 진짜 알렉시아를 손에 넣었더라면, 이야기가 이렇게 성가셔지지는 않았을 텐데…… 플라티나 왕국의 환상의 왕녀는 지금 어디에 있는지.

정화를 마치고, 밀그레인은 불타는 마을에서 등을 돌렸다. 그곳에는 울창한 나무들에 숨듯이 펼쳐진 광대한 크레이터가 펼쳐져 있었다.

바위로 된 표면을 그대로 노출하고 있는 크레이터의 바닥에는 칠흑의 쐐기…… 모노리스가 하나 오도카니 그 중심에 서 있었다. 검은 안개를 휘감고, 주위에 정기를 흩뿌리고 있었다.

밀그레인은 품에서 짧은 지팡이 하나를 꺼내들었다. 세간에서는 『성 루크레치아의 법봉』이라고 칭하며 우러러 받들고 있는 성유물이었다.

밀그레인은 그 봉인을 풀고 미리 건너 받았던 술식의 단편을 법봉에 새긴 뒤, 그것을 크레이터에 던져 넣었다.

바위로 된 표면을 굴러 떨어진 지팡이가 모노리스에 부딪혔다. 그리고, 하늘에 닿기라도 할 것 같은 거대한 불기둥이 솟아올랐다.

지팡이를 삼킨 모노리스가 액체와도 같이 무너져 내리더니, 마치 지하수가 솟아오르는 것처럼 점점 지상으로 밀려올라와 크레이터의 가장자리에서 넘치기 일보 직전에 멈췄다.

"……이걸로 됐다."

순식간에 눈앞에 검은 안개의 호수가 생겨났다. 혼의 기둥의 기동을 확인하고, 밀그레인은 만족스럽다는 미소를 띠었다.

6장 2차 잠입수사

이리스 제국. 아스트레아 대륙에 현존하는 최대의 국가이자, 최근까지 플라티나 왕국과 동맹국이었던 나라.

마법이나 마술에 이상할 정도의 적개심을 드러내는 한편, 아르마·리액터를 이용한 독자적인 기술과 문명으로 발전해 최고의 번영을 누리고 있는 나라.

"……이야기로는 들었습니다만, 실물을 보니 역시 굉장하네요."

"……그러네요."

이리스 제국의 제도 멜드. 그 중앙거리에 선 레티시엘은 지크와 함께 제도의 거리를 둘러보고 있었다.

라피스 국처럼 완전히 쇄국은 아니라고는 하나, 이리스 제국도 상당히 보수적인 나라였다. 과거에 동맹국이라고 하면서도, 왕국 내에는 제국의 내부 상황이 상세히 전달되지 않았다.

있는 것은 안내책의 특집 기사나 여행자들이 그린 풍경화, 거기서 파생된 소문 정도. 덕분에 레티시엘은 처음 직접 보는 거리의 모습에 눈을 깜박일 수밖에 없었다.

"저 탑은 어떤 원리로 세운 것일까요……."

"그런 것이라면, 저쪽에 있는 건축물도 본 적이 없는 형태입니다. 저건 어떤 건축양식인 것일까요……?"

"왕도 니르반과는 전혀 다르네요……."

"어이, 너희. 놀라는 것은 이해하지만, 임무를 잊어버리지 마라."

그런 레티시엘과 지크의 모습에, 루카스는 어딘가 어처구니가 없다는 것 같은 표정이었다.

이번 임무에는 무려 루카스까지 동행했다. 거듭되는 전투와 드라코의 배신으로 인한 심리적 부담을 고려해 전장에서 배제되었다든가 뭐라든가.

전선의 주전력을 전원 첩보로 돌리면 방어에 지장이 생길 것 같은 느낌도 들었으나, 라이오넬은 완고하게 괜찮다고 우겼다.

제국군은 이미 반 와해상태인데 더해 왕도에서 보내온 최신 정예부대의 전과도 뚜렷해서, 지금이라면 제국이 상대이더라도 현재 병력으로 대처할 수 있다고.

'그렇다고는 해도 너무 방심하는 것 같은 기분이 들지만…….'

무슨 일이 있으면 바로 연락할 수 있도록 왕국군 본진에는 전달마술로 형성한 비둘기를 두고 왔고, 전이로 언제든지 돌아갈 수 있도록 해두기는 했다. 그래도 방심은 방심이었다. 라이오넬의 생각은 알 것 같으면서도 알 수가 없었다.

"괜찮습니다. 잊지는 않으니까. 제국의 국내 상황조사죠?"

"그래. 안다면 됐다."

그렇게 전선의 전력을 쪼개면서까지 라이오넬이 레티시엘과 다른 두 사람에게 조사해주길 바란 것은, 최근 제국 국내의 실정이었다.

아무래도 최근 이리스 제국 안에서는 묘한 사건이 다발하고 있는 것 같다는 것이 라이오넬에게서 들은 정보였다. 듣자하니 제국 여기저기에서 화재가 빈발하고 있다는 것 같았다. 그것도 발화원인을 알 수 없는 원인불명의 화재가. 한번 불타기 시작하면 손을 댈 수가 없었고, 결과적으로 건물이 전소할 때까지 불꽃은 꺼지지 않았다.

『또 제국이 뭔가를 꾸미고 있을지도 모르니까 말입니다. 조사해주지 않겠습니까?』

배신자인 드라코가 처형당해 내통자가 없어진 일로 활성화됐던 제국의 움직임은 다시 둔해지고 왕국군에게도 뼈아픈 추격타를 먹게 되었다.

이 정체불명의 발화사건이 원인이 되어 국내에서 전선으로 지원이 두루 미치지 못하는 것이었다. 황제의 죽음에서 막 회복한 참에, 이번에는 국내에서의 화재.

그리고 제국군의 시설에도 미치고 있는 듯, 일주일 정도 전에 제국 굴지의 군사도시인 캐머런의 보관고가 놓여있는 이웃마을 하나가 통째로 불타 결코 작지 않은 피해를 입은 참이었다.

이만큼 타이밍 좋게 제국에게 불리한 일이 일어난다는 것은, 제국 안에서 누군가가 암약하고 있을 가능성이 있다고 라이오넬은 말했다.

'그렇다고는 해도, 또 왜 우리에게 부탁하는 것일까……'

라이오넬의 말은 납득할 수 있었으나, 이 인사는 지금도 납득이 되지 않았다.

최근…… 정확히는 첫 번째 잠입수사 이후 라이오넬은 왜 인지 레티시엘을 매우 첩보임무 쪽으로 돌리고 싶어 했다.

명령이니 따르기는 했지만, 자신은 그런 은밀한 임무에 맞지 않는다고 몇 번이나 진언했건만 라이오넬은 도통 결정을 고칠 기색이 없었다.

그렇게까지 집착한다면 라이오넬이 레티시엘을 지명하는 것으로 임무상 뭔가 유리한 일이 있을 터인데, 유감스럽게도 레티시엘 본인에게는 전혀 기억이 없었다.

"……있죠, 지크."

"예. 뭔가요?"

"전하는 어째서 내게 첩보임무를 시키려는 것일까요?"

레티시엘은 옆에 서 있는 지크에게 별 생각 없이 질문해 보았다.

갑작스러운 질문에 지크는 잠시 어리둥절했다. 레티시엘 자신도 갑자기 묘한 질문을 했다는 자각은 있었다.

"그건, 저도…… 역시 마술의 존재가 큰 것이 아닐까요."

지크는 놀라면서도 레티시엘의 질문에 성실히 대답해 주었다.

"그런 이유로요?"

"분명히 전하에게는 중요한 일인 것이 아닐까요? 그 힘은 이 세계에서 둘도 없다는 의미에서는 역시 동경해야 할 것이니까요."

"……그런 것일까요."

마술행사 자체는 이제 레티시엘의 전매특허가 아니게 되었고, 예의 나뭇조각의 등장으로 마술이 최고의 수단인 것도 아니게 되었다. 그런데도, 그런 것일까.

"그렇지만, 정말 넓군. 지도 같은 게 없는지 보고 올 테니 너희는 여기서 잠깐 기다려라."

"아, 예."

루카스는 그렇게 말하고 성문 옆의 창구 같은 장소로 사라졌다. 옆에 걸려있는 간판으로 그곳이 안내소라는 사실을 알 수 있었다.

"……우리, 지나가던 여행자라는 설정으로 괜찮았던 거죠?"

레티시엘은 다시 한 번 지크에게 설정을 확인했다. 요전번처럼 혼자가 아니라 복수인원으로의 잠입이었기 때문에, 미리 임무에서의 서로의 역할을 지크, 루카스 두 사람과 상의해 정해놓았던 것이다.

"예. 가족끼리 여행을 하는 여행자 집단입니다. 원래는 왕국과의 국경부근 마을에서 살고 있었습니다만, 전화로 고향이 불타 쫓겨났다는 설정이었죠."

"그때 집을 잃고 지금은 정착할 곳을 찾아 여행을 하고 있다…… 보아하니, 여행자들은 많은 것 같네요."

방금 전부터 배낭을 짊어진 여행자 차림의 사람들이 빈번하게 성문을 통과하고 있었다. 제국 안에서는 지금 여행이 유행하기라고 하는 것일까.

"여어. 나 왔다."

잠시 시간이 지나자, 루카스가 돌아왔다.

"어서 오세요. 지도는 받으셨나요?"

"그래. 타지방에서 온 여행자라고 말하니까 그냥 쉽게 주더구나. 자, 너희 몫이다."

루카스는 삼단으로 접힌 두 장의 양피지를 레티시엘과 지크에게 각각 건네주었다. 오래돼서 낡은 것인지, 종이는 약간 누렇게 뜨고 구겨져 있었다.

"그리고 엘에게는 이것도 맡겨두마."

"……? 지갑?"

"필요할 거 아니냐. 필요에 따라 써도 상관없다."

"고맙습니다. 아버지."

이번 잠입의 레티시엘 일행 세 사람은 단순한 여행자가 아닌 부모자식이 함께 여행을 하는 여행자라고 하고 있었다.

평범하게 나그네라고 하는 것만으로는 사람에 따라서는

수상쩍게 느끼는 일도 있을 수 있기에, 그 의심의 가능성을 완전히 없애버리기 위한 설정이었다. 그랬었는데, 제도에 여행자가 많다면 그 속에 섞이기 쉬울 것 같았다.

참고로 지크 쪽이 키가 더 크기 때문에 오빠가 되어 있었고, 레티시엘의 이름은 적의 이름으로 확실히 인식되어 있는 『마도사 시엘』을 조금 바꾸어 『엘』이라고 부르기로 되어 있었다.

"그렇게 되면, 지크도 호칭을 바꾸는 편이 좋을까요."

"예? 호칭 말인가요?"

"그래요. 아버지와 오빠잖아요?"

"푸흡!"

그렇게 말하는 순간, 타이밍 좋게 물을 마시던 지크가 입에 머금었던 물을 내뿜었다. 아무래도 사례가 들린 모양이었다.

"왜 그러죠? 괜찮은가요?"

"괘, 괜찮습니다. 그렇게 불리는 것엔 익숙지 않아서……."

가볍게 기침을 해서 호흡을 가다듬은 지크는 물통을 집어넣으며 곤란하다는 것처럼 눈썹 끝을 떨어뜨리며 미소를 지었다.

"너무 갑작스러웠나요?"

"예…… 그렇게까지 무리해서 부를 필요는 없지 않을까요. 서로 오빠, 여동생이라고 부르지 않는 형제들도 있다고 들었으니까요."

"그렇군요……."

"게다가 익숙지 않은 호칭은 부르는 쪽도 불리는 쪽도 적응하는데 시간이 필요할 테니, 지금까지 하던 대로도 위화감은 없지 않을까요."

그렇게 말을 듣고 보니 레티시엘도 지크를 오빠라고 부르는 것에 익숙하지 않았다. 오히려 위화감이 있었다.

오빠라고 불러도 부르지 않아도 부자연스럽지 않다면, 자연스러운 것이 가장 좋은지도 몰랐다. 괜히 익숙지 않은 연기를 해서 별거 아닌 사건에 정체가 탄로 나는 것도 곤란하리라.

바로 최근만 해도 대피저택에서 미란다레트와 친구들이 부르는데 익숙지 않은 『시엘』이라는 이름에 고전했던 것을 본 참이었다.

"그럼 그대로 지크라고 부르기로 하겠어요."

"이름으로 부르는 것은 되도록 피하고 싶다만…… 흔한 이름이니, 어중간하게 얼버무리는 것보다는 나을지도 모르겠군."

레티시엘의 결론에 옆에서 루카스가 추가로 그렇게 말했다. 지크가 어딘가 안도한 것처럼 보이는 것은 기분 탓일까.

"……그런데 지크."

"예?"

"존댓말 정도는 일단 그만두지 않겠어요?"

그래도 또 한 가지, 신경이 쓰이는 점이 있었다. 별안간 그런 소리를 꺼낸 레티시엘에게 지크는 조금 당황한 것 같은 기색이었다.

"어…… 그건 또, 왜, 죠?"

"이번에 우리는 겉으로는 형제잖아요? 연하인 동생에게 존댓말을 쓰는 것은 조금 어색하지 않을까요?

"그건…… 그럴, 지도 모르겠네요."

레티시엘도 전생에는 형제가 없었으나 그래도 주변에 형제를 가진 사람들은 있었다. 다들 손아래형제에게는 편한 어조로 이야기했다.

이쪽 시대에서는 손위형제들과 대화를 해 본 적이 있었고, 그 때에는 분명히 존댓말을 썼다. 그렇지만 세리냐와 프리드와의 타인과도 같은 형제관계를 일반적인 상식으로서 생각해서는 안 될 것 같은 느낌이 들었다.

"……."

그러나 지크는 어딘가 고민하는 것 같은 기색이었다. 잘 생각해보면, 지금까지 지크는 동급생이나 교사, 만나는 모든 사람에게 일률적으로 존댓말을 써 왔다. 그런 버릇이라면, 지금 여기서 교정하는 것도 어려우려나.

"어, 음. 부모가 다른 형제라서 존댓말을 쓴다는 건……."

"……설정이 복잡해질 뿐이에요."

"그렇겠죠……."

"좋아요. 지금 그 얘기는 잊어요. 지크가 그렇게까지 무리해야 하는 일도 아니고, 만일의 때에는 『오빠는 그런 성격이에요』라고 말하면 돼요."

"하하, 왠지…… 죄송합니다."

"……응? 뭐냐, 너희. 뭘 그렇게 속닥거리는 거냐?"

"아무것도 아니에요, 아버지."

지크는 면목 없다는 듯이 머리를 긁적였다. 루카스가 보고 있던 지도에서 고개를 들고 의아한 얼굴을 했기 때문에, 레티시엘은 괜찮다고 한 마디 해두었다.

"……맞다. 너희."

"?"

"제도의 거리를 둘러보고 오지 그러냐? 둘이서."

"……놀러온 것이 아닌데요."

"그런 건 나도 안다. 다만 지리를 전혀 모르는 곳에서는 무모하게 움직여봤자 헛돌기만 할 것 아니냐."

"그건 그러네요."

"조급해해봤자 정보는 안 들어올 때에는 안 들어온다. 첫날 정도는 자기 자신을 위해 써도 좋아. 게다가 우리는 지금 여행자이지 않으냐. 관광 삼아 거리를 돌아다녀도 아무 위화감도 없을 거 아니냐."

"……"

듣고 보니 그럴지도 몰랐다. 관광 어쩌고 하는 부분은 차치하고, 처음 와보는 거리에서 정보 수집을 위해 움직이는 일은 필요한 일이었다.

게다가, 이대로 숙소에 틀어박힌다 해도 정보는 들어오지 않았다. 신문을 통해 얻는 정보만이 아니라 실제로 보고 듣는 정보도 중요하리라.

"그런 것이라면…… 그 말씀에 따르기로 하죠."

"그래. 그럼 얼른 숙소를 잡으러 가자. 일찌감치 숙소를 확보해놓지 않으면 저녁 이후에 고생을 할 테니까 말이지."

루카스가 가방을 고쳐 메고 걸음을 옮기기 시작했다. 그 뒤를 지크와 레티시엘이 따라갔다.

제도의 숙소쯤 되면 그 수도 엄청나게 많을 것이라고 생각했는데, 루카스는 이미 머물 숙소로 생각해둔 곳이 있는 듯 했다. 망설이는 기색도 없이 성큼성큼 걸어갔다.

루카스의 뒤를 따라 도착한 곳은 큰길에서 몇 개인가 안쪽으로 들어온 거리에 위치한 아담한 여관이었다. 통행인도 그럭저럭 많으면서도 너무 시끄럽지도 않은 절묘한 장소였다.

"또 좋은 장소를 고르셨네요."

"그렇지?"

여관의 카운터로 향하자, 객실은 아직 꽤 여유가 있었다. 일행은 세 사람분의 방을 잡고 열쇠를 건네받아 계단을 올라갔다.

목적한 방은 여관의 3층 모퉁이방과 그 맞은편에 있는 두 개의 방이었다. 가볍게 상의한 결과, 모퉁이방은 루카스가 쓰고 나머지 두 방을 레티시엘과 지크가 쓰기로 했다.

"그럼 학원장…… 아니, 아버지. 다녀오겠습니다."

"그래. 다녀와라."

레티시엘과 지크는 일단 방에 짐을 놓고 루카스의 방에 출발인사를 하러 갔다. 지크가 문을 열고 안을 들여다보며 그렇게 말했다.

이쪽에 손을 흔드는 루카스는 벌써 테이블 위에 서류와 펜을 준비해놓고 있었다. 라이오넬에게 보낼 보고서라도 쓸 생각인지도 몰랐다.

"오래 기다리셨습니다. 가도록 하죠."

지크가 인사를 마치고 방문을 닫은 뒤, 레티시엘 쪽으로 돌아섰다. 그리고 카운터에 열쇠를 맡기고 또다시 거리로 나왔다.

"우선 어디로 갈까요."

"안내소는 어떤가요? 그곳이 제도에서 사람의 출입이 가장 많은 장소일 테니, 뭔가 재미있는 이야기를 들을 수 있을지도 모릅니다."

"그러네요. 그럼 그렇게 할까요."

안내소라면 방금 전 루카스가 지도를 받으러 갔던 곳일까. 한 손에 제도의 지도를 펼쳐들고, 레티시엘과 지크는 안내소로 향했다.

제도의 남문 부근에 위치하는 관광안내소는 3층짜리 거대한 건물이었다. 입구 옆에는 수많은 마차가 있었고, 사람이 끊임없이 드나들고 있었다. 레티시엘과 지크도 인파를 타고 안으로 들어갔다.

이용자의 절반은 복장으로 헤아려보건대 여행자인 것 같다. 내부는 넓은 홀로 되어 있었고, 나뭇결무늬의 바닥과 벽이 방문자를 따뜻하게 맞아주었다.

"관광안내소에 어서 오세요. 무슨 일로 오셨나요?"

입구를 통과하기 무섭게 누군가 말을 걸어왔다. 목소리의 주인은 하얀 블라우스에 짙은 남색의 치마를 걸친 여성이었다. 이곳의 종업원인 것 같았다.

"지방에서 온 여행자입니다만, 최근 제도의 상황을 알고 싶어서요. 이곳은 신문 같은 것을 읽을 수 있나요?"

"신문이라면 저쪽 코너에서 보실 수 있습니다. 최근 2년분의 신문을 보관해두고 있답니다."

"고맙습니다."

종업원 여성이 안내해 준 곳은 홀의 창가에 있는 테이블과 의자가 늘어선 공간이었다. 안쪽 벽면에는 책과 신문으로 가득 채워진 책장이 늘어서 있었다.

"2년분의 신문이라면, 꽤 많은 양이죠?"

"그러네요…… 그만큼 제도에서는 신문이 중요한 정보원이라는 것이겠지요."

레티시엘은 책장에 가까운 위치에 비어있는 자리를 확보하고 신문을 가지러 갔다. 책장 위쪽 벽에는 최신의 일면기사가 크게 붙어 있었다.

『제도 멜드 교외의 창고에서 정체불명의 폭발, 원인 모를 연속 화재와 무슨 관계가? 지연되는 조사에 불안의 목소리도.』

날짜는 사흘 전. 레티시엘이 훑어보았더니 무인 창고 지하가 화재의 중심지였던 듯 다친 사람은 없었으나 원인불명이라 지금도 조사가 교착하고 있다고 했다.

신경 쓰이는 기사이기는 했으나, 우선은 신문을 1년 분 정도 그러모았다. 대출은 불가인 것 같으니 신문에서 얻은 정보를 종이에 메모해 나중에 정리하자.

레티시엘은 잠시 동안 묵묵히 메모를 기록해갔다. 의외로 같은 일을 하는 사람은 많았기 때문에 의심스럽지는 않을 터였다. 하지만 하루 종일 눌러앉아있는 것은 역시나 수상하다고 생각할 테니 적당한 선에서 일단 끝을 맺었다. 내일 이후로 자주 들리면 괜찮으리라.

안내소를 나와서는 지도를 한 손에 들고 제도의 중심부를 걸었다. 이곳에 얼마나 머무를지 알 수 없었으나, 원활한 정보 수집을 위해 지리를 파악해 두는 것은 중요한 일이었다.

요전날 제도에서 일어난 화재 현장에도 발걸음을 해보았으나, 이곳은 아무래도 원인 모를 화재가 아니라 그저 난로의 불똥이 뛴 것뿐이었다는 것 같았다. 국내에서 화재나 폭발 등의 사고가 일어나는 중이라, 모두 신경이 곤두서있는 것이리라.

"……대충 거의 다 돌아보았을까요."

여기저기 걸어 다니다보니 눈 깜짝할 사이에 해가 졌다. 레티시엘은 오렌지색으로 물들기 시작한 하늘을 우러러 보았다.

가보지 못한 곳은 이제 정체불명의 폭발이 일어났다고 하는 창고군 정도였으나, 이곳은 마을에서 상당히 떨어져서 거리도 있었다. 시간적으로 지금부터 가는 것은 힘들 것 같았다.

"그밖에 자잘한 장소는 아직 있습니다만, 중요한 곳은 다 본 것 같네요. 예의 교외는 어쩌시겠습니까?"

"그러네요…… 그곳은 나중에 가보도록 하죠. 사고가 난 지 얼마 안 된 것 같으니 현장은 아직 봉쇄되어 있을 테고, 먼저 다른 곳을 가보는 쪽이 좋을 것 같아요."

"그렇군요. 오랜 여행으로 엘도 지쳤을 테니 오늘은 일찌 감치 쉬는 편이 좋을지도 모르겠네요."

"……!"

레티시엘은 한순간 얼어붙고 말았다. 반박자 늦게 지크가 자신을 경칭 없이 이름으로 불렀다는 사실을 알아차렸다.

자기 입으로 말하기는 좀 그랬지만, 가명이라도 레티시엘은 동년배의 사람에게 그렇게 이름만 불리는 일은 별로 많지 않았다.

전생에서는 레티시엘을 애칭으로 부른 것도 나오 뿐이었고, 이 세계에 와서도 친구들은 줄곧 님을 붙여서 불렀다.

"……그렇게 놀랄 일인가요?"

"미안해요. 제도에 온 뒤로 그렇게 불린 것은 처음인걸요."

"……이제 슬슬, 장난으로 이상한 이름으로 부르는 것은 그만두자고 생각해서 말입니다."

주위에 목소리가 들리는 것을 고려해 지크가 진짜 이유를 에둘러서 애매하게 말했다.

레티시엘도 그것에 말을 맞추었다. 동년배의 사람에게 이름으로만 불린 일이 조금 신선하기도 했다.

"전 좋은 것 같아요. 이쪽이 더 자연스러워요."

레티시엘이 그렇게 말하고 고개를 끄덕이며 미소를 짓자, 지크도 안도한 것처럼 표정을 풀었다. 말할 타이밍을 줄곧 살피고 있었다는 것 같았다.

"그렇다고는 해도, 숙소는 바로 코앞이니까 오늘은 이제 부를 기회는 없을 것 같지만요."

"스스로도 늦었다는 걸 알아차렸으니, 그 점은 추궁하지 말아 주십시오……."

이리스 제국 제도에 잠입한 첫째 날, 레티시엘은 임무를 수행하던 짬짬이 어깨의 힘이 아주 조금 빠진 것 같은 느낌이 들었다.

제국 내의 수상쩍은 움직임을 조사하기 위한 잠입이었으나, 한마디로 『수상쩍은 움직임』이라고 해도 어디부터 뒤져야 할지 실마리가 전혀 없었다.

단서가 없었다.

그런 가운데, 이리스 제국의 각지에서는 원인불명의 화재 사건이 빈발하고 있었다. 이것을 조사하면 뭔가의 단서를 얻을 수 있지 않을까. 그렇게 생각해 조사하기 시작했는데, 그 정보는 레티시엘이라도 그다지 고생하지 않고 간단히 모을 수 있었다.

"잠입한 지 이제 사흘째인데……."

여관의 방에서, 레티시엘은 지크와 테이블 앞에 마주보고 앉아 자료를 펼쳐놓고 있었다.

그곳에는 대량의 자료와 신문에서 발췌한 내용이 놓여져 있었다. 모두 연일 거리를 바쁘게 돌아다니며 입수한 것이었다.

"뭐, 이정도로 연일 제도의 신문을 떠들썩하게 만들고 있다면, 이렇게나 손쉽게 정보를 모을 수 있던 것도 납득이 가네요."

그랬다. 신문은 왕국과 마찬가지로 제국에서도 서민들의 읽을거리로 널리 보급되어 있었는데, 그 지면에는 연일 최근의 발화 사건 보도만이 늘어서 있었다.

제국에 들어온 뒤로는 실제로 발화사건이 일어났다는 뉴스는 듣지 못했지만, 사건이 일어나지 않아도 이 일은 이미 국민에게는 너무나도 신경 쓰이는 일이 되어 있는 것이리라.

"전쟁 이야기 아니면 이 사건의 이야기인가…… 요 며칠간의 신문을 훑어보았지만, 일면 기사를 장식한 것은 늘 같은 사건들뿐이에요."

"그러네요. 남은 것은 조사가 이어지고 있는 창고군 발화사건 정도…… 다만, 의외로 긴급시의 신문은 이런 것이 아닐까요? 박물관의 습격 때에도 며칠 동안은 신문에서 그 사건을 계속 다루었고요."

"어머, 그랬던가요."

루빅은 신문을 정기구독하고 있었으나, 레티시엘은 익숙지 않은 것이라 매일은 체크하지 않았다. 과연, 신문도 매일 읽지 않으면 손쉽게 정보를 놓치는 것인가.

"정보가 많은 것은 고맙지만, 이래서는 뭐가 뭔지……."

"하하, 그것도 그렇군요……."

폭발사고가 있었던 창고군의 현장은 지금은 전면 봉쇄되어 출입할 수 없었다.

다만, 정보 자체는 들어오고 있었다. 꽤 큰 규모의 폭발이었던 듯, 사고가 발생한 밤에는 하늘까지 닿을 정도의 거대한 불기둥이 목격되었다고 했다.

폭심지는 큰 원형으로 함몰되어 그 위에 있던 창고는 전부 휘말려 무너졌으나, 아무래도 이 장소에서는 옛날에도 다른 폭발사고가 일어났었다는 것 같았다.

플라티나 왕국과 동맹을 맺기 전의 일로, 당시에는 주택가였기 때문에 사상자는 헤아릴 수 없을 정도였다. 그 뒤, 함몰지는 메웠으나 사람의 거주지로는 적합하지 않게 되었기 때문에, 창고지구로 전용되어 지금에 이르게 되었다.

"학원장님이 돌아오실 때까지는 어떻게든 정리할 수 있으면 좋은데……."

"힘내죠. 그렇지 않으면 전하께 보고도 할 수 없을 거예요."

레티시엘이 본진에 두고 온 전령마술의 비둘기를 통해, 어젯밤 바로 라이오넬에게서 진보를 묻는 연락이 왔다.

취침 전에 비둘기를 날리자, 오늘 아침에는 라이오넬의 대답과 추가 정보가 쓰인 편지가 되돌아왔다

참고로, 루카스는 현재 마을에 물건을 사러 나간 상태였다. 레티시엘과 지크, 두 10대가 젊은 여행자로 위장하는 것보다 루카스정도 연령대의 남자가 장년의 여행자로 가장하는 편이 자연스러울 것이라는 이유에 따른 인선이었다.

왕국 안에서는 유명인인 루카스의 얼굴이 알려져 있을 것이 마음에 걸렸으나, 루카스가 활약했던 스피리아 전쟁에 제국은 얽혀있지 않았다.

이곳에 없는 제국군의 상층부라면 또 모를까, 거리의 백성들은 루카스의 존재는 알아도 얼굴까지는 알지 못한다는

것 같았다. 과거 제국에 유학했던 라이오넬이 말한 것이니 틀림없었다. 이것은 라이오넬이 보내온 편지에 쓰여 있던 정보였다.

레티시엘의 모습은 더더욱 그랬다. 전장이 아닌 이 장소라면 제국 본진으로 향했을 때 같은 변장도 필요 없었다. 실제로 수상히 여기는 일도 없이, 때때로 이 눈과 머리카락 색에 신기하다는 것 같은 시선을 보내오는 것으로 끝났다.

"지크. 종이봉투나 그런 건 없을까요?"

"그거라면 여기 있습니다. 아, 엘. 거기 잉크병을 집어 주시겠습니까? 펜도 함께요."

"이거 말인가요? 자, 여기요."

레티시엘은 병과 펜을 함께 지크에게 건넸다. 레티시엘은 지크에게 여관의 방 등 타인의 눈이 없는 장소에서도 가명으로 불러달라고 하고 있었다.

이 방에는 결계마술이나 방음마술, 색적마술, 방어용 마술을 남김없이 사용했으나 마술을 무효화하는 나뭇조각의 존재를 알아버렸기 때문에 만일의 사태에 대비한 대책이었다.

레티시엘은 방금 전 지크가 건네 준 종이봉투 속에 신문에서 오려낸 기사들을 모아서 집어넣었다. 그 사이, 지크는 지금까지 얻은 발화 사건에 관한 정보를 종이에 다시 정리하고 있었다.

일련의 발화 사건에 대해 알게 된 것이 몇 가지인가 있었다. 첫 번째는 규칙성이 없다는 것. 비슷한 사건은 연속되고 있었으나, 일정한 주기로 일어나지 않았다.

두 번째는 발생지가 겹치지 않는다는 것. 한 번 발화 사건이 일어난 마을이나 거리에서는 두 번째 사고가 일어나지 않았다. 그 근처의 마을에서도 화재는 발생하지 않았다.

그리고 세 번째는 발화한 원인이 된 것은 모두 불연물이었다는 것. 예를 들어 가장 먼저 신문에 실린 사고에서는 민가에 있는 쇠냄비가 불타올라 사고에 이르렀고, 두 번째 사건에서는 농기구인 괭이가 불탔다.

이런 식으로, 이 일련의 사고는 어느 것이나 묘하게 부자연스러운 점만이 두드러졌다. 특히 불연물을 태우다니, 대체 어떻게 하면 할 수 있을까.

의외로 큰 도시에서는 사건이 일어나지 않는다는 점도 중요하리라. 중소도시나 마을만이 목표가 되는 것은 뭔가 이유가 있는 것인가. 단순한 우연인 것일까.

"대충 이런 느낌일까요……."

마침 산처럼 쌓여있던 신문조각들의 정리가 끝났을 타이밍에, 지크 쪽도 작업이 일단락된 것 같았다.

"정리해 보니까, 어땠나요?"

"그러네요…… 그 부분은 이제부터 고찰하겠습니다."

그렇게 말하고 지크는 지금 막 정리를 끝낸 자료를 레티시엘 앞에 놓았다. 읽어도 좋다는 것 같았다. 레티시엘은 고맙게 읽도록 하기로 했다.

신문이나 잡지에서도 이 일련의 사고는 일대 토픽인 듯, 평범하게 사고에 대해 쓴 기사도 있는가 하면 표제로 사람들의 관심을 부추긴 뒤 범인이나 트릭을 추정해보는 기사도 있었다.

어느 것이나 증거불충분이었기 때문에 어디까지 믿을 수 있을지는 알 수 없었으나, 이런 기사 속에 힌트가 굴러다니는 경우도 있었다. 레티시엘은 그것도 포함해 모든 문장을 주의 깊게 살펴보았다.

"……아."

그때, 마침 옆으로 다가온 지크가 작게 소리를 냈다. 그는 눈앞의 테이블에 펼쳐놓은 지도를 물끄러미 바라보고 있었다.

"왜 그러나요?"

"지금 알아차렸습니다만, 사건 현장의 이동에 어느 정도 규칙성이 있는 것처럼 보이지 않나요?"

"……규칙성?"

"예. 이것을 봐 주세요."

지크가 손가락으로 가리킨 곳은 화재 발생현장에 표시를 해 둔 제국의 국내지도였다. 현장이 된 장소에 X자가 표시되어 있고, 사고가 발생한 일시도 남아 있었다.

"이 부근의 사고현장과 일시입니다만, 발생간격이 짧아지지 않았나요?"

"어머, 정말이에요. 이 두 개의 간격은 한 달…… 이쪽은, 일주일?"

지금까지 일어난 원인 불명의 발화 사건은 전부 12건. 이것들은 대부분 한 달 간격으로 발생했는데, 간격이 짧은 것은 사흘 정도밖에 비지 않은 것도 있었다.

그렇게 발생 간격이 짧은 사고현장을 보니, 어느 곳이나 그렇게까지 거리상으로는 떨어져 있지 않은 장소들뿐이었다.

"한 달 이상 비어있는 일자는 없군요……."

"즉, 한 달에 한 번 정도는 반드시 사고가 일어났다는 것이네요."

하지만, 무엇을 위해서……?

한 달은 둘째 치고, 사흘이라니. 그 정도라면 마을에서 마을로 이동하는 시간 정도밖에 없으리라. 범인은 마을에 도착하자마자 사고를 일으켰다고 하기라도 하는 것인가.

그거야말로 이유를 알 수 없었다. 원한에서 비롯된 사건이라는 가능성도 있지만, 이렇게까지 제국 각지의 다양한 장소에서 사건을 일으키고 있다고 하면, 너무 무차별적이라 개인적인 동기도 기대할 수 없었다.

"게다가, 봐요."

"또 뭔가 있나요?"

"사고가 일어난 지방 말이에요. 같은 지방 안에서 사건이 두 번 일어난 적이 한 번도 없어요."

"⋯⋯! 정말이네요⋯⋯."

이것은 조금 전 지도를 바라보다가 알아차린 것이었다. 총독들이 개별적으로 통치하는 영지로 구성된 이 이리스 제국에는 두 손으로 세도 부족할 정도로 많은 지방이 있었다.

그러나 실제로 현장과 지도를 대조해 보면, 신기하게도 같은 지방에서 예의 발화 사건이 2건 이상 일어난 경우는 하나도 없었다. 범인은 하나의 사건이 일어날 때마다 일부러 지방을 하나 넘어 이동하고 있다는 것이었다.

덤으로, 사고의 간격이 짧을 때는 인접한 지방들이 가까울 때로 한정되었다. 왜 이렇게도 영지를 바꾸는 일에 집착하는 것일까.

"역시 단독범의 범행일까요."

"어떨까요. 이만큼 대대적인 사건이라면, 모방범에 의한 범행도 있을 법합니다만."

"가능성은 있지만 낮지 않을까요. 사고가 일어난 지방이 겹치지 않는다는 건 지금까지의 기사에서도 아무도 눈치 채지 못했어요. 이렇게 지도로 모든 정보를 나열하기라도 하지 이상."

"아아⋯⋯ 그렇다면 같은 지방에 복수의 화재가 일어났어도 이상하지 않겠군요. 그런데 그것이 없다라⋯⋯."

"게다가 발화 소재는 모두 불연물이에요. 설령 모방범이라고 해도 불연물을 불태우는 방법을 아는 사람이 그렇게 몇 사람이나 있다고는 생각되지 않아요."

레티시엘은 지크와 대화를 나누면서 아직 사고가 일어난 적이 없는 지방을 찾았다. 지금까지의 패턴으로 생각하면, 그 지방들이 다음 현장이 될 가능성이 컸다.

그리고 가장 최근의 사고 현장의 추이로 화재가 일어날 것 같은 지방을 압축했다. 한 번도 사고가 일어나지 않았고, 바로 이전번 사고가 있었던 지방과 인접한 장소……

그 조건을 모두 충족시키는 장소가, 딱 한 군데 있었다. 제도의 남서쪽에 있는 작은 영지였다.

"다음에 사건이 일어난다고 하면, 이 지방이라는 것일까요?"

"같은 원리로 범인이 움직이고 있다면, 그렇지 않을까요……"

물론 범인이 이번만 예외적인 움직임을 보일 가능성도 있었기 때문에, 화재가 일어날 조건을 하나라도 충족한 지방의 이름은 일단 모두 적어두었다.

'그러고 보니, 가장 처음에 사고가 일어난 지방의 옆은……'

첫 화재사고의 현장인 마을에서 지도를 따라 더듬어가 보니, 그 마을은 어떤 영지와 인접하는 경계선에 있었다.

디오르그 총독령. 앞선 전투에서 레티시엘이 일대일로 싸운 끝에 죽인 제국군 요인이며, 전쟁찬성파의 필두였던 남자의 영지였다. 이 지방에서도 아직 발화 사고가 일어난 적이 없었다.

물론 그 외에도 인접한 지방은 있었고, 그 가운데에도 사고가 미발생한 지방은 있었으나 왠지 예감 비슷한 것이 느껴졌다. 문제의 마을까지는 디오르그령이 가장 가까워서, 어쩌면 범인은 그곳에서 왔을 가능성이 있을지도 몰랐다.

'……? 이 마을…….'

문득 레티시엘의 눈이 하나의 마을 이름 표지판에서 멈추었다. 방금 전 레티시엘이 압축한 총독령 안에 포함된 마을이었다.

제국 안에서도 상당히 좁은 지방인지, 마을임을 나타내는 표지는 영지 내에 몇 개인가 눈에 띄긴 했으나 마을 이름까지 표시된 것은 이곳뿐이었다.

"린드가름……."

그것이 그 마을의 이름이었다. 어쩌면 영지라서 이름이 있는 것일지도 몰랐다.

"이곳을 제외하면 사고가 발생하지 않은 인접지방이 없다라……."

"어쩔까요? 앞선 사건 이후 이제 곧 한 달이 되어간다고 생각합니다만……."

"가보죠. 이곳에서 시간을 때워봤자 소용이 없으니까요."

전선에 여유가 있다고는 하나, 제국의 조사에 몇십 일이나 들이고 있을 수는 없었다. 정보가 있을 가능성이 있다면 일찌감치 얻으러 가야 할 것이다.

그 후, 레티시엘은 장보기에서 돌아온 루카스에게 정리한 정보를 내보이고 린드가름에 가고 싶다는 말을 전했다. 그러자 루카스도 곧바로 동의를 했다.

"너희가 추리해서 도출해낸 것이라면, 조사해볼 가치는 있겠지."

그렇다는 것 같았다. 그 논리는 이해할 수 없었지만, 신용해준다는 것은 기쁜 일이었다.

레티시엘 일행은 짐을 정리해 여관에서 방을 빼고, 아직 이른 아침일 때 제도 멜드를 출발했다. 이곳에서 린드가름에 도착할 무렵에는 아마도 오후가 되어있으리라.

***

레티시엘이 예측했던 대로, 일행은 태양이 정남쪽의 하늘을 통과했을 무렵에 린드가름의 북문에 도착했다.

"생각했던 것보다 크네요……."

두꺼운 통나무와 목재로 짜인 번듯한 문을 올려다보며 지크가 작게 중얼거렸다. 그와 똑같은 생각을 레티시엘도 지금 막 한 참이었다.

지도에서 본 바로는 작은 마을이었을 터인데, 예상했던 것보다 마을의 규모는 컸다. 이리스 제국의 『작은 마을』이라는 곳은 어느 곳이나 이런 느낌인 것일까.

문 양쪽에는 문지기가 대기하고 있었다. 차림을 보건대,

아마도 정규병사는 아니고 마을의 남성이 서 있는 것이리라. 가죽갑옷과 나무로 된 창이 직접 만들었다는 느낌을 물씬 풍기고 있었다.

"뭐, 이곳은 영지의 중심인 것 같으니 말이다. 어느 정도의 규모가 있는 건 당연하겠지."

"그렇군요, 아버지."

마을에 들어가기 위한 절차는 그렇게까지 시간이 걸리지 않았다. 여행객이 오는 일 자체가 적은 마을이기 때문일까.

"나는 일단 관청으로 가보겠다만, 너희는 어쩔 테냐?"

"그럼 저희는 물자보급을 하고 오겠습니다. 이 여행이 언제 끝날지 알 수 없고, 오는 길에 여러모로 소모했으니까요."

루카스의 질문에 지크가 그렇게 대답했다. 여행 자체는 그렇게 길지 않았으나, 제도의 물가가 비싸 필요 최소한의 물자만 구입해두었기 때문에 소모가 빨랐다.

"전 아버지와 같이 가겠어요. 뭔가 정보를 얻을 수 있을지도 모르니까요."

"그러냐. 알겠다. 그럼 그 노선으로 갈까."

합류지점을 마을 입구 앞의 광장으로 정하고, 일행은 둘로 나누어져 행동을 개시했다.

루카스와 레티시엘이 향한 곳은 이 마을의 중심에 있는 관청이었다. 아무래도 이 마을은 입촌 뒤 증명서를 발급받아야 하는 듯해서, 그것을 입수하기 위함이었다.

관청은 벽돌로 된 벽에 초가지붕이 얹힌 간결한 2층짜리 건물이었다. 나중에 증축된 것인지, 중앙건물의 좌우와 뒤쪽에는 건축양식이 일치하지 않는 몇 개의 건물들이 기괴한 형태로 연결되어 있었다.

"어쩔테냐, 엘. 너도 함께 갈 테냐?"

"아뇨. 여기 광장에서 탐문을 좀 하려고 합니다. 아버지가 돌아오실 때까지 뭔가 발견하면 좋겠지만요."

"그럼 광장을 떠나지 마라. 끝나면 바로 돌아올 테니까."

"예."

루카스는 그렇게 말을 남기곤 관청 안으로 들어갔다. 레티시엘은 관청 앞의 광장을 빙글 둘러보았다.

나름대로 널찍한 장소였다. 중앙에는 훌륭한 거목이 서있었고, 그 가지에는 무수한 랜턴이 매달려서 지면을 어렴풋이 비추고 있었다. 포장마차의 모습도 보였고, 마을의 중심답게 사람의 출입도 빈번한 것 같았다.

레티시엘은 거목의 바로 옆에 게시판이 서 있는 것을 발견했다. 가까이 다가가 보니, 그곳에는 마을지도가 붙어 있었고 여백에는 주민들을 위한 알림이나 신문에서 오려낸 기사 등이 있었다.

"……어머나? 나그네이신가."

레티시엘이 잠시 게시판을 바라보고 있으려니, 낯선 중년 여성이 말을 걸어왔다. 양손으로는 짐차를 밀고 있었고, 그곳에는 대량의 채소가 쌓여 있었다. 마을 주민인 것 같았다.

"안녕하세요. 아버지와 오빠, 셋이서 여행 중입니다."

레티시엘은 일단 그런 설정으로 말을 맞추었다. 그 말을 들은 여성은 감탄한 것처럼 밝은 표정을 지으면서 고개를 끄덕였다.

"그래. 아직 젊은데 빠릿빠릿하네. 이런 곳까지 오는 거, 힘들었지요?"

"그……건, 예. 그럭저럭 힘들었네요."

"요즘 여자아이들은 씩씩해서 좋네. 우리 집 사내자식도 본받았으면 좋겠어."

여성은 질렸다는 것처럼 말했다. 그 말에 맞장구를 치는 것 같은 미소를 지으면서, 레티시엘은 주위의 분위기를 가만히 살폈다.

방금 전부터 길을 다니는 사람들이 이쪽을 몹시 쳐다보고 있었다. 미채마술은 제대로 기능하고 있었고, 특별히 기묘한 차림을 차고 있는 것도 아니었는데…….

"아가씨. 혹시 시선이 신경 쓰이는 거야?"

"예, 뭐…… 무척 주목을 받고 있는 것 같아서."

"젊은 나그네는 보기 드무니까 말이지. 그것도 이런 단기간에 두 사람이나 왔다면, 다들 신경이 쓰여서 참을 수가 없는 거야."

"……?"

진지하게 그렇게 말하며 술회하는 여성에게 레티시엘은 작은 의문을 품었다. 단기간에 두 사람······?

"저 외에도 여행객이, 있나요?"

"있지, 그럼. 일주일 정도 전에 막 온 사람이 말이야."

"잘 기억하고 계시네요."

"그야 좀처럼 오지 않는 나그네이니 말이야. 젊은 아가씨였어. 아마도 그것 때문에 잘 기억하는 걸 거야."

예상 이상으로 날짜가 가까워서 놀랐다. 이 마을은 여행객이 별로 오지 않는 거 아니었나? 게다가 여성 여행객이라고 했다.

"······여성이 혼자 여행을 하다니 보기 드문 일이네요."

"보기 드물지. 아가씨보다는 연상일 거야."

그 여성 여행객은, 혼자서 이런 외진 곳에 있는 마을에 대체 무슨 목적이 있어서 온 것일까.

"그렇지만 좀 별난 사람이었어."

"별난 사람, 이요?"

"그래. 이렇게 더운데 망토는 껴입고 있지, 얼굴은 천으로 가리고 있지, 솔직히 언뜻 보면 상당히 수상쩍은 느낌이야."

"······용케 그런 사람을 마을에 들여놓았네요."

"그게 말이야. 총독님의 소개장을 갖고 있었어, 그 사람. 그래서 괜찮을 거라고."

"총독님이 써주시는 소개장이라니, 어지간한 일이 아니면

받을 수 없지 않나요?"

"그래. 그러니까 함부로 대할 수도 없어서 말이지."

"누구의 소개장이었나요?"

"누구였더라…… 우리 바깥양반에게서 들었는데……."

여성은 그렇게 말하고 고개를 갸웃거렸다. 미묘하게 기억이 나지 않는 모양이었다. 그녀의 남편이 마침 그 여행객의 입촌 수속을 한 사람이었다는 것 같은데…….

"아아. 그래, 기억났다! 디오르그 님이야!"

미간에 주름을 모으길 몇 분. 여성은 간신히 눈을 번쩍 뜨고는 커다란 목소리를 냈다. 그러나 그 입에서 나온 이름은 아주 뜻밖의 사람이었다.

"디오르그……."

"그쪽 영지, 의외로 보수적이고 폐쇄적이라서 소개장 같은 건 보기 드물다고 바깥양반이 신기해했어."

그 뒤로 레티시엘이 말을 하지 않기 때문에, 잠시 동안 여성의 일방적인 마을 자랑과 마을 소개가 이어졌다. 그리고 이윽고 용건을 기억해 낸 여성은 총망하게 떠나갔다.

뒤에 남겨진 레티시엘의 머릿속에는 디오르그의 이름이 줄곧 달라붙어 지워지지 않았다. 디오르그의 소개장을 갖고 찾아온 정체불명의 여성 여행객. 점점 더 배후가 있는 것 같은 느낌이 들었다.

"나 왔다…… 응? 엘? 무슨 일이냐?"

관청에 갔던 루카스가 건물에서 나온 것은 마침 그때였다. 복잡한 표정으로 생각에 잠긴 레티시엘을 보고 루카스는 의아하다는 얼굴을 했다.

"아뇨. 방금 전 이 마을 주민 분께 묘한 이야기를 들어서요."

"묘한 이야기?"

"듣자하니, 저희 의외에도 며칠 전 이 마을에 들어온 여행객이 있는 것 같아요."

레티시엘은 방금 전 중년 여성에게 들은 이야기를 간략하게 루카스에게 들려주었다.

"호오. 그래서?"

"여자였다는 것 같습니다만, 총독이 써준 소개장을 지참하고 있었다고 합니다."

"소개장인가…… 어딘가의 높으신 분의 관계자가 왔다거나 그런 건가?"

"그것이 그렇다고 딱 잘라서 말할 수가 없습니다. 그 총독이라는 자가, 아무래도 디오르그 같으니까요."

"뭐? 디오르그?"

그 이름은 역시나 루카스도 의외였던 모양이었다. 루카스는 눈을 끔벅거렸다.

"그렇다고는 해도, 그 이상의 정보는 없어서 자세한 것까지는 알 수 없지만요."

"으음…… 왜 이런 곳에서도 얼굴을 내미는 거지? 그 남자는……."

루카스가 팔짱을 끼며 신음했다. 디오르그의 관계자가 이곳에 올 이유는 레티시엘도 잘 알 수 없었다.

"이것도 조사하는 편이 좋을까요?"

"그렇군. 그 여자 여행객이라는 녀석이 뭔가 중요한 열쇠를 쥐고 있을 가능성도 있으니까 말이야."

이 전쟁의 핵심 존재인 디오르그의 관계자. 그것도 디오르그가 소개장을 건넬 정도의 인물이라면, 제국 안에서도 수상쩍은 움직임을 보여도 그다지 위화감이 없었다.

레티시엘의 질문에는 루카스도 그 자리에서 고개를 위아래로 끄덕였다. 이 마을은 다음 발화사건이 일어날 가능성이 있어 방문한 것이었는데, 이 여행객의 조사도 병행해 나가기로 했다.

"……어라? 엘도 아버지도, 무슨 일 있으신가요?"

자원조달을 마치고 막 돌아온 지크는 자신이 없는 사이에 방침이 정해진 것을 모르고 고개를 갸웃거렸다.

***

린드가름 마을에 온 다음날. 레티시엘은 관광을 위장해 마을사람에게서 예의 나그네의 이야기를 듣고 있었다.

물론 예의 본인도 아직 여행을 떠났다는 이야기는 듣지

못했기 때문에, 묘한 억측을 피하기 위해 되도록 자연스러움을 가장해 정보를 모아갔다.

"그 나그네 말이야. 어제부터 식사에 전혀 손을 안 대. 아가씨도 나그네지? 여행하는 사람들이 좋아할만한 요리 같은 거 몰라?"

그렇다고는 해도, 혼자 여행하는 여성이 꽤나 신기한 것일까, 그 여행객의 소문은 마을 전체에 꽤 넓게 퍼져있었기 때문에 별로 고생도 하지 않았다.

"그러고 보니까, 그거 알아? 아가씨. 녹테트 산 정상에 고대유적이 있다는 이야기. 최근에 제도에서 흘러 들어온 이야기인데, 그 국경에 있는 산 있잖아? 그 꼭대기에 보물이 있다든가 뭐라든가."

"하지만 그 산 꽤 험준하다고 들었어. 그런 산의 꼭대기에 정말로 올라간 사람이 있는 거야? 뜬소문 아냐?"

"아니, 어쩌면 답파할 수 있었던 강자가 있었는지도 모르잖아! 아가씨도 그렇게 생각하지?"

"그, 그럴지도 모르겠네요……."

예상외로 마을 주민들이 수다쟁이였던 것도 있었다. 묻지도 않은 세상의 이야기까지 쓸데없이 자세하게 알게 되었다.

하지만 국경의 산인가……. 국경을 따라 형성된 산맥은 있지만, 산 하나뿐이라면 삼국의 국경이 서로 교차하는 장소에 있는 산을 말하는 것일까. 녹테트 산이라는 명칭도 처음 알게 되었다.

그건 제쳐두고, 지금은 여자 여행객의 정보였다. 이 마을에 도착한 것도, 그녀의 존재를 안 것도 바로 어제였기 때문에 레티시엘도 본인을 본 적은 없으나 마을에 온 뒤로 한 번도 밖으로 나온 적이 없다고 했다.

게다가 그 여성은 지금 마을 변두리에 있는 농가에 돈을 건네고 그 집의 별채에 머물고 있다는 것 같았다. 작기는 해도 마을에도 일단 딱 한 곳이나마 여관이 있었는데, 일부러 그런 장소를 희망하다니. 뭔가 사정이 있는 것처럼 생각되었다.

'여관을 이용하면 꼬리를 잡힐 것이라고 생각하는 것일까……?'

천 년 전의 경험상, 공적인 금전거래가 발생하는 시설을 피하는 이유는 이것이 가장 많았는데 이 여성의 경우는 어떨까.

아직 한동안 계속될 것 같은 마을 주민의 잡담을 적당한 선에서 자르고 레티시엘은 구입한 식재료가 든 종이봉투를 끌어안고 여관으로 돌아왔다. 아침식사를 사갖고 오던 중이었다.

"……오, 엘. 돌아왔냐."

여관방으로 돌아오자, 루카스가 읽고 있던 신문에서 얼굴을 들었다. 그 안쪽에서는 지크가 컵을 한 손에 들고 자료를 보고 있었다.

가족끼리 여행을 한다는 설정이 원인이긴 하겠지만, 여관에서는 3인실로 안내했기 때문에 두 사람과는 같은 방이었다.

어차피 속마음을 잘 아는 상대이기도 하고 해서 레티시엘은 별로 아무렇지도 않게 생각했으나, 어젯밤에는 지크가 조금 거북했던 것 같았다. 그러나 저 모습을 보니 이제 괜찮은 것 같았다.

"다녀왔습니다, 아버지."

"갑자기 장보기를 시켜서 미안했다. 가게는 찾은 거냐?"

"예. 그려주신 지도가 있어서요."

"하지만 아침식사를 자기가 알아서 해결하는 것도 꽤나 성가셔."

"늘 준비해주는 곳에서만 머물러 봤으니까요. 엘, 고생이 많았습니다."

"다녀왔어요, 지크."

레티시엘은 지크에게 인사를 건네며 방문을 닫고 곧바로 결계와 방음마술을 방 전체에 걸었다.

"……그래서? 뭔가 좀 들을 수 있었냐?"

그 작업이 끝난 것을 고개를 한 번 끄덕이는 것으로 전달하자, 루카스가 곧바로 본론으로 들어갔다.

"기본적인 이야기를 몇 가지인가 들었습니다. 다만, 그쪽에서 의심해서는 안 되었기 때문에 깊이 파고드는 질문은 할 수 없었지만요."

"상관없다. 어차피 우리도 도착한 지 이제 겨우 하루가 되었어. 큰 수확을 얻을 수 있을 것이라고는 생각하지 않아."

레티시엘은 마을 주민에게서 물어서 알아낸 예의 여자 여행객의 정보를 루카스에게 간결하게 전달했다. 루카스는 이야기를 들으면서 맞장구를 쳤고, 지크는 어디서 꺼낸 것인가 메모장에 정보를 적었다..

"과연…… 그거 꽤나 사정이 있어 보이는 분이시군."

보고가 끝나기 무섭게 루카스가 그렇게 말했다. 그것에는 레티시엘도 동감이었다.

"그것도 은발인가…… 제국의 인간이 아니군."

이것도 방금 전 아침식사를 사러 나간 김에 들은 정보였다. 그 여자 여행객은 깊숙이 눌러쓴 후드 탓에 얼굴을 알 수 없었으나, 후드에서 삐져나온 머리카락의 색은 보였던 것이었다.

"그런가요?"

"그래. 아무래도 그건 남쪽에서만 볼 수 있는 머리카락색이라는 것 같다. 기적이라고 할 수준은 아니지만, 그 나름대로 희귀한 색이야."

그 말을 듣고 보니, 천 년 전 리제네로제 왕국에서도 은발의 국민은 본 적이 없었다. 요즘으로 치면 라피스 국 안에 영토가 있었으니 당연한 것인가.

"다시 말해, 예의 여행객은 왕국인이라는 말씀이신가요?"

"어디까지나 가능성의 이야기이지만 말이지. 왕국인과 제국인의 혼혈일 가능성도 있으니, 아직 단정 지을 수는 없다."

지금은 일단 열심히 정보를 모으는 수밖에 없을 것 같았다. 일행은 우선 아침식사를 하고, 또다시 헤어져서 탐문을 하러 가기로 했다.

'……하지만, 역시 에두른 탐문으로는 얻을 수 있는 정보도 한정되네.'

그러나 아침 이상으로 좋은 성과는 나오지 않았다. 레티시엘은 휴식을 취할 겸 벤치에 앉아 생각했다.

예의 여행객은 머무는 곳에 틀어박혀 있다고 하니, 산책을 가장해 가까이 가는 것 정도라면 괜찮을까.

본인을 직접 만날 수는 없어도, 어쩌면 머물고 있는 농가 주인과의 이야기로 뭔가 참고가 될만한 정보를 들을 수 있을지도 몰랐다.

'이곳……일까?'

그렇게 생각해 레티시엘은 불쑥 마을 변두리로 향했다. 알기 쉽게도 밭에 둘러싸인 독채가 우두커니 있었다. 앞뜰에서는 머리띠를 두른 할머니가 괭이를 한 손에 들고 밭을 갈고 있었다.

"아니, 이런. 나그네가 아니신가?"

할머니 쪽이 먼저 이쪽을 알아차렸다. 괭이를 놓고 가까이 다가왔다.

"안녕하세요. 산책 삼아 근처를 지나던 중인데요. 이 근처에는 할머니 댁뿐인가요?"

"우리 집뿐이지. 옛날에는 좀 더 마을의 면적도 넓었는데, 인구가 줄어서 말이지. 지금은 마을의 수익이 되는 밭으로 바뀌어 버렸어."

"그랬나요……."

"하지만 아가씨처럼 젊은 사람들이 와주는 걸 보면, 이 마을도 아직 완전히 못 쓰게 되지는 않았어."

그렇게 말한 할머니는 어딘가 기쁜 기색이었다. 순수한 관광목적이 아닌 방문이었기 때문에, 레티시엘은 조금 면목이 없는 기분이 들었다.

문득 시야의 안쪽에서 뭔가가 움직인 것 같은 기분이 들었다. 레티시엘이 그쪽을 쳐다보니 그곳에는 나무로 된 오두막이 하나 서 있었다.

이쪽을 향한 창문 안쪽에서 희미하게 커튼이 흔들리는 것이 보였다. 방금 전까지 그곳에 누군가가 있었던 모양이었다.

"아아. 저게 신경 쓰이나? 저건 우리 별채라우."

"귀엽고 근사한 건물이네요."

"어머나. 기쁜 말을 해주는구만."

그렇다는 것은 예의 여자 여행객은 저곳에 살고 있다는 것인가. 겉에서 본 바로는, 창문은 전부 커튼까지 닫혀 있어서 완전히 외부의 시선을 거절하고 있었다. 그렇게까지 완강하게 밖으로 나오지 않는 것은 왜일까.

신경은 쓰였으나 억지로 캐물을 수도 없는 노릇이었다. 그래서 레티시엘은 그 화제는 언급하지 않고 적당히 잡담을 나누고는 돌아가기로 했다.

사건이 터진 것은 다음 날 미명 무렵이었다.

"큰일이다! 화재다! 화재가 일어났다!"

아직 달도 지지 않은 어스레한 시간에, 레티시엘은 창밖에서 들려오는 소란스러운 소리에 벌떡 일어났다. 밖을 바라보니 많은 마을 사람들이 횃불이니 나무통을 들고 뛰어다니고 있었다.

"뭐냐? 무슨 일이 일어난 거야?"

"화재라고 해요. 바깥을 보고 오겠습니다."

루카스와 지크도 잠자리에서 일어났다. 레티시엘은 한 마디 양해를 구하고 숙소 밖으로 뛰어나갔다.

"저, 대체 무슨 일인가요?"

그리고 가까이에 있던 마을사람을 붙잡고 질문을 던졌다.

"마, 마을 변두리……."

"예?"

"마을 변두리에 있는 집이 불타고 있어요!"

이 마을의 변두리에 있는 집이라면, 오후에 방문했던 그 할머니의 집밖에 없던 것 같기도 하고…….

"......!"

거기서 레티시엘은 상황을 깨닫고, 곧바로 불이 난 변두리의 집으로 향했다.

예상했던 대로, 할머니의 집이 불타고 있었다. 본채만이 아니라 꽤 멀리 떨어져 있는 별채도 불타고 있었고, 주위의 밭도 일부 불길에 휩싸여 있었다.

"이봐, 할멈! 정신 차려!"

"우우……."

할머니는 마을사람에게 구출된 상태였으나, 이미 왼팔과 다리에 화상을 입어 완전히 쇠약해져 있었다.

"할머니, 괜찮으신가요? 무슨 일이 있었나요?"

레티시엘의 뒤를 쫓아 루카스와 지크도 현장에 도착했다. 레티시엘은 할머니의 옆에 웅크리고 앉아 그렇게 물었다.

"……그 아이가."

"?"

"내일 아침에 떠난다고 말했어. 그래서, 도시락을 싸주려고 부엌에 갔는데…… 그랬더니, 꽃병이……."

"꽃병?"

"갑자기 불탔어…… 그 아이가, 태워서……."

그 아이…… 아마도 여자 여행객을 말하는 것이리라. 그 사람이 무기물인 꽃병을 불태움으로써 화재가 발생한 것처럼 들렸다.

그렇다는 것은, 레티시엘의 예상이 들어맞았다는 것일까. 정말로 이 마을이 다음의 원인모를 화재의 현장이 되고 말았다…….

'그러고 보니 그 여행객은…….'

인파 속에도 그럴듯한 사람 그림자가 없다는 사실을 레티시엘은 알아차렸다.

화재가 발생한 뒤로 그렇게 긴 시간이 경과하지 않았다. 아직 멀리까지 가지는 않았을 터였다. 레티시엘은 색적마술을 기동해 주위의 기척을 탐색했다.

'……있다.'

효과범위를 최대로 해서 탐색하자, 마을에서 조금 떨어진 숲속에 사람의 기척 하나가 있었다. 아마도 이것이리라.

"……할머니, 잠깐 실례할게요."

그를 뒤쫓기 전에 레티시엘은 일단 쇠약해진 할머니의 손을 잡았다. 그리고 치유마술을 발동했다.

제국은 마법과도 같은 능력을 금기로 여기는 나라였다. 본래 함부로 마술을 사용해서는 안 될 테지만, 이대로는 할머니의 목숨이 위태로웠다. 망설일 때가 아니었다.

옅은 빛의 입자가 할머니의 전신을 감쌌다. 그것들은 이윽고 화상의 상처를 모두 치유하고 반딧불이처럼 또다시 흩어졌다.

"너, 너는 대체……."

가까이에서 할머니를 돌보던 남자 주민이 너무 놀란 나머지 눈을 부릅떴다. 레티시엘은 아무 말도 하지 않고 자리에서 일어나, 그대로 마을 밖으로 나왔다.

"엘. 이 뒤에는 어쩔 생각이냐?"

루카스와 지크도 곧 뒤를 쫓아왔다. 짐은 아무래도 여관을 나선 시점에서 이미 모두 챙긴 것 같았다.

"동쪽으로 향하겠습니다. 아마도 예의 여행객은 그쪽으로 도망쳤을 거예요."

"동쪽? 색적한 겁니까?"

"예. 서두르죠."

할머니가 말한 것이 사실이라면 이 화재의 범인은 그 여자 여행객이었다. 상황으로 보건대 일련의 화재 사건을 일으킨 범인이 그녀일 가능성도 떠올랐다.

레티시엘 일행은 색적마술로 탐지한 대로 동쪽 숲으로 향했다. 그러는 사이 색적은 계속하고 있었는데, 여자 여행객의 이동속도는 그렇게까지 빠르지 않았다. 아직 충분히 따라잡을 수 있을 것 같았다.

"⋯⋯! 엘, 저기."

숲에 들어가고 잠시 후, 지크가 사람의 그림자를 육안으로 확인했다. 순간적으로 보인 실루엣은 망토를 뒤집어 쓴 인물이었다.

"고마워요, 지크. 쫓아갈게요."

레티시엘은 그 인물을 시야에서 놓치지 않도록 주의하면서 그 뒤를 쫓았다. 망토의 인물을 따라잡은 것은, 숲을 빠져나와 거친 바위 밭으로 나왔을 때였다.

"기다려요!"

레티시엘이 그렇게 외치자, 사람 그림자도 발을 멈추었다.

"당신, 린드가름에 있던 여행객이죠? 묻고 싶은 것이 있어요."

"……."

"그 마을에서 방금 수상한 화재가 발생했어요. 불탄 집의 주인은 당신이 했다고 했죠. 대체 뭘 한 거죠?"

레티시엘은 단도직입적으로 그렇게 날카롭게 추궁했다.

"……후후."

긴 침묵을 거쳐 사람 그림자…… 여자 여행객은 작게 웃었다. 이 상황에서 왜 웃는 것일까. 그것보다 이 목소리, 어디선가 들은 적이 있는 것 같기도 하고……?

"어제 도망쳤으면 좋았어. 그랬다면 더 멀리 갈 수 있었을 텐데."

"……!"

뒤를 돌아본 여행객의 얼굴에 레티시엘은 두 눈을 크게 떴다. 꽤나 오랜만에 보는 얼굴이었다.

"당신, 죽은 거 아니었나요?"

"죽었어. 공작영애로서의 나는 말이지."

세리냐는 그렇게 말하고 비뚤어진 미소를 지었다. 살아있었다는 점에도 놀랐으나, 그녀가 원인모를 화재 사건의 범인이라고 생각하자 한층 경악스러웠다.

"화재의 원흉은 당신인가요?"

"그래. 이 큐브를 써서 말이지."

세리냐가 품에서 꺼낸 하얀 입방체도 본 기억이 있었다. 예전에 제국군 진지에서 디오르그와 대치했을 때, 디오르그가 최후의 수단으로서 사용했던 그 물체였다.

디오르그는 마지막에 그 물체에서 뿜어져 나온 불꽃에 삼켜지는 형태로 숨이 끊어졌다. 설마 그건 세리냐에게 건네받았던 것일까.

"어째서……."

"아하. 네게 가르쳐 줄 이유는 없지."

시종일관 얼굴에 미소를 띤 채, 세리냐는 망토를 나부끼며 달리기 시작했다. 그것과 동시에 두 사람 사이에 무수한 그림자가 끼어들었다.

어둑어둑한 가운데에서도 하얀 머리카락과 붉게 빛나는 눈은 똑똑히 보였다. 주술병이었다. 아무래도 바위 밑의 그림자에 숨어 있었던 모양이었다. 유인당한 건가.

"캬악!"

레티시엘은 이쪽을 보자마자 맹렬하게 덤벼드는 주술병의 이마에 압축한 공기탄을 박아 넣었다.

주술병이 비명을 지르며 쓰러졌으나 곧바로 다른 개체가 뛰쳐나왔다. 레티시엘도 탄알의 수를 늘려서 대항했으나, 계속해서 쓰러뜨려도 주술병의 수는 줄지 않았다.

'이래서는 끝이 없겠어……'

세리냐의 모습은 이미 보이지 않았다. 색적마술을 사용하면 위치를 찾는 것은 간단했으나, 이만한 수의 적이라면 떨쳐내는 것도 한 고생이었다.

"이봐, 엘. 여기는 우리에게 맡겨라."

"예?"

루카스가 물의 마법을 휘감은 의수로 적을 후려치며 뒤를 돌아보지도 않고 그렇게 말했다.

"너는 그 여자를 쫓아라. 놓치면 안 되잖아."

"하지만……"

"괜찮습니다. 저희도 곧바로 따라갈 테니까요."

지크도 그렇게 말하며 레티시엘의 등을 떠밀었다. 잠시 망설였으나, 결국 레티시엘은 이 자리를 두 사람에게 맡기기로 했다.

'세리냐는……'

레티시엘은 주술병 무리를 빠져나와 곧바로 색적마술을 발동했다 바위 밭의 위로 도망치는 사람이 하나 포착되었다. 세리냐이리라.

"……!"

레티시엘은 곧바로 그 뒤를 쫓았으나, 그녀의 추격을 알아차린 세리냐가 큐브 하나를 이쪽으로 던졌다.

레티시엘이 순간적으로 그것을 피하자, 큐브는 레티시엘의 전방에 떨어져 순식간에 불의 장벽을 형성했다.

"그건 어떤 물질이라도 태울 수 있는 특별한 불꽃이야! 절대로 끄지 못해!"

세리냐의 모습은 불꽃 벽 때문에 보이지 않았으나, 목소리만큼은 주위에 메아리치면서 귀에 다다랐다. 과연. 지금까지의 화재 사건에서 하나같이 무기물들이 발화 원인이 된 것은 그런 이유였나.

레티시엘은 시험 삼아 물 마술을 불꽃에 끼얹어 보았다. 하지만 전혀 진화되지 않았다. 그녀는 소화를 포기하고, 자신에게 신체강화마술을 걸었다.

그리고 그대로 강하게 지면을 박차고 올랐다. 신체강화가 이루어진 레티시엘의 도약은 불꽃의 벽을 가뿐하게 넘었고, 레티시엘은 반대편에 가볍게 착지했다.

앞쪽을 바라보자, 불꽃의 벽이 한층 더 강해져 버티고 있었다. 도망치는 김에 세리냐가 던지고 간 것인 것 같았다.

벽에 높낮이는 있었으나, 그것은 도약의 높이를 조절하면 별 것 아니었다. 레티시엘은 모든 불꽃의 벽을 눈 깜짝할 사이에 뛰어넘었다.

불꽃의 벽을 뛰어넘은 그 앞에는 절벽이 있었다. 그 아슬

아슬한 위치에 서서 세리냐는 물끄러미 이쪽을 똑바로 쳐다
보고 있었다.

"이제, 도망칠 곳은 없어요."

"……."

레티시엘이 한 걸음 전진해도 세리냐는 꼼짝도 하지 않았
다. 그저 그 얼굴이 조금씩 일그러지더니, 이윽고 만면의 미
소로 바뀌었다.

"그래…… 역시 넌 언제까지고 내 방해를 하는구나."

"대답해주세요. 왜 왕국에서 도망친 건가요?"

"……재판에서 도망치기 위해서야. 당연하잖아."

"……의미를 알 수가 없네요. 그건 당신의 제멋대로의 사
정에 불과해요."

"후후. 설교따위 필요 없어."

부자연스럽게 입 꼬리를 끌어올리며 기분 나쁜 미소를 짓
는 세리냐의 눈에는 감정이 없었다. 아무것도 비추지 않는
공허한 눈이 레티시엘을 보고 있었다.

"……당신이 디오르그의 옆에 있던 이유는 뭐죠?"

"어머. 시시콜콜 캐물을 생각이야?"

"됐으니까 대답이나 해요."

"뭐, 됐어. 그 정도는 가르쳐줄게."

세리냐의 미소가 한층 깊어졌다. 절벽 위를 불어나가는
바람에 망토와 후드가 펄럭이고, 세리냐의 은발이 춤을 추

었다.

"플라티나 왕국을 멸망시키기 위해서야."

"……에?"

"그러기 위해 왕국군의 정보도, 네 존재도, 이름도 가르쳐줬는데 정말로 도움이 되지 않는 남자였어. 죽은 게 다행이야."

이전에, 제국병이 왜인지 감춰져 있을 터였던 『마도사 시엘』의 본명을 알고 있던 적이 있었는데, 그것은 세리냐가 가르쳐줬던 것인가.

"왜, 그런 짓을…… 뭐 때문이죠?"

"간단한 얘기야. 나를 아는 그 나라가 멸망해버리면, 내 과거는 전부 없던 것으로 만들 수 있어. 내 말이 유일한 진실이 될 테고, 그렇게 되면 나는 다시 귀족 사회로 복귀할 수 있어. 또다시 그 눈부시게 아름다운 세계로 돌아갈 수 있는 거야……."

거기서 세리냐는 일단 말을 끊었다. 미워서 견딜 수 없다는 것 같은 시선이 똑바로 레티시엘에게 날아와 박혔다.

"하지만 그 전에 우선 너부터 처리했어야 했어. 정말, 그것만큼은 아쉬운 오산이었어."

"이해할 수가 없네요. 나라를 하나 멸망시키면서까지 지키고 싶은 비밀이라니……."

"후후……."

이후로는 레티시엘이 무엇을 물어도 세리냐는 옅게 웃을

뿐이었다. 이제 이야기할 생각은 없는 것 같았다.

"……당신을 여기서 놓아줄 수는 없어요. 당신을 본국으로 송환하겠습니다."

"어머, 싫어. 나는 이제 누구에게도 잡혀줄 생각이 없어."

그렇게 말하기가 무섭게, 세리냐는 품에서 꺼낸 큐브를 자신의 바로 앞에 내동댕이쳤다. 순식간에 일어난 일이었다. 레티시엘이 놀라 주춤한 사이, 세리냐의 키와 높이가 비슷할 정도의 불기둥이 솟아올랐다.

"……! 무슨 짓을?!"

"후후후. 말했지? 잡혀줄 생각은 없다고."

불꽃은 세리냐 주위를 빈틈없이 둘러싸고 타오르고 있었다. 타닥타닥 하고 바람을 타고 뭔가가 타서 눌어붙는 냄새가 났다. 세리냐의 옷에 불이라도 붙은 것일까.

"세리냐 님. 당신 바보인가요?"

"말이 꽤 심한걸. 나는 지극히 정상이야."

"……죄에서 도망치기 위해 죽을 생각인가요?"

"그래, 물론이야. 내 목숨은 나만의 것이야. 두 눈 멀쩡히 뜨고 타인에게 짓밟히게 할 생각은 없어!"

"……당신은, 비뚤어졌어."

"아하하! 비뚤어졌다고? 내가? 네가 그런 말을 하는 거니? 그 집에서 가장 비뚤어졌던 건 너였잖아?"

흔들흔들 피어오르는 아지랑이 때문에 세리냐의 모습이

일그러지고, 웃음소리에 폭음이 섞여 불협화음을 일으켰다.

"집의 물건은 다 부수고, 짜증을 낼 때마다 방을 부수었어. 네가 울면 비가 내리고, 발을 동동 구르면서 억지를 쓰면 대지가 흔들렸지. 넌 늘 그것을 보고 소리를 내어 웃곤 했어. 철이 들기 전부터, 넌 그 집의 재앙이었어!"

"……."

그 기억은, 지금의 레티시엘의 안에는 없었다.

레티시엘의 기억이 깨어나기 이전의 도로셀의 인생은 아직 알지 못하는 일의 쪽이 압도적으로 많았다.

세리냐가 사실을 말하고 있다는 보장은 없었으나, 지금 가슴 깊은 곳에서 느껴지는 희미한 통증은 진짜였다. 언젠가 그 기억까지 알 수 있는 때가 올까.

"그런 것보다, 너 이런 곳에서 나한테만 매여 있어도 괜찮은 거야?"

"……?"

"그 하얀 소년. 이름은 뭐라고 했더라? 내가 그저 도망치고만 있었다고 생각하는 거야?"

"……예?"

하얀 소년…… 사라 즉 가면의 소년이 레티시엘의 뇌리를 스쳤다.

"그게 무슨 말……이죠?"

레티시엘은 전신에서 핏기가 가시는 느낌을 받았다. 지금 그 말로는, 마치 이러고 있는 사이에 결사의 계획이 한층 앞선 단계로 진행되고 있는 것 같지 않은가······.

"그 말대로의 의미야. 미끼로 사용된 건 유감스럽지만, 네 그 파랗게 질린 얼굴을 본 것만으로 보람이 있었어."

"······무슨 일이 일어난다는 거죠? 당신은 어디까지 알고 있죠?"

"글쎄. 나는 세계 같은 스케일 큰 일에 관심 없어. 알고 싶으면 스스로 확인하러 가봐. 아하하!"

웃는 세리냐의 얼굴은 정말로 즐거운 것 같았다. 불길은 이미 그녀의 허리 근처까지 올라와 있었다. 곧 죽는 마당에 왜 이렇게 웃을 수 있는 것일까.

눈앞에 있는 과거 언니였던 인물이, 지금 레티시엘에게는 정체를 알 수 없는 괴물처럼 보여서 견딜 수가 없었다.

"아하하하하하!"

***

어릴 때부터 늘 바로 곁에는 거짓말이 있었다.

첫 거짓말은 왕녀 알렉시아가 공작령에서 죽은 그 사고였다. 그 사고의 원인은 세리냐가 갖고 들어간 큐브였다.

그것은 그 근처를 지나던 상인이 선택받은 사람만이 사용할 수 있는 특별한 장난감이라고 말하며 건넨 것이었다. 하지만 아무리 만져 봐도 움직이지 않아서, 싫증이 나 창고에 두고 갔다.

마력을 흡수해 연료로 삼는 큐브가 그것을 만진 왕녀의 마력과 반응해 불꽃을 내뿜었다. 하지만, 그 죄를 도로셀에 게 덮어씌웠다. 그것이 시작이었다.

사고의 책임을 지고 왕비 조세피느가 독을 마신 그날 밤, 어른들의 대화를 훔쳐들었다. 도로셀이 진짜 범인이라고 생 각하는 사람은 없었다. 하지만 누구도 그것을 지적하지 않 았다.

모두가 미워하고 꺼려하던 아이에게 모든 과오를 떠넘기 면 누구도 쓸데없이 다치지 않는다고, 어른들은 웃었다. 거 짓말이 진실의 자리를 빼앗는 일은 매우 손쉬운 일이라는 것을 처음 알게 되었다.

그 뒤로 수많은 거짓말을 봐왔다. 사교계의 아무 근거도 없는 기분전환용 소문, 귀족들의 속떠보기, 책략의 응수. 인간의 부정적인 면을 잔뜩 보았다.

사람을 믿을 수 없게 되었다. 사실을 말하지 않게 되었다. 거짓말만을 하게 되었다. 정신을 차려보니 진짜 자신이 어떤 사람이었는지도 알 수 없게 되어 있었다.

남은 것은 첫 번째 거짓말 이후 줄곧 거짓말로 도배해온 거짓된 자신 하나뿐.

자신은 이미 텅 비었다. 그러니 거짓말로 만들어진 가면이라는 것을 알아도, 그것만큼은 잃어버리지 않도록 하자. 이것이 없어지면, 거짓말로도 자신을 자신이라고 생각할 수 있는 것이 없어지고 만다.

그래서 왕국에서 도망쳤다. 재판에 회부되면 모든 거짓말은 만천하에 공개되어 버린다. 정체성을 상실하는 것은 죽어도 싫었다.

그때 깨달았다. 그늘에 숨어서 몰래 지낼 필요는 없다고. 그때의 어른들처럼, 진실을 거짓말로 덮어씌워버리면 되었다.

그래서 왕국이 멸망하면 된다고 생각해서 디오르그에게 몸을 위탁했다. 세리냐가 끌어안은 시작의 거짓말. 그 진실이 밝혀질 가능성이 있는 것은 플라티나 왕국뿐. 그 왕국이 없어지면, 세리냐의 거짓말은 이번에야말로 진실로 바뀔 수 있었다.

하지만 그것은 실패로 끝났다. 바로 지척까지 그 아이가 바짝 다가와 있었다.

남겨진 선택지는 많지 않았다. 모든 것을 포기하고 죄를 고백하든가, 사죄의 말을 입에 올리며 화해를 청하든가. ……어느 쪽도 싫었다.

불속에 뛰어드는 것에 공포는 없었다. 오히려 마지막에 남은 이 거짓말을 끝까지 지켜낸 일에 달성감조차 느껴졌다.

이제 선택할 수 있는 길이 없다면, 모든 것을 흐지부지하게 만들어버리자. 죽은 사람은 말이 없는 법. 세리냐가 죽으면, 왕녀살해의 진상을 이야기할 수 있는 사람은 없었다.

그걸로 됐어. 그게 좋아. 이 죄, 누가 됐든 판단하게 놔두지는 않겠어.

자, 지옥에서는 어떤 거짓말이 기다리고 있을까?

* * *

세리냐의 높은 웃음소리가 업화 속으로 빨려 들어가고, 이윽고 불꽃이 타오르는 소리에 섞여 들리지 않게 되었다.

그 뒤에는 기세 좋게 불꽃이 타오르는 소리만 울릴 뿐, 그곳에는 인간이 있던 흔적조차 없었다.

"도로셀. 무사하냐?"

뒤늦게 루카스와 지크가 도착했다. 저쪽의 전투도 일단락된 모양이었다.

"빨리 사라를 만나야겠어요……."

결판이 났어도 레티시엘의 초조함은 사라지지 않았다. 자신이 모르는 사이에 사라의 진영에서는 뭔가가 일어나고 있다는 것인가.

그 아이의 목적은 마술의 근절이라고 했다. 그러나 그것뿐이라고는 생각되지 않을 정도로, 지금까지의 움직임은 모두 수단을 가리지 않는 것들뿐인 것처럼 생각되었다.

"응? 왜 그러냐? 이봐, 진정해."

"무리예요. 이러는 사이에도 결사의 계획은 진행되고 있을 지 모른다고요. 바로 확인하러 가야 해요……."

"그러니까 진정하라고! 조급해해도 소용없잖아! 애초에 그 녀석이 있는 장소, 짐작 가는 곳이라도 있는 거냐?"

"그건……."

있을 리 없었다. 레티시엘은 사라의 행방이나 존재를 탐지 할 수 없었다. 백의 결사도 탐지당하지 않도록 행적을 철저 하게 숨기고 있었다.

"하나하나 뒤져서 찾을 수도 없고 말이죠……."

"우선 가까운 마을로 돌아가자."

루카스와 지크가 발길을 돌려 왔던 길을 돌아가려고 했 다. 레티시엘도 그것을 따르고자 한 걸음 앞으로 내디뎠다.

그 순간, 시야 끄트머리에 스치는 것이 있었다.

반사적으로 돌아본 레티시엘의 눈에, 아름다운 백은의 머 리카락을 가진 소녀의 모습이 날아 들어왔다.

"저 아이는……."

본 적이 있는 뒷모습이었다. 허리까지 내려오는 긴 은발에 무늬 없는 하얀 원피스. 신발은 신고 있지 않아서 도자기처 럼 하얀 발이 직접 지면에 닿아 있었다.

소녀의 윤곽은 어렴풋하게 빛나며 마치 아지랑이처럼 흔 들리고 있었다. 도저히 살아있는 인간이라고는 생각되지 않 았다.

시야의 왼쪽만이 빨갛게 물드는 이 감각도 알고 있었다. 틀림없었다. 실버아이언을 찾기 위해 밤의 산으로 향했을 때, 레티시엘의 앞에 나타났던 그 소녀였다.

"······너는, 누구야?"

『······.』

소녀는 대답하지 않았다. 어느샌가 루카스와 지크의 모습도 보이지 않게 되었고, 이 공간 속에는 소녀와 레티시엘만이 남겨져 있었다.

『······.』

소녀는 아무 말도 하지 않은 채 조용히 오른팔을 들었다. 그 오른손으로 어딘가를 가리키고 있었다.

레티시엘은 그녀가 내뻗은 손가락의 끝을 바라보았다. 그 끝에는 새카만 산의 정상이 있었다.

저 방향은······ 분명히 삼국의 국경이 교차하는 지점이었을 터. 대륙 최고봉인 녹테트 산이 솟아있고, 국경 부근에 서라면 각국에서 그 정상이 보일 터······.

"······!"

그 녹테트 산의 정상을 새카맣게 꿈틀거리는 무언가가 완전히 뒤덮고 있었다. 때때로 바람에 휘날린 것처럼 공중으로 가지를 뻗는 그것은, 자세히 보니 안개형태의 물질이었다.

레티시엘은 맹렬하게 불길한 예감을 받았다. 왜인지는 알 수 없었다. 다만, 자신이 가야 할 장소는 저곳이라고, 그것만큼은 강하게 확신했다.

"……봐, 이봐, 도로셀!"

이름을 부르는 큰 목소리에 레티시엘은 현실로 되돌아왔다. 눈앞에는 이미 그 소녀도 없었거니와, 검은 안개에 덮인 산의 정상도 없었다.

그 대신 미간에 주름을 모은 루카스가 레티시엘의 얼굴을 보고 있었다. 뒤에서도 지크가 걱정스러운 듯이 기색을 살피고 있었다.

"……녹테트."

"응?"

"학원장님, 출발하죠."

"엉? 이봐, 왜 그러는 거냐, 갑자기. 출발이라니, 어디를 가려는 거야."

입을 열기 무섭게 그런 뜬금없는 소리를 꺼낸 레티시엘에게, 루카스는 당황을 감추지 못하는 기색이었다.

"녹테트 산이에요. 서두르면 날이 저물 때까지는 시간을 맞출 수 있을 겁니다."

"뭐? 잠깐만. 뭐냐, 갑자기."

"……아마도, 그곳에 그 아이가 있을 거라고 생각해요."

확신도 없이 그렇게 말하는 레티시엘을 보는 루카스와 지크는 점점 더 당혹스러워했다. 특히 루카스는 미간에 한층 더 주름을 모았다.

"생각한다니…… 뭘 근거로……."

"……근거가 있느냐고 묻는다면, 아무 말도 할 수 없습니다. 이건 단순한 제 감입니다."

이렇게밖에 설명할 수 없는 일에 레티시엘은 조금 안타까운 느낌을 받았다. 그도 그럴 것이 자신이 본 환상이 가르쳐 주었다는 것을 어떻게 설명하면 좋단 말인가.

"묘한 소리를 하고 있다는 자각은 있습니다. 하지만, 그렇게밖에 대답할 수가 없습니다."

"……."

"지금은 부디 가게 해주시겠어요? 어떻게 해서든 그곳에 가야 합니다. 누군가가 저 산에서 저를 부르고 있어요. 가지 않으면, 분명히 후회할 거예요……."

자기 입으로 말해놓고 이런 말하기는 뭐했지만, 억지를 부리는 것처럼 생각하는 레티시엘은 저도 모르게 눈을 내리깔았다. 침묵이 흐르고, 누구도 움직이지 않는 시간이 잠시 계속되었다.

잠시 후, 작은 한숨을 내쉬는 목소리가 들려왔다. 그 소리에 레티시엘이 고개를 들자, 끈기에 진 것 같은 루카스가 머리를 난폭하게 긁적였다.

"……알았다. 너를 믿으마. 이런 때에 그렇게 질 나쁜 농담을 할 네가 아닐 테니까 말이지."

"……고맙습니다."

"그렇다면, 지금 당장 준비를 해야겠지요. 필요한 물자를 조달해오겠습니다."

"그래. 부탁하마. 너무 멀리 가지는 마라?"

종종걸음으로 달려가는 지크의 등에 루카스가 말을 보냈다. 레티시엘은 아무 말없이, 저 멀리에 솟아있는 녹테트 산의 정상을 올려다보았다.

산 정상 부근에 방금 전 보았던 검은 안개는 보이지 않았다. 대신 새의 무리가 그림자를 드리우고 있었다. 안개는 없다고 해도, 불길한 예감을 자극하는 것은 똑같았다.

시야의 왼쪽이 붉게 물들었다. 이제는, 놀라지 않았다.

방금 전까지 아무것도 없던 시선의 끝에, 하얀 소녀가 서 있었다. 양손을 뒷짐 지고, 이쪽을 바라보고 있었다. 그녀가 확실하게 얼굴을 내보인 것은 이것이 처음이지 않을까.

바람도 없는데 소녀의 머리카락이 크게 나부꼈다. 얼굴에 걸린 머리카락을 치우지도 않고, 적과 청의 두 가지 색 눈동자로 이쪽을 무감정하게 바라보고 있엇다.

그곳에는 **도로셀**이 있었다. 정확히는 좀 더 어린 도로셀이 있었다. 아직 이 몸이 도로셀의 것이었을 무렵의 모습인가, 혹은 그것을 사칭한 무엇인가.

놀라지는, 않았다. 왠지 그렇지 않을까, 라고 생각했던 일이었다.

"……어째서?"

의문은 있었다. 하지만 레티시엘의 질문에 대한 대답은 없었다. 정신을 차렸을 때에는, 이미 소녀는 또다시 사라지고 없었다.

그녀는 대체 누구이고, 어째서 레티시엘의 앞에 몇 번이고 모습을 나타내는 것일까. 그렇게 해서 레티시엘에게, 무엇을 전하고자 하려는 것일까.

7장 녹테트 산의 정상에서

 이리스 제국 린드가름에서 녹테트 산까지, 마술을 구사해 최대한 빨리 이동해도 최소 한나절은 필요로 했다.

 때문에 목적지에 도착했을 무렵에는 이미 시간이 한참 지나 태양도 구름 뒤쪽으로 숨어서 회색 하늘이 머리 위에 펼쳐져 있었다.

 "⋯⋯두 사람 모두 괜찮은가요?"

 산기슭까지 도착해 일단 발을 멈춘 레티시엘은 뒤에서 따라오는 지크와 루카스를 돌아보았다.

 길을 서두르기 위해 그들에게도 신체강화마술을 걸었는데, 신체에 익숙지 않은 마술을 쓰는 바람에 지치지 않았을까 걱정이었다.

 "예. 그럭저럭이요⋯⋯."

 "아무렇지도 않다. 몸은 조금 무겁지만, 뭐 어떻게든 될 거다."

 지크는 이마의 땀을 훔치면서, 루카스는 어깨를 돌려 풀면서 말했다. 역시 상당히 부담이 되고 있는 것 같았다.

 남은 것은 산을 올라가는 것뿐이기 때문에, 레티시엘은 두 사람에게 건 신체강화마술을 풀었다. 그리고 어디까지 효과가 나올지는 알 수 없었으나 출발 전에 지크가 준비한 피로회복용 허브티를 수통 째로 두 사람에게 건넸다.

'마술에 피로회복 술법이 있으면 좋을 텐데…….'

지금만큼은 절실히 그렇게 생각했다. 요즘에는 여러모로 바빠서 마술연구를 못하고 있으나, 여유가 있을 때 연구해 보는 것도 좋을지도 몰랐다.

"조금 쉬었다 갈까요?"

"아니, 필요 없다. 서두르고 있잖아?"

"그렇긴 합니다만……."

"괜찮다, 도로셀. 우리는 신경 쓰지 마."

그렇게 말은 해도 루카스의 이마에서는 커다란 땀방울이 흘렀고 호흡도 거칠었다. 그래서는 설득력이 전혀 없었다. 이런 상태의 그들을 놔두고 혼자서만 가버릴 수는 없었다.

"……도로셀 님."

"뭐죠?"

"먼저 가세요."

그 자리에서 움직이지 않고 있던 레티시엘에게, 지크까지 그런 말을 꺼냈다.

"안돼요. 이런 상태의 두 사람을 두고 갈 수는 없어요."

"괜찮습니다. 다친 것도 아니니, 조금 쉬면 금방 좋아질 겁니다."

"그게 걱정이라고 말하고 있는 거예요."

루카스도 그랬지만, 지크도 기진맥진한 것은 마찬가지였다. 그것도 레티시엘의 억지에 동참하게 만든 것이 원인이었다. 더더욱 그냥 놔둘 수는 없었다.

"하지만, 도로셀 님에게는 시간이 없지 않으십니까. 이러는 사이에도 이 산 어딘가에서, 결사의 계획이 진행되고 있을지도 모릅니다."

"그건……."

"……지크의 말대로다. 우리한테 시간을 낭비하지 말고 너는 길을 서둘러라. 우리는 나중에 쫓아갈 테니 말이다."

"……."

분명히 그 말을 들으니 끽소리도 할 수 없었다. 그래도 잠시동안 망설였으나, 결국 레티시엘은 두 사람의 의견을 받아들여, 혼자 먼저 길을 서두르기로 했다.

"……알았습니다. 먼저 가서 기다릴게요."

레티시엘은 두 사람에게 등을 돌리고 산길을 올라갔다.

길이라고 부를 수 있을지 어떨지 조차도 의심스러운 길을 올려다보며, 레티시엘은 회색하늘을 등지고 솟아오른 녹테트 산의 정상을 똑바로 바라보았다.

'……이 감각, 기억이 있어.'

자신은 한 번 이 근처에 온 적이 있었다. 최근의 일이었다. 그때에는 밤이어서 알아차리지 못했으나, 분명히 레티시엘은 이곳에서 실버아이언을 주웠다.

"……이곳에 뭐가 있다는 거야?"

그녀는 작게 중얼거려보았다. 대답은, 당연히도 어디에서
도 들려오지 않았다.

재료를 모으기 위해 이곳을 방문했을 때에도, 레티시엘은
똑같이 하얀 소녀의 그림자를 보았다. 소녀에게 인도되듯
이, 이곳에서 실버아이언을 입수했다.

레티시엘은 이번에도 하얀 소녀…… 도로셀의 환영에게
이끌려 이곳에 왔다. 그때부터 도로셀의 환영은 이곳에 무
언가 있다고 알아차렸던 것일까.

다행히, 산 정상까지 이어지는 길은 이 길 하나인 것 같았
다. 덩굴이나 나무뿌리에 발이 걸리지 않도록 조심하면서
레티시엘은 산 정상을 목표로 했다. 신기하게도 목적지는
바로 그곳이라고 마음 속 어딘가에서 확신하고 있었다.

신체강화마술 덕분에 빠른 걸음으로 산길을 올라도 크게
피곤하지 않았다. 빠르게 언덕을 올라가자, 언덕의 종착점
이 시커먼 구멍으로 연결되어 있는 것이 보였다.

'동굴……?'

아직 산 정상에는 도착하지 않았으나, 길은 그 산의 표면
에 뚫린 동굴 안쪽으로 이어졌다. 아무래도 동굴에 들어가
도 계속 오르막길인 것 같았다.

길이 난 방향을 따라 나아가면 산 정상에 도착할 수 있을
지 모른다. 레티시엘은 그렇게 판단하고 동굴 안을 나아갔

다. 내부는 어두울 것이라고 생각해 빛 마술을 준비했으나, 예상과 달리 동굴 내부는 밝았다.

이유는 바로 알 수 있었다. 오르막길은 동굴 내에서 나선형으로 계속되고 있었는데, 그 가장 높은 곳에서 희미하지만 빛이 쏟아져 들어오고 있었다.

이윽고 오르막길의 끝이 보이기 시작했다. 레티시엘은 동굴을 빠져나가 빛 아래에 섰다. 눈앞의 시야가 단숨에 탁 트였다.

산 정상은 거대한 칼데라로 되어 있어서 이곳이라면 분지 안을 한 번에 둘러볼 수 있었다.

"이곳은……."

그곳에는 광대한 도시가 펼쳐져 있었다. 정확히는 과거 도시였다고 생각되는 것의, 넓은 폐허였다.

주변 일대의 녹음 속에 기둥의 잔해나 돌벽, 가옥의 토대였을 사각 블록이 보일 듯 안 보일 듯 숨어 있었고 이끼나 덩굴이 그것들을 다 덮어버릴 것 같은 기세로 우거져 있었다.

그 모습을 보는 한, 이 도시가 폐허가 된 뒤로 오늘날까지 꽤 긴 세월이 지난 것 같았다. 원형을 유지하고 있는 건물은 거의 보이지 않았다.

하지만 딱 한 가지 예외가 있었다. 초목에 뒤덮여 사라지려 하고 있는 도시의 중앙, 무너지다만 주위 건물보다도 훨씬 높게, 탑 하나가 솟아올라 있었다.

정상 부근의 지붕 밑에는 숫자가 지워진 하얀 원반과 부러져서 볼품없어진 긴 바늘. 아무래도 이것은 과거 시계탑이었던 것 같았다.

'이 손상 정도…… 꽤나 오래 전의 도시구나.'

그렇지 않으면 방치된 뒤 이렇게나 황폐해지는 일은 없었을 것이다.

동굴 밖에도 절벽을 따라 내리막길이 이어지고 있었다. 그것을 따라, 레티시엘은 폐허 안으로 들어갔다.

건물이 무너져 있다고는 하나, 도로에 서자 그 나름대로 좌우에서 압박감이 느껴졌다. 과거에는 돌로 된 도로였을 거리에서는 벽돌틈새로 잡초가 자랐고, 걸을 때마다 풍화된 벽돌들이 빠직빠직 소리를 내면서 갈라졌다.

집 자체는 2층의 벽이 남아 있는 것들도 많았기에 전성기에는 상당한 수의 주민이 있었을 것으로 추측되었다.

건축물을 보니 건축양식은 돌로 만든 벽돌을 쌓은 뒤 그 위를 덧칠한 양식으로, 지금 시대에는 볼 수 없는 오래된 방식이었다. 이 도시가 번영했던 것은 언제 무렵일까.

"……!"

문득 등 뒤에 기척이 느껴졌다. 지크와 루카스는 아니었다. 좀 더 명확한 살의를 품은 기척이었다.

레티시엘이 뒤를 돌아보자 그와 동시에 검은 덩어리 같은 것이 덤벼들었다. 레티시엘은 순간적으로 옆으로 뛰어 피했다. 그러자 방금 전까지 레티시엘이 있던 자리에는 바람구멍이 뚫려 있었다.

레티시엘은 주술병인가 싶어서 경계태세를 취했다. 그러나 구멍이 난 자리에 있던 것은 검은 안개를 두른 괴물이었다. 호흡과 함께 입에서 안개를 내뿜고 있었으며, 늑대와도 닮은 형상을 하고 있었다.

예전에 비슷한 적과 싸운 적이 있었다. 로시포드가 성유물을 해방했을 때 풀려났던 괴물이었다. 이 무렵, 결사와의 싸움에서는 주술병들만 상대하고 있었는데 꽤나 오랜만에 본 것 같은 기분이 들었다.

"그르르르르……."

정신을 차리고 보니 주위 일대에서 짐승이 으르렁거리는 소리가 들려왔다. 모습은 보이지 않았으나, 아무래도 레티시엘은 괴물들에게 둘러싸여 있는 것 같았다.

'이 녀석들은…… 분명히 무속성이 약점이었지.'

성유물의 봉인을 해방함으로써 출현하는 이 괴물들에 대한 대처법은 이미 알고 있었다. 하지만 이 좁은 거리에서는 이동과 회피가 어려웠다.

레티시엘은 괴물들과 거리를 벌리면서 넓은 장소를 찾아 폐허를 이동했다. 그리고 최종적으로는 광장으로 생각되는 장소를 선택했다.

무속성마술은 단독으로 사용할 수 없었기 때문에, 공격

에 사용하는 술식에 속성을 부여하는 방법으로 사용했다.

속성을 부여한 바람마술이 선풍이 되어 적을 찢어발기고, 사방에 흩뿌려진 검은 입자를 상공에 붙들어 묶어놓았다.

최전열의 적을 없애도, 곧바로 후속의 적이 솟아올랐다.

그 다음으로는 화염마술로 대응했다. 지면의 포석 사이를 따라 붉은 빛이 뻗어나가고, 그것이 적의 밑에 도착하자 폭발음과 함께 붉은 꽃이 피었다.

불의 꽃이었다. 열풍에 나부끼는 잡초가 불타고, 괴물들은 순식간에 불에 삼켜져 재로 변해버렸다.

'……이 녀석들, 그렇게까지 강하지 않아.'

일격에 격파할 수 있는 것은 지금까지 싸워온 적들 중에서는 조금 맥이 빠지는 부류였다.

술식의 규모를 확대하자, 한층 더 많은 적을 상대할 수 있었다. 괴물의 수 자체는 상당했으나, 약했다.

그 사실에 위화감이 느껴지긴 했으나, 적이 약한 이상 이 상황을 유리하게 쓰지 않을 이유가 없었다.

레티시엘은 하늘을 향해 두 손을 들어올렸다. 그 손을 통해 녹색의 빛이 하늘로 날아오르고, 지상에서 하늘로 바람이 모여들었다.

평소 대규모마술을 쓸 때에는 늘 주위상황을 고려하지만, 폐허라 사람이 없는 이 곳에서는 요란하게 싸워도 문제없으리라.

레티시엘의 머리 위에 형성된 바람의 소용돌이는 주위의 공기를 끌어들여 팽창했고, 이윽고 구름을 두른 폭풍으로 변했다.

폭풍은 레티시엘의 조작으로 점점 그 범위를 확대시켰다. 혹독하고 거칠게 날뛰는 바람에 나뭇잎이나 돌조각, 괴물들은 덧없이 삼켜졌다.

소용돌이 안에서는 무수한 바람의 칼날이 괴물들을 기다리고 있었다.

허공에 내던져져, 버티는 것도 저항도 할 수 없는 괴물들이 그 공격을 방어할 수 있을 리 없었다.

"캬아아아아아!"

바람에 휩쓸린 괴물들의 단말마가 울려 퍼졌다.

이것으로 몇십 체는 단번에 쓰러뜨릴 수 있었을 것이다. 그러나 지상으로 눈을 돌리니 여전히 엄청난 수의 괴물들이 레티시엘에게 달려들기 위해 기회를 엿보고 있었다.

'어떻게 정리할까……?'

마소는 마력처럼 어느 정도 사용 상한이 있는 것은 아니었으나, 대규모의 마술은 사용하면 그에 걸맞은 정신적 피로가 따라붙었기에 몇 번이나 연발할 수 없었다. 그렇다고 다른 술식으로 상대하기에는 수가 너무 많았다.

'……낭비를 최소화하면서 싸우는 수밖에 없겠네.'

"도로셀 님!"

불현듯 레티시엘을 부르는 목소리가 들리더니, 후방에서 빛의 화살이 날아왔다.

화살은 레티시엘의 정면에 있던 괴물에게 명중하고, 주위에 있던 다른 몇 체도 함께 끌어들여 정화했다. 레티시엘이 화살이 날아온 방향을 보니, 그곳에는 지크가 있었다.

"지크?!"

"간신히 따라잡았습니다."

아직 지크의 호흡은 거칠었다. 쉬다가 왔을 거라고는 생각되었지만, 이곳에 올 때까지 또 계속 달린 것일까.

"지크, 괜찮나요? 또 무리하게 만든 건가요?"

"그렇지 않습니다. 이곳에 도착했을 때, 마침 중심부근에서 강한 폭풍이 일어나서 도로셀 님에게 무슨 일이 있나 싶어 달려온 것뿐입니다."

"그래요……."

방금 전 레티시엘이 적을 일소하기 위해 사용한 바람마술을 말하는 것이었다. 분명히 상당히 요란한 기술이니 멀리서 보면 무슨 일인가 싶기도 하겠지만.

"하지만, 이건 대체……."

"나도 잘 모르겠어요. 하지만 역시 이 장소가 맞았던 것 같아요."

"그렇군요…… 저 괴물은 본 적이 있습니다."

로시포드의 사건 때, 분명히 지크도 레티시엘과 같은 자리에 있어서 예의 성유물 속의 괴물과 마주쳤다.

"지크! 도로셀! 무사하냐!"

거기에 루카스도 조금 늦게 달려왔다. 그의 옷 밖으로 드러난 의수에 희미하게 불꽃이 남아 있는 것을 보니 이곳에 오는 도중에 괴물들과 전투가 있었던 모양이었다.

"갑자기 달려가서 무슨 일인가 했다."

"죄송합니다……."

"뭐 됐다. 그런데 저 괴물들은 뭐냐? 꽤 오랜만에 봤다."

"그건 저도…… 다만, 사라…… 아니, 가면의 소년은 진심으로 싸우려 하고 있지는 않은 것 같은 기분이 듭니다. 이녀석들, 그다지 강하지 않아요."

"그럴거다. 마법을 둘렀다고는 하나, 내 주먹 한방에 쓰러뜨렸으니까 말이다."

구체적인 위력을 추측하는 것은 조금 어려웠으나, 루카스의 체감으로도 적이 약하게 느껴졌다고 했다.

그렇다면, 그 아이가 이 녀석들을 부추겨 이쪽을 습격하게 한 것은 다른 이유라는 것이 되었다. 그렇다면 생각할 수 있는 것은 레티시엘의 발을 묶어두는 것이나 시간벌기일까…….

"……! 도로셀 님, 저건!"

무언가를 알아차린 지크가 큰 소리로 외쳤다. 그는 하늘을 올려다보며 어딘가를 가리키고 있었다.

지크가 가리킨 장소를 본 레티시엘은 작게 눈을 부릅떴

다. 하늘에서 붉은 별이 형형하게 빛나고 있었다.

"저 별은……."

십수 년 전, 스피리아 전쟁 수년 전부터 갑자기 하늘에 출현한 붉은 별. 전승에서는 세계에 재앙이 찾아올 전조라고 하여, 흉성이라고 여겨지며 기피의 대상이었다.

방금 전 산에 오를 때에 보이지 않았던 것은, 그 때에는 아직 구름이 많아서 가려져 있었기 때문이리라. 지금은 하늘에 구름 한 점 없어 붉은 별이 보는 이의 눈을 찌를 것처럼 그 존재를 주장하고 있었다.

"불쾌한 타이밍에 보고 말았군."

"그러네요."

도로셀의 환영에 이끌려 이곳에 도착하고, 이 장소에서 흉성을 보았다. 레티시엘은 모든 것이 연결되는 것으로 보여 참을 수 없었다.

거기에, 저 별을 봤기 때문이라는 것은 아니었으나 방금 전부터 줄곧 가슴이 불길하게 두근거렸다. 만약 정말로 레티시엘의 발을 묶어두는 것이 목적이라면, 이러고 있는 지금에도 돌이킬 수 없는 무슨 일인가가 진행되고 있을지도 몰랐다.

"가라."

"네?"

"이곳은 우리가 맡으마. 너는 네가 생각한 대로 움직여라.

하고 싶은 일이 있잖아?"

아무래도 속을 모두 간파당하고 있던 것 같았다. 그렇게까지 조급함이 얼굴에 드러나 있었다고는 생각하지 않았는데…….

"……아뇨. 우선 이 자리를 정리하겠어요."

"……뭐?"

"이런 괴물 무리 속에 두 사람을 두고 갈 수는 없습니다. 게다가, 세 사람이나 있으면 이 무리도 어떻게든 할 수 있을지도 모르잖아요?"

"그건 그럴지도 모르지만……."

루카스는 그렇게 말하려다가 레티시엘에게 이곳에서 물러날 기색이 없다는 것을 느끼고는 이런이런 한숨을 내쉬었다.

"알았다. 그럼 이 녀석들을 얼른 다 쫓아버려야지."

"예."

전투태세에 들어간 루카스에게 짧게 대답하고, 레티시엘은 곧바로 괴물무리에 마술을 쏘기 시작했다.

전력이 는다는 것은 가볍게 볼 일이 아니었다. 흩어져서 싸웠을 때보다 괴물들이 쓰러지는 속도가 빨랐다.

"……지금 걸로 끝난 것 같네요."

이윽고 마지막까지 남아있던 괴물이 쓰러지고, 주변에 정적이 되돌아왔다. 지크가 가볍게 땀을 훔치며 주변을 확인했다.

"고마워요, 지크. 미안해요. 지원을 모두 맡겨서."

"아뇨. 도움이 된다면 뭐든 하겠습니다."

"이제부터 어쩔 테냐? 증원이 올 기색은 없다만, 이곳에서 있어도 소용없잖아."

"……."

"도로셀, 뭔가 짚이는 것이라고 있는 거냐?"

"……한군데, 가고 싶은 장소가 있습니다."

레티시엘은 그렇게 말하고 거리를 나아가기 시작했다. 뒤에서 루카스와 지크도 따라왔다.

근거도 확신도 없었지만, 레티시엘의 다리는 자연스럽게 시계탑으로 향하고 있었다. 그곳에, 아마도 사라가 있을 터였다.

시계탑 주변은 광장과도 같은 공간으로 되어 있었다. 시가지 터에는 그렇게나 많은 검은 괴물이 나타났건만, 이곳은 소리도 없을뿐더러 기척도 없었다. 불길할 정도로 고요했다.

탑 아래쪽에는 꼭대기까지 이어지는 나선계단의 문이 입을 벌리고 있었다. 원래 있던 문은 경첩이 떨어져서 가까운 곳에 굴러다니고 있었다.

"정말로, 이곳에 우두머리가 있는 거냐?"

"뭐…… 또 제 감이지만요."

레티시엘은 각오를 굳히고 계단을 오르기 시작했다. 이끼와 덩굴투성이의 계단을 밟는 발소리가 세로로 긴 시계탑 안에 울려 퍼졌다. 그러나 이 나선계단, 꽤나 긴 것 같았다.

한참을 올라가도 아직 꼭대기가 보이지 않았다.

"……응?"

문득 위화감을 알아차리고 레티시엘은 뒤를 돌아보았다.

레티시엘이 멈춰 서자, 계단에서는 모든 소리가 사라졌다. 루카스와 지크의 발소리가 전혀 들리지 않았다.

"……지크? 루카스 님?"

불러 봐도 대답이 없었다. 레티시엘의 목소리만이 돌로 된 벽에 부딪쳐 반향이 되어 울렸다.

계단을 오르기 시작할 때 분명 뒤를 확인하지는 않았지만, 처음에는 두 사람의 발소리가 분명히 났었는데…….

레티시엘은 되돌아갈까도 생각했다. 그러나 여기까지 올라와서 새삼 되돌아가는 것도 시간이 아까운 것 같은 느낌이 들었기 때문에, 그대로 계속 올라가기로 했다.

상당히 긴 계단이었을 터인데, 체감으로는 순식간이었다. 계단의 끝은 사각형의 공간이었다. 풍화되어 무너진 천장에서 구름 낀 하늘이 올려다보았다.

사방에도 벽은 없고, 일부만이 간신히 남은 돌난간의 틈새를 새된 소리를 내며 바람이 불어나갔다. 과거에는 전망대였는지도 몰랐다.

"올 거라고 생각했어."

머리 위에서 목소리가 떨어져 내려왔다. 레티시엘은 얼굴을 들었다.

붕괴를 면한 천장의 꼭대기 부분, 기둥과 기둥을 잇는 아치 위에 가면의 소년이 하늘을 등지고 앉아있었다.

"하지만 늦었군."

"……무슨 말이야?"

"그 말대로다. 곧 알게 될 거야."

가면 속에서 어떤 표정을 짓고 있는지는 알 수 없었으나, 소년…… 사라는 어딘가 즐거운 듯이 웃었다. 머리에 쓰고 있는 후드의 틈새로 새하얀 머리카락이 엿보였다.

"그럼 그 전에 널 붙잡겠어."

"변함없이 용감하군."

그렇게 말하고 사라는 아치 위에 앉은 채로 손가락을 한 번 튕겼다.

뭔가의 주술을 발동한 것인가, 하고 레티시엘은 경계태세를 취했다. 하지만 기다려도 주위에는 아무 변화가 일어나지 않았다.

"……뭘 한 거야?"

"대단한 건 아니야. 다만 시계탑의 계단을 오르는 자가 영원히 목적지에 도달할 수 없게 했을 뿐이야."

"……!"

아무것도 아니라는 듯한 그 한 마디에, 레티시엘의 얼굴이 창백해졌다. 방금 전 계단 중간에서 지크와 루카스와 헤어진 기억이 되살아났다.

"구하러 갈 생각이라면 그만두는 편이 좋아."

계단 쪽을 돌아본 레티시엘에게 세라가 코웃음을 치며 말을 걸었다.

"지금, 그자들은 이계에 있다. 그걸 어떻게 할지는 내게 달렸어."

"……그 두 사람에게 무슨 짓을 한다면 용서하지 않겠어."

"그럼 더더욱 섣부른 행동은 하지 말도록 해. 네 마술로 깰 수 있는 술법이 아니야. 마술은 이제 만능이 아니다. 그건 확실히 자각할 수 있었지?"

"……."

역시 제국군이 갖고 있던 마술무효화의 나뭇조각은 그가 제공한 것이었던가. 레티시엘은 말없이 지긋이 사라를 노려보았다.

"여기까지 와서 네가 방해하게 할 수는 없어서 말이지. 얌전히 있어 주실까."

"사라……."

"……그 이름도 꽤나 오랜만에 듣는군, 레티시엘. 정말 화가 치밀어 올라."

작게 혀를 차는 소리가 들린 것 같은 느낌이 들었다. 그렇게 불리는 것은 마음에 들지 않는 것 같았으나 레티시엘은 무시했다.

그대로 두 사람의 시선이 부딪친 채 시간이 지나갔다. 지크와 루카스를 구하고 싶은 마음은 굴뚝같았으나, 현재는 사라가 완전히 우세했다. 분했으나 지금은 기회가 오는 것을 참고 기다리는 수밖에 없었다.

"……여기서 보이는 전망은 정말 근사해."

침묵을 먼저 깬 것은 사라 쪽이었다. 맥락도 없이 갑자기 그런 말을 꺼내는 그에게 레티시엘은 미간에 주름을 모았다.

"갑자기, 무슨 말이야?"

"줄곧 보고 있어도 질리질 않아. 너도 한 번 보도록 해."

"관심 없어. 뭘 꾸미고 있는 거야?"

"……"

잡담에 어울려줄 생각 따위 없었다. 레티시엘이 그렇게 되받아치자 사라는 잠시 입을 다물었다.

"……과거에 이곳은, 무척 번영한 큰 도시였다."

또다시 입을 열었다고 생각했더니, 또 묘한 이야기를 시작했다. 대체 그 이야기가 뭐라는 것일까.

"하지만 도시는 하룻밤 만에 멸망했다. 커다란 전쟁이 한창이던 때였지."

커다란 전쟁이라는 말에 레티시엘의 머리에 가장 먼저 떠오른 것은, 그녀가 살았던 천 년 전의 아스트레아 대륙전쟁이었다. 이 도시는 그때 멸망한 것일까.

"본래 예정과는 조금 달랐지만, 결과적으로는 생각대로 일이 굴러갔지."

"……너, 대체 뭘……."

"덕분에 이 장소에서 마술은 멸망했어."

"……?"

「이 장소에서……?」

그 에두른 표현에 레티시엘은 고개를 갸우뚱했다. 게다가, 방금 전의 말. 그래서는 이 도시를 멸망시킨 것이 사라라고 말하는 것 같지 않은가.

"그건 대체 무슨—."

쾅!

레티시엘의 사고가 중단되었다. 갑자기 주위에 묵직한 땅울림이 울려 퍼졌다.

무슨 일인가 해서 레티시엘이 주변을 돌아보는 것과, 회색의 구름 위를 향해 무수한 검은 기둥과도 같은 빛이 뻗어 올라간 것과 거의 동시였다.

녹테트 산의 정상인 이 장소는 분지와도 같은 형태로, 그 주위로는 산이 벽처럼 둘러싸고 있었다. 검은 기둥은 모두 그 벽 바깥쪽에 보이고 있었다. 즉, 이곳이 아닌, 왕국이나 제국의 영지 내에서라는 뜻이었다.

"뭐가, 일어나고……."

"검은 연못의 혼의 기둥은 모두 무사히 기동한 것 같군."

"검은……연못?"

혼의 기둥? 검은 연못? 전자는 무엇을 말하는지 알 수 없었으나, 후자는 어디에서인가 들은 적이 있는 것 같은 느낌이 들었다. 분명히 캘런포드 교외의 폭심지인 크레이터 안에 검은 연못과도 같은 것이……

'설마…… 그것들이?!'

그러고 보면, 그 사고가 일어난 즈음에는 비슷한 원인모를 폭발사고가 각지에서 연이어 발생했다.

그 검은 연못이 이것을 위해 존재했던 것이라고 한다면, 다른 사고도 어쩌면 이걸 위해 일어났던 것은 아닐까.

그리고, 최근에 제도 멜드에서 일어난 폭발. 결국 현장을 확인하지 못했지만 폭발지가 원형으로 움푹 패여 함몰되어 있었다는 얘기였다.

그 장소는 이전에도 비슷한 폭발이 일어나 그 현장을 다시 메우고 사용하던 토지였다. 설마 그것이 혼의 기둥이라는 것이었던 것일까.

회색하늘이 빛을 머금고, 하얀 마법진을 그렸다. 그러나 그 문양은 어디선가 본 적이 있었다. 그것과 비슷한 형태의 별자리를 알고 있었다. 저것은……북두칠성?

"……자, 시작될 거야."

빛을 내뿜는 마법진을 올려다보며 사라가 작게 중얼거렸다. 이쪽을 등지고 있었기 때문에, 그의 표정은 보이지 않았다.

"이걸로 겨우, 내 계획이 완성된다."

검은 기둥들이 구름을 뚫고 마법진을 향해 떨어졌다.

마법진이 점차 검은 색으로 물들어가는 것을, 레티시엘은 어쩔 도리도 없이 지켜보고 있는 수밖에 없었다.

종장 황혼의 폐허

폐허가 된 도시에 폭풍이 일었다.

녹테트 산의 정상, 칼데라의 폐허. 그 구 시가지의 상공에 거대한 바람의 소용돌이가 형성되어 있었다.

으르렁거리는 소리를 내며 거꾸로 소용돌이치는 바람은 모든 것을 집어삼키며 하늘을 춤췄다. 폐허의 기와, 돌조각, 나무토막, 그리고 검은 안개를 휘감은 괴물들.

이 장소에서는 멀어서 소용돌이 안의 상황까지는 육안으로는 꿰뚫어볼 수 없었지만, 뭔가의 공격 술식이 짜여 들어 있을 것이다. 괴물들의 단말마가 여기까지 울려 퍼졌다.

"……."

사라는 그 모습을 시계탑 꼭대기에서 바라보고 있었다.

레티시엘이 이곳에 오리라는 것은 예상하고 있었다. 그래서 성유물에서 해방시킨 괴물들을 그녀에게로 보냈다.

그러나 자신이 직접 나서지는 않았다. 사라는 그저 이 탑 위에서 그녀가 올라오는 것을 기다리면 되었다.

『……꽤나 소극적인 자세로군.』

등 뒤에서 여성의 목소리와도 닮은 불쾌한 목소리가 들려왔다. 돌아보지 않아도 그것이 누구의 목소리인지, 사라는 잘 알았다.

"낮에는 나오지 말라고 말했을 텐데?"

『나는 누구의 지시도 받지 않는다. 그것은 네놈의 가장 잘 알고 있겠지.』

사라가 힐끗 뒤쪽으로 시선을 주자, 등 뒤에 달라붙듯이 검은 어둠이 아지랑이처럼 흔들리면서 소리 없이 다가오고 있었다.

"그럼 그 말을 그대로 되돌려주지. 내게도 내 방식이 있다. 네놈에게 이러쿵저러쿵 말을 들을 이유는 없어."

『호오…… 감히 인간이 뚫린 입이라고 말은 잘 하는군.』

검은 그림자가 불온하게 웃으면서 어둠을 흔들고는, 그림자 속에 떠오른 붉은 눈을 이쪽을 비웃는 것처럼 가늘게 떴다.

사라는 자신의 그림자에서 스며 나오는 그 형체를 무감정하게 바라보았다. 이것과는 이미 천 년 이상 함께 하고 있었다.

이 검은 괴물을 해방시킨 것은 천 년 전, 황야에 파묻힌 오래된 유적 안이었다. 그의 바람을 이루어주는 대신, 이쪽의 계획에 협력하게 한다. 그런 거래 하에 사라와 괴물의 영혼은 계약으로 연결됐다.

그 후, 그 능력으로 몇 번이나 전생을 거듭했다. 도중에 몇 번인가 문제도 있었지만 드디어 여기까지 다다랐다.

괴물에 대해서는 지금도 전혀 신뢰하고 있지 않았다. 사라에게는 이 녀석의 존재조차 도구의 하나에 불과했으니까.

『허나, 내 동포들도 참으로 약해졌구나.』

괴물은 건물의 그림자가 닿는 아슬아슬한 장소에까지 스며나와 아직 거칠게 날뛰고 있는 폭풍 쪽을 바라보았다.

『저 정도의 술법에 무릎을 꿇다니. 도움이 되지 않는 쓰레기뿐이로군.』

그것은 사라가 일부러 약한 성유물을 해방하고 있기 때문이리라. 강력한 성유물의 수는 한정되었으나, 시간벌이의 용도라면 그 수는 얼마든지 있었다.

이 대륙에는 성유물이라 불리는 물건이 흩어져 있었다. 시간의 흐름이 느껴지지 않는 광채와 신비한 힘으로 인간들에게는 신성시되고 있었으나, 그 정체를 아는 사라가 보기에는 꽤나 우스운 이야기였다.

아득한 옛날, 이 대륙, 더 나아가서 세계를 좌지우지 하던 것은 지금 사람의 그림자에 몸을 숨기고 있는 검은 괴물……『고대의 칠흑』이라고 칭해지는 것이었다.

그러나 그런 괴물도 이윽고 봉인되는 때가 찾아왔다. 그때 괴물이 갖고 있던 능력, 두르고 있던 생물에 악영향을 끼치는 검은 안개, 혼과 같은 것들은 잘게 쪼개어져 본체에서 잘려나가 다양한 물건에 뿔뿔이 흩어져 봉인되었다.

그 중 검은 안개를 봉인해 만들어진 것이 현재 성유물이라며 인간들이 신성시하고 있는 도구들이었다. 모른다고는 하나, 사악한 괴물을 신성하다고 우러러 받드는 모습은 우습기만 했다.

"쓰레기든 뭐든 발을 묶는 정도로는 도움이 된다."

『발을 묶는 것이 아니라 완전히 처리하는 것이 필요하지 않은가. 저 계집은 걸림돌이 되기만 할 것이다.』

"이걸로 충분하다. 너는 닥치고 있어."

사라의 목적은 이 자리에서 레티시엘을 없애는 것이 아니었다.

그녀는 앞으로도 사라의 계획 속에서 장기말로 크게 움직여줘야 했다. 이런 곳에서 죽어서는 곤란하다.

『인간은 이해할 수 없군. 자신의 아버지를 죽인 계집에게 천 년이나 집착하다니, 너무 기특해서 이해할 수 없다.』

"……닥쳐라."

『그렇지 않으면 뭔가 다른 목적이라고 있는 것이냐? 네놈이 뭘 생각하든 혼이 이어진 내게는 다 알 수 있다만, 그것이 단순한 표면상의 이유이거나 하지는 않겠지.』

"닥치라고 했잖아!"

사라가 일갈하자, 괴물은 칠판을 손톱으로 긁는 것 같은 귀에 거슬리는 웃음소리를 내며 그림자 속으로 다시 들어갔다. 어느새 폭풍은 멈춰있었다.

사라는 하늘을 올려다보았다. 하늘에서는 붉은 흉성이 형형하게 빛나고 있었다. 이 별은 괴물과 계약한 뒤로 천 년 동안, 사라가 전생하고 그 혼에 기생하는 괴물이 눈을 뜰

때마다 그 사실을 경고하듯이 나타났다.

정신을 차리고 보니 폭발음 등도 들리지 않았다. 시가지에서의 전투는 일단락된 모양이었다. 그럼 레티시엘이 찾아온 곳은 이 시계탑이리라.

'……하지만, 그 녀석은 어떻게 이곳을 특정한 것일까.'

그리 머지않은 때 찾아올 것이라고 예상하긴 했으나, 레티시엘의 도착은 사라가 생각했던 것보다 빨랐다. 그랬기에 하급 성유물을 이용하여 발을 묶게 된 것이었는데, 누가 이 장소에 관한 정보를 그녀에게 흘린 것일까.

'가능성이 있다고 한다면 자쿠도나, 버리는 말로 이용한 세리냐 정도인가……?'

결사의 일원이 아닌 세리냐는 둘째치고 자쿠도라면 할 법했다. 플라티나 왕국이 베바르 왕조에서 지금의 아레스타 왕조로 대가 바뀌었을 때…… 맹인왕의 시절부터 곁을 지키고 있는 존재였으나, 사라는 그에 대한 신뢰감이 전혀 없었다.

그것은 아마도 자쿠도 쪽도 마찬가지이리라. 요즘 그가 몰래 괴물과 개인적인 접촉을 하고 있는 것을 사라는 알고 있었다.

"……그런 일은 지금은 아무래도 상관없어."

사라는 작게 고개를 저어 잡념을 떨쳐냈다. 설령 누가 배신하더라도, 사라는 자신의 목적만 달성할 수 있으면 상관없었다.

그것을 위해 긴 시간을 들여 준비를 해왔다. 주술을 만들고, 어둠의 정령들을 수중에 넣었으며, 스피리아 지방을 손에 넣었다. 또 캘런포드와 멜드를 비롯한 각 포인트에 쐐기를 박아 넣고, 그것을 밀그레인과 자쿠도가 무사히 기동시켰다.

라피스 국을 조종해 스피리아 전쟁을 일으켰을 때는 이 몸도 아직 어린 아이였는데, 참으로 멀리까지 왔다.

사라는 아치 위에 앉아 폐허가 된 도시를 둘러보았다. 이곳에서 한눈에 내려다보이는 시가지 중심에는 물이 가득 고인 커다란 크레이터가 호수처럼 펼쳐져 있었다.

600년 전, 저 크레이터가 생긴 원인이 되는 사고를 계기로 사라의 계획은 움직이기 시작했다. 마술을 멸망시키고, 정령을 무력화시키고 세계에서 마소를 몰아낸다. 그렇게, 가장 증오스러운 여자에게 최고의 복수를 하는 것이다.

그 괴물은 그것을 이해할 수 없다고 하지만, 그것이 이해할 수 있을 쏘냐. 천 년간 계속 가슴 속에 품고 있는 이 집념의 진의를 아는 것은 자기 자신 이외에는 아무도 없었다.

시계탑 밑으로 시선을 향하니, 마침 기다리던 상대가 탑 아래쪽 광장으로 뛰어 들어온 참이었다.

"……빨리."

사라가 하려는 일은 괴물이 목적하는 것과도 일치했다. 때문에 괴물이 자신을 배신할 일은, 지금은 없었다.

그러니 빨리 이곳으로 와. 이제 곧 대륙 전체에 박아 넣은 혼의 기둥이 기동한다. 그것을 그 여자에게 보여주고 싶었다.

'내 계획에는 『레티시엘』이 필요하니까……'

용어집

천 년 후의 세계에 전생한 레티시엘.
그녀가 기록한 메모의 일부를 여기에 공개.

루크레치아 학원

플라티나 왕국 왕도 니르반에 있는 성 루크레치아의 이름을 딴 왕립학원.
귀족가의 자재를 위한 교육기관이지만, 이따금 우수한 평민의 입학도 인
정하고 있다. 수업 쪽은 아무래도 상관없었으나 국내에서 두 번째로 많은
장서량을 자랑하는 대도서실은 매력적.

탐구자의 일족

세계 각지에 흩어져 있다고 하는 일족. 그 일족은 특별한 반점을 갖고
태어난다고 하지만, 그 목적이나 기원, 실태 등 모든 것이 수수께끼에
싸여 있다.

성유물

성인들의 소유물이라고 전해지는 물건의 총칭. 대륙 각지에 흩어져
있다. 신비한 힘을 내포한 특수한 물건으로, 신앙의 대상이 되는 경우
도 많으나 실제로는 인체에 해를 끼치는 검은 안개를 봉인하기 위한
매체에 지나지 않는다. 모두 겉모습에 속고 있다고 생각해.

두닉스의 유산

음유시인 두닉스가 남겼다고 하는 물건들의 총칭. 어떤 물건에든 색
색가지의 수수께끼의 도형이 그려져 있는 것이 특징. 사서인 데이비
드가 이것을 모으고 있는 것 같은데, 대체 어떤 목적이 있는 것일까.

검은 안개

성유물에 봉인된 물질. 사람에게 쓰이거나 괴물과도 같은 형태를 취하
는 일도 있다. 주술의 힘의 원천인 주석도 이 안개와 관계가 있는 것 같
지만 이 안개는 대체 어디에서 태어나 어떻게 이 세계에 온 것일까.

캘런포드의 폭발사고

과거 스피리아 전쟁보다도 더 전에 왕국 남쪽에 있는 피서지 캘런포드에서 일어난 원인불명의 폭발사고. 그 사고로 캘런포드는 사람이 살 수 없는 땅이 되어버렸고, 지금은 폐허처럼 되었다. 검은 안개가 관계있는 것은 아닐까 하고 나는 예상하고 있지만······.

맹인왕

600년 전에 전 왕조를 쓰러뜨리고 지금의 왕조를 세운 초대 왕. 이름 그대로 맹인이었다고 한다. 압정에서 백성을 구한 영웅으로서, 지금도 국민들 사이에서는 뿌리 깊은 인기를 자랑하고 있다.

붉은 눈

플라티나 왕국에서는 붉은 눈은 불길한 것으로 여겨지는 것 같다. 단명한다든가, 재앙의 원천이라든가 많은 말을 듣고 있지만, 분명히 듣고 보니 나와 국왕을 제외하고 주변에서 붉은 눈을 가진 사람을 본 적이 한 번도 없다. 때때로 붉은 왼쪽 눈 쪽에 통증이 느껴지는 일이 있지만, 그것도 뭔가 의미가 있는 것일까.

아르마 · 리액터

이리스 제국의 기반이라고도 일컬어지는 거대 융합로. 구조는 국가기밀인 듯, 실체는 거의 알지 못했다. 제국은 이 융합로가 만들어내는 힘을 병기에 사용하여 마법에 의지하지 않고 강대한 군사력을 얻은 것 같지만······.

붉은 흉성

스피리아 전쟁이 일어나기 2년 정도 전부터 남쪽 하늘에 떠올라 지지 않고 있는 붉은 별. 천 년 동안 몇 번인가 관측되어온 듯, 이 별이 하늘에 떠오르면 재앙이 일어난다는 말이 전해지고 있다. 대체 어떤 조건으로 이 별은 하늘에 나타나는 것일까. 신경이 쓰인다.

■작가 후기

금번 『왕녀 전하는 화가 나셨나 봅니다』 7권을 읽어주셔서 감사합니다. 야츠하시 코우입니다.

레티시엘의 이야기도 드디어 7권에 돌입했습니다. 길었던 것 같기도 하고 짧았던 것 같기도 하고…… 응원해 주신 독자 여러분에게는 그저 감사할 따름입니다.

이번 권은 한 마디로 총칭하자면 『전환점』인 한 권이었습니다. 이리스 제국과의 전쟁을 헤쳐 나갈 전망이 서고, 그 뒤에서는 백의 결사의 계획이 본격적으로 시동되면서, 국가 규모의 분쟁이 단숨에 레티시엘 주변의 사건으로 수렴되는 과정을 그리고 있습니다.

또, 전권부터는 용어집을 달 수 있게 되었습니다. 이야기가 전개되어감에 따라, 설정이나 용어가 점점 늘어나 독자 여러분에게는 대단한 불편을 끼쳐드리고 말았습니다……. 기다리게 해서 죄송합니다!

5권부터 시작된 제2부의 이야기도 대단원을 맞이하고, 다음 권부터는 최종장이라고 할 수 있는 이야기가 시작됩니다.

지금까지 수수께끼에 싸여만 있던 라피스 국도 드디어 결사와 함께 움직이니, 기대해주시면 기쁘겠습니다.

마지막으로 담당편집자이신 Y씨 및 졸저의 출판에 관여해 주신 모든 분, 일러스트를 그려주시는 나기시로 미토 씨, 만화를 담당해주시는 요츠바 네코 씨, 그리고 이 책을 읽어주신 모든 독자 여러분에 진심으로 감사인사를 드립니다.

그럼, 또 다음 권에서 만날 수 있기를 빕니다.

야츠하시 코우

■ 역자 후기

　안녕하세요, 역자입니다. 이번에는 2부의 대단원과 함께 찾아뵈었습니다.

　작가님의 말에 따르면 5권부터는 사건의 규모가 공작가에서 벗어나 국가단위로 커지면서 2부가 시작된다고 했습니다. 5권에서는 4권까지 이어지던 피리아레기스 공작가의 사건이 마무리되고, 이리스 제국이 아슬아슬하게 유지하던 플라티나 왕국과의 동맹을 파기하는 것으로 끝이 났지요. 즉, 전쟁이 터질지도 모른다는 불온한 분위기로 끝.

　그렇게 이어지던 2부도 드디어 단락이 지어진 모양입니다. 적들의 계획이 최종단계에 들어서는 것과 함께 말이지요. 다음 권부터는 최종장이 시작될 것이라고 합니다. 최종장을 앞둔 만큼 대단원의 분위기도 1부가 끝날 때와는 비교도 되지가 않습니다. 『세계구』급의 『재앙』이 발생할 것 같다는 뉘앙스를 풍기고 끝나지요.

그래서인지 앞으로 어떤 내용이 나올지 감이 안 잡힙니다.

게다가 알고 싶은 내용, 회수되기를 바라는 복선들도 매우 많습니다.

이미 나왔던 지크의 출생의 비밀도 있고.

에델하르트가 데리고 있는 메이의 변화.

하얀 원피스의 소녀와 도로셀 (레티시엘)의 변화.

죽었다고 알려진 플라티나 왕국 제1왕녀 알렉시아.

그리고 마지막 장에서의 모든 인물들의 향방.

(하지만 다들 주연급이니 이대로 리타이어 할 리는 없다는 근거 없는 확신을 갖고 있습니다.)

거기에 더해, 6권과 7권의 마지막을 장식한 폐허의 도시에 대해서도 알고 싶습니다.

사라의 말을 미루어보면, 그곳이 600년 전 아스트레아 대륙에서 마술이 설 자리를 잃게 된 바로 그 사고가 일어난 곳인 것 같은데요. 과연 무슨 일이 있었던 것일까.

그 연장선에서 혼의 기둥에 대해서도 머리를 굴려보게 되고. (이 글을 쓰다가 퍼뜩 든 생각이 어둠의 정령들과 뭔가 관계가 있는 것이 아닐까.)

자쿠도가 오래 전부터 사라의 옆에 있어왔고, 그 정체가 맹인왕을 따르던 초대 피리아레기스 공작이라는 사실에서 그가 모시던 맹인왕에 대해서도 흥미가 동하고(피리아레기스란 이름의 울림이 마음에 드는데, 오랜만에 적을 수 있어서 기쁩니다).

　역시나 가장 인상적인 내용은 지크가 꾸는 꿈의 내용입니다. 지크가 꿈에서 보는 장면은, 언젠가 『가면의 소년』이 꿈꾸었던 그것과 판박이처럼 보입니다. 아주 오래 전 소년의 경험에서 비롯된 꿈의 내용과, 말이죠.
　개인적으로는 레티시엘의 소꿉친구 중 한 명인 붕대의 소년이 어떻게 되었을지 참으로 궁금합니다. 난, 『그』라고 생각했는데, 아니었던 것일까.

　플롯 구성 연습을 할 때에는 타인이 쓴 작품의 『뒷부분』이 어떻게 전개될지 예상해 보는 것이 좋은 훈련이 된다고 하는데요. 위에서도 말했듯이, 저는 전혀 예상이 안 돼서 말입니다. 이쪽 길로는 글러먹은 모양입……이 아니라, 얌전히 다음 권을 기다려야겠습니다. 총총총.

왕녀 전하는 화가 나셨나 봅니다 7

초판 1쇄 발행 2022년 9월 10일

지은이_ Kou Yatsuhashi
일러스트_ Mito Nagishiro
옮긴이_ 이진주

발행인_ 신현호
편집장_ 김승신
편집진행_ 권세라 · 최혁수 · 김경민 · 최정민
편집디자인_ 양우연
관리 · 영업_ 김민원

펴낸곳_ (주)디앤씨미디어
등록_ 2002년 4월 25일 제20-260호
주소_ 서울시 구로구 디지털로 26길 111 JnK디지털타워 503호
전화_ 02-333-2513(대표)
팩시밀리_ 02-333-2514
이메일_ lnovellove@naver.com
ㄴ노벨 공식 카페_ http://cafe.naver.com/lnovel11

Royal Highness Princess seems to be angry 7
© 2021 Kou Yatsuhashi
First published in Japan in 2021 by OVERLAP, Inc.
Korean translation rights reserved by D&C MEDIA Co., Ltd.
Under the license from OVERLAP, Inc., Tokyo JAPAN

ISBN 979-11-278-6545-0 04830
ISBN 979-11-278-5850-6 (세트)

값 7,800원

©Kyosuke Kamishiro 2020
Illustrator: Kakeru Kirin
KADOKAWA CORPORATION

전생 따위로 도망칠 수 있을 줄 알았나요, 오빠? 1권

카미시로 쿄스케 지음 | 키린 카케루 일러스트 | 송재희 옮김

나를 감금했던 동생이 이 세계 어딘가에 숨어 있다ㅡ.
고등학교를 졸업하고 5년간 여동생에게 감금당했던
나는 가까스로 도망쳤다가 트럭에 치여 이세계에 전생.
악마 같은 동생으로부터 겨우 해방되었다……
자유로운 새 세상에서의 이름은 잭.
귀족의 외동아들로, 사랑 넘치는 부모님과 상냥한 메이드 아벨리의 보살핌 속에서
행복 가득한 새로운 인생이 시작되었을 테지만.
함께 죽은 동생도 이 세계에 전생했다.
이름도 생김새도 달라진 그 녀석이 어디 숨어 있을지 모른다.
하지만 내게는 신에게 받은 세계 최강급의 힘이 있다.

이 능력으로 그 녀석을 물리치고
나는 이번에야말로 주위 사람들을 지켜 내겠다!

라이트노벨의 새로운 빛! 노벨의 신간은 매월 10일에 발매됩니다. http://cafe.naver.com/lnovel11

옛 원칙의 마법기사 1~3권

히츠지 타로 지음 | 토사카 아사기 일러스트 | 송재희 옮김

「기사는 진실만을 말한다」

「그 마음에 용기의 불을 밝히어」

「그 검은 약자를 지키고」

「그 힘은 선을 지지하며」

「그 분노는— 악을 멸한다」

전설 시대 최강의 기사라고 평가받는 동시에 「야만인」이라는 이명을 가진 시드 블리체.
캘바니아의 젊은 「왕자」에 의해 부활한 남자는 마법기사 학교의 교관으로 부임한다.
창설자 기사의 이념을 이어받은 네 개의 교실<small>클래스</small> 중에서
그가 배속된 곳은 공교롭게도 자신의 이름이 붙은 낙오 학급인데…….
"너희 말이야, 기사로서 부끄럽지 않아? —일단 검을 버려."

최강의 기사는 야만인—. 새로운 「교관」 시리즈 개막!

라이트노벨의 새로운 빛! L노벨의 신간은 매월 10일에 발매됩니다. http://cafe.naver.com/lnovel11

신은 유희에 굶주려있다. 1~2권

사자네 케이 지음 | 토모세 토이로 일러스트 | 김덕진 옮김

한가한 지고의 신들이 만든 궁극의 두뇌 게임 「신들의 놀이」.
오랜 잠에서 깨어난 신이었던 소녀 레셰는 눈을 뜨자마자 이렇게 선언했다.
"이 시대에서 게임을 제일 잘하는 인간을 데려와!"
지명된 사람은 「이 시대 최고의 루키」로 주목받는 소년 페이.
두 사람이 도전하는 「신들의 놀이」는 난이도가 너무 높아 완전 공략한 사람은 제로.
그 이유는, 신들은 변덕쟁이에 불합리하고, 가끔은 이해할 수 없으니까.
그러나 그런 게임이기에 진심으로 즐기지 않으면 아깝다!
여기에 천재 소년과 신이었던 소녀, 그리고 동료들이 펼치는
지고한 신들과의 궁극 두뇌전이 펼쳐진다!

신과 인류의 두뇌전, 드디어 개막!

©Taro Hitsuji, Kurone Mishima 2021
KADOKAWA CORPORATION

변변찮은 마술강사와 금기교전 1~19권

히츠지 타로 지음 | 미시마 쿠로네 일러스트 | 최승원 옮김

알자노 제국 마술 학원의 계약직 강사인 글렌 레이더스는 수업 중
자습 → 취침 상습범.
그러다 웬일로 교단에 서나 싶으면 칠판에 교과서를 못으로 고정해놓는 등,
그야말로 학생들도 기가 막혀 하는 변변찮은 강사다.
결국 그런 글렌에게 진심으로 화가 난 학생,
「교사 킬러」로 악명이 자자한 시스티나 피벨이 결투를 신청하지만—
이 해프닝은 글렌이 허무하게 패배하는 안타까운 결말로 막을 내린다.
하지만 학원에 닥친 미증유의 테러 사건에 학생들이 휘말리자,
"내 학생에게 손대지 마!"
비로소 글렌의 본성이 발휘된다!

TV애니메이션 방영 화제작!!

NOVEL